교과서

다품

넌♥
잘할거야

확률과 통계

구성과 특징

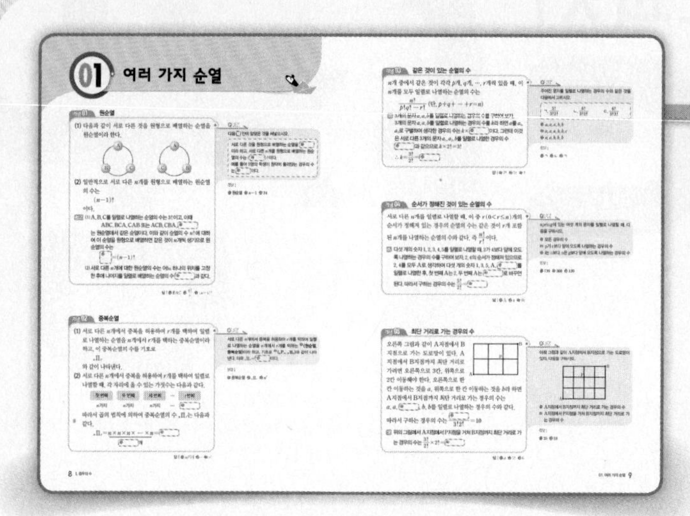

개념 정리

- 단원별로 꼭 알아야 할 개념을 정리하였습니다.
- 빈칸 채우기 등을 통해 스스로 개념을 완성하면서 숙지하도록 하였습니다.

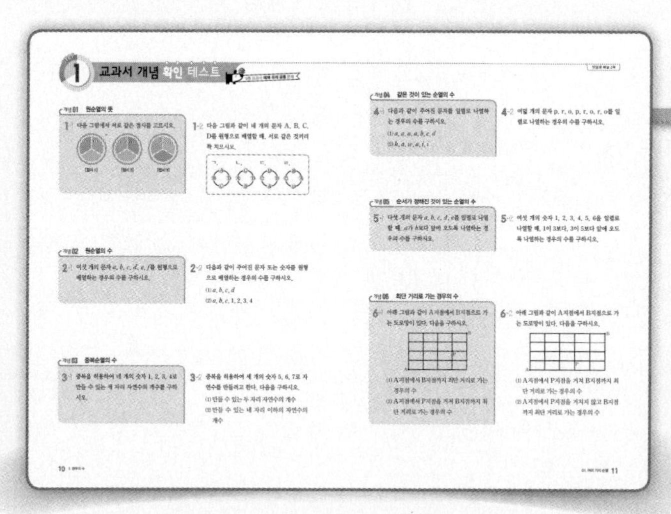

교과서 개념 확인 테스트

- 9종 교과서 예제, 유제, 공통 문제를 수록하였습니다.
- 쌍둥이 구성으로 반복연습이 가능하도록 하였습니다.

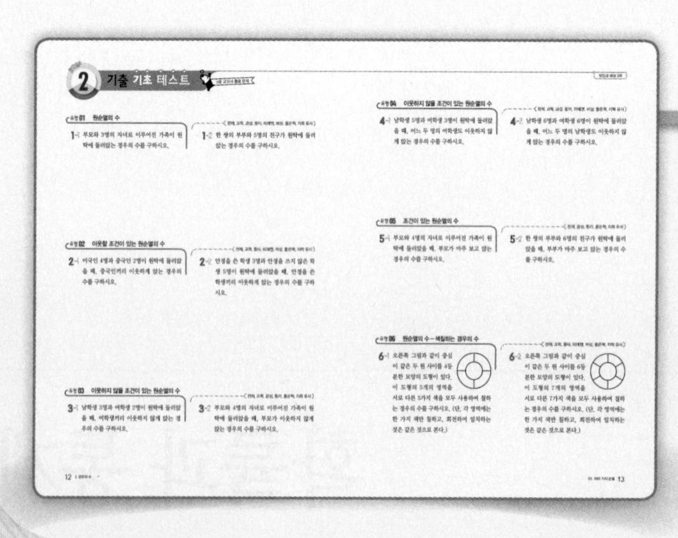

기출 기초 테스트

- 9종 교과서 중요 문제를 수록하고, 반복연습이 가능하도록 하였습니다.

STRUCTURE

“〈다:품〉은 이렇게 구성되어 있습니다.”

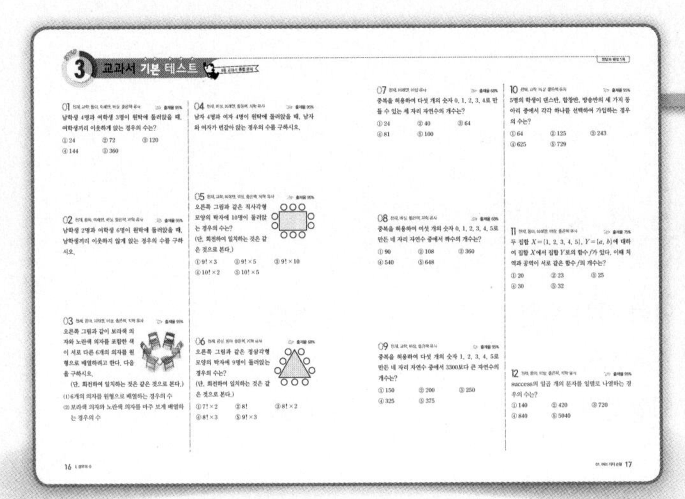

교과서 기본 테스트

- 9종 교과서 종합 문제를 수록하여, 시험 준비와 내신 대비를 할 수 있도록 하였습니다.
- 서술형 문제를 통해 내신 대비를 보다 효과적으로 할 수 있도록 하였습니다.

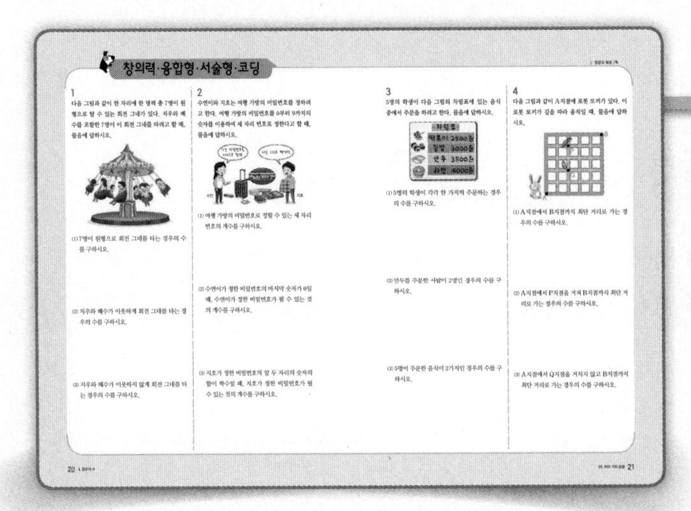

창의력 · 융합형 · 서술형 · 코딩

- 실생활 문제를 통해 수학과 친숙할 수 있도록 하였습니다.

이 책의 차례

I 경우의 수

II 확률

CONTENTS

III 통계

내가 알고 있는 것

If my mind can conceive it,
and my heart can believe it,
I know I can achieve it.
- Jesse Jackson

나의 머리가 생각해 낼 수 있고,
나의 마음이 그것을 믿을 수 있다면,
나는 이를 성취할 수 있다는 것을 알고 있다.
– 제시 잭슨

I

경우의 수

여러 가지 순열

개념 01 원순열

(1) 다음과 같이 서로 다른 것을 원형으로 배열하는 순열을 원순열이라 한다.

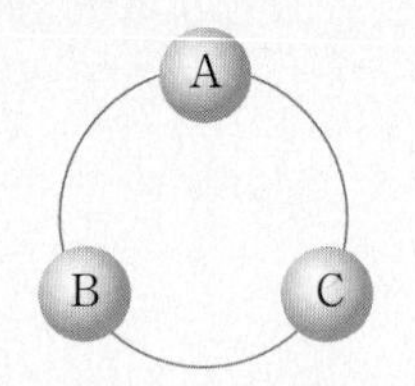

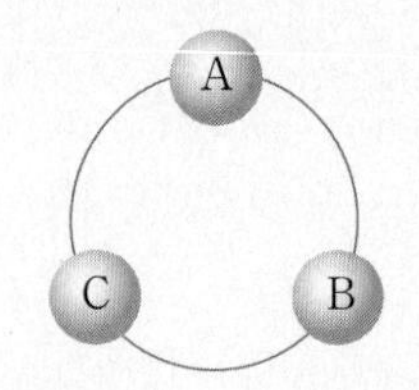

(2) 일반적으로 서로 다른 n개를 원형으로 배열하는 원순열의 수는

$$(n-1)!$$

이다.

참고 (1) A, B, C를 일렬로 나열하는 순열의 수는 $3!$이고, 이때

ABC, BCA, CAB 또는 ACB, CBA, ❶ [ ]

는 원순열에서 같은 순열이다. 이와 같이 순열의 수 $n!$에 대하여 이 순열을 원형으로 배열하면 같은 것이 n개씩 생기므로 원순열의 수는

❷ [ ] $=(n-1)!$

(2) 서로 다른 n개에 대한 원순열의 수는 어느 하나의 위치를 고정한 후에 나머지를 일렬로 배열하는 순열의 수 ❸ [ ]과 같다.

답 | ❶ BAC ❷ $\frac{n!}{n}$ ❸ $(n-1)!$

QUIZ

다음 [ ] 안에 알맞은 것을 써넣으시오.

서로 다른 것을 원형으로 배열하는 순열을 ❶ [ ]이라 하고, 서로 다른 n개를 원형으로 배열하는 원순열의 수는 (❷ [ ])!이다.
예를 들어 5명의 학생이 원탁에 둘러앉는 경우의 수는 ❸ [ ]이다.

정답 |
❶ 원순열 ❷ $n-1$ ❸ 24

개념 02 중복순열

(1) 서로 다른 n개에서 중복을 허용하여 r개를 택하여 일렬로 나열하는 순열을 n개에서 r개를 택하는 중복순열이라 하고, 이 중복순열의 수를 기호로

$${}_n\Pi_r$$

와 같이 나타낸다.

(2) 서로 다른 n개에서 중복을 허용하여 r개를 택하여 일렬로 나열할 때, 각 자리에 올 수 있는 가짓수는 다음과 같다.

첫 번째	두 번째	세 번째	…	r번째
n가지	n가지	n가지	…	❶ [ ]

따라서 곱의 법칙에 의하여 중복순열의 수 ${}_n\Pi_r$는 다음과 같다.

$${}_n\Pi_r=\underbrace{n\times n\times n\times \cdots \times n}_{❷\ [\ \ ]\text{개}}=❸\ [\ \ ]$$

답 | ❶ n가지 ❷ r ❸ n^r

QUIZ

서로 다른 n개에서 중복을 허용하여 r개를 택하여 일렬로 나열하는 순열을 n개에서 r개를 택하는 ❶ (**원순열, 중복순열**)이라 하고, 기호로 ❷ (${}_n\mathrm{P}_r$, ${}_n\Pi_r$)와 같이 나타낸다. 이때 ${}_n\Pi_r=$ ❸ [ ]이다.

정답 |
❶ 중복순열 ❷ ${}_n\Pi_r$ ❸ n^r

개념 03 같은 것이 있는 순열의 수

n개 중에서 같은 것이 각각 p개, q개, $\cdots$, r개씩 있을 때, 이 n개를 모두 일렬로 나열하는 순열의 수는

$$\frac{n!}{p!q!\cdots r!} \text{ (단, } p+q+\cdots+r=n\text{)}$$

예 3개의 문자 a, a, b를 일렬로 나열하는 경우의 수를 구하여 보자.
3개의 문자 a, a, b를 일렬로 나열하는 경우의 수를 k라 하면 a를 a_1, a_2로 구별하여 생각한 경우의 수는 $k\times$ ❶ ☐ 이다. 그런데 이것은 서로 다른 3개의 문자 a_1, a_2, b를 일렬로 나열한 경우의 수 ❷ ☐ 과 같으므로 $k\times 2!=3!$

$\therefore k=\frac{3!}{2!}=$ ❸ ☐

답 | ❶ $2!$ ❷ $3!$ ❸ 3

QUIZ

주어진 문자를 일렬로 나열하는 경우의 수와 같은 것을 다음에서 고르시오.

ㄱ. $\frac{5!}{3!2!}$ ㄴ. $\frac{6!}{3!2!}$ ㄷ. $\frac{6!}{3!3!}$

❶ a, a, a, b, b
❷ a, a, a, b, b, c
❸ a, a, b, b, b

정답 |
❶ ㄱ ❷ ㄴ ❸ ㄱ

개념 04 순서가 정해진 것이 있는 순열의 수

서로 다른 n개를 일렬로 나열할 때, 이 중 $r(0<r\le n)$개의 순서가 정해져 있는 경우의 순열의 수는 같은 것이 r개 포함된 n개를 나열하는 순열의 수와 같다. 즉 $\frac{n!}{r!}$이다.

예 다섯 개의 숫자 1, 2, 3, 4, 5를 일렬로 나열할 때, 2가 4보다 앞에 오도록 나열하는 경우의 수를 구하여 보자. 2, 4의 순서가 정해져 있으므로 2, 4를 모두 A로 생각하여 다섯 개의 숫자 1, 3, 5, A, ❶ ☐ 를 일렬로 나열한 후, 첫 번째 A는 2, 두 번째 A는 ❷ ☐ 로 바꾸면 된다. 따라서 구하는 경우의 수는 $\frac{5!}{2!}=$ ❸ ☐

답 | ❶ A ❷ 4 ❸ 60

QUIZ

spring에 있는 여섯 개의 문자를 일렬로 나열할 때, 다음을 구하시오.

❶ 모든 경우의 수
❷ p가 r보다 앞에 오도록 나열하는 경우의 수
❸ i는 n보다, n은 g보다 앞에 오도록 나열하는 경우의 수

정답 |
❶ 720 ❷ 360 ❸ 120

개념 05 최단 거리로 가는 경우의 수

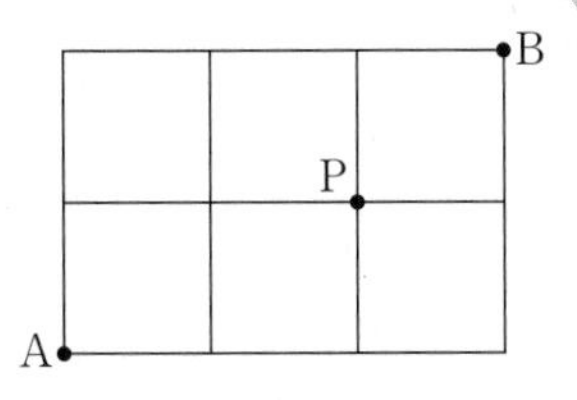

오른쪽 그림과 같이 A지점에서 B지점으로 가는 도로망이 있다. A지점에서 B지점까지 최단 거리로 가려면 오른쪽으로 3칸, 위쪽으로 2칸 이동해야 한다. 오른쪽으로 한 칸 이동하는 것을 a, 위쪽으로 한 칸 이동하는 것을 b라 하면 A지점에서 B지점까지 최단 거리로 가는 경우의 수는 a, a, ❶ ☐, b, b를 일렬로 나열하는 경우의 수와 같다.

따라서 구하는 경우의 수는 $\frac{❷\ ☐}{3!2!}=10$

예 위의 그림에서 A지점에서 P지점을 거쳐 B지점까지 최단 거리로 가는 경우의 수는 $\frac{3!}{2!}\times 2!=$ ❸ ☐

답 | ❶ a ❷ $5!$ ❸ 6

QUIZ

아래 그림과 같이 A지점에서 B지점으로 가는 도로망이 있다. 다음을 구하시오.

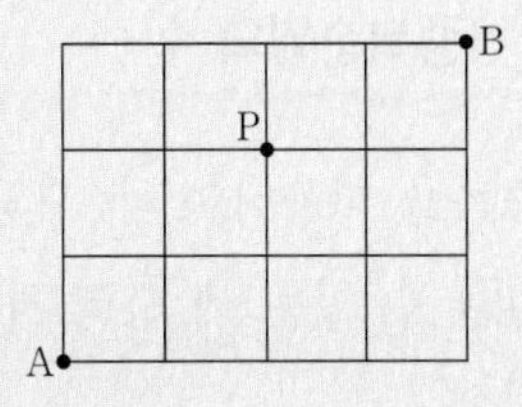

❶ A지점에서 B지점까지 최단 거리로 가는 경우의 수
❷ A지점에서 P지점을 거쳐 B지점까지 최단 거리로 가는 경우의 수

정답 |
❶ 35 ❷ 18

교과서 개념 확인 테스트

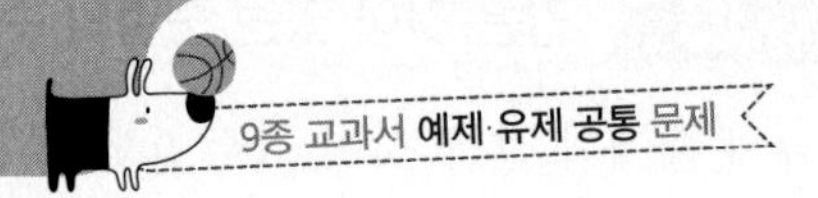

개념 01 원순열의 뜻

1-1 다음 그림에서 서로 같은 접시를 고르시오.

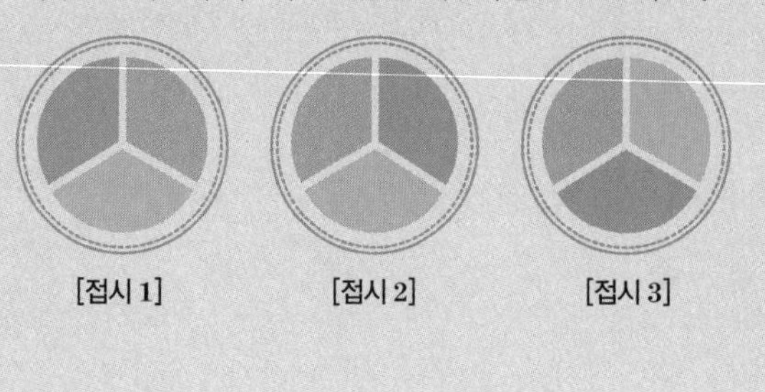

1-2 다음 그림과 같이 네 개의 문자 A, B, C, D를 원형으로 배열할 때, 서로 같은 것끼리 짝 지으시오.

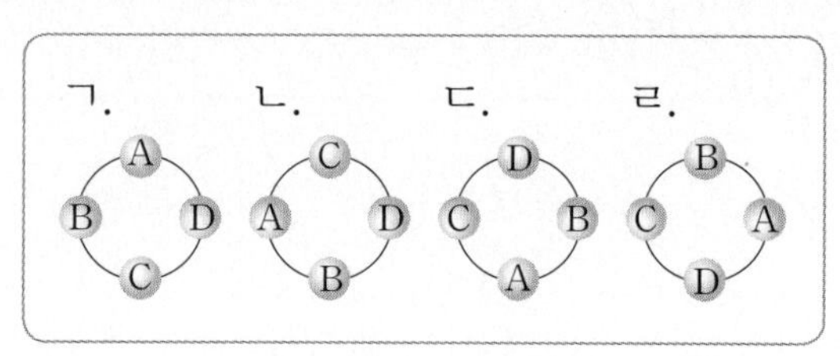

개념 02 원순열의 수

2-1 여섯 개의 문자 a, b, c, d, e, f를 원형으로 배열하는 경우의 수를 구하시오.

2-2 다음과 같이 주어진 문자 또는 숫자를 원형으로 배열하는 경우의 수를 구하시오.

(1) a, b, c, d

(2) a, b, c, 1, 2, 3, 4

개념 03 중복순열의 수

3-1 중복을 허용하여 네 개의 숫자 1, 2, 3, 4로 만들 수 있는 세 자리 자연수의 개수를 구하시오.

3-2 중복을 허용하여 세 개의 숫자 5, 6, 7로 자연수를 만들려고 한다. 다음을 구하시오.

(1) 만들 수 있는 두 자리 자연수의 개수

(2) 만들 수 있는 네 자리 이하의 자연수의 개수

정답과 해설 2쪽

개념 04 같은 것이 있는 순열의 수

4-1 다음과 같이 주어진 문자를 일렬로 나열하는 경우의 수를 구하시오.

(1) a, a, a, a, b, c, d

(2) h, a, w, a, i, i

4-2 여덟 개의 문자 p, r, o, p, r, o, r, o를 일렬로 나열하는 경우의 수를 구하시오.

개념 05 순서가 정해진 것이 있는 순열의 수

5-1 다섯 개의 문자 a, b, c, d, e를 일렬로 나열할 때, a가 b보다 앞에 오도록 나열하는 경우의 수를 구하시오.

5-2 여섯 개의 숫자 1, 2, 3, 4, 5, 6을 일렬로 나열할 때, 1이 3보다, 3이 5보다 앞에 오도록 나열하는 경우의 수를 구하시오.

개념 06 최단 거리로 가는 경우의 수

6-1 아래 그림과 같이 A지점에서 B지점으로 가는 도로망이 있다. 다음을 구하시오.

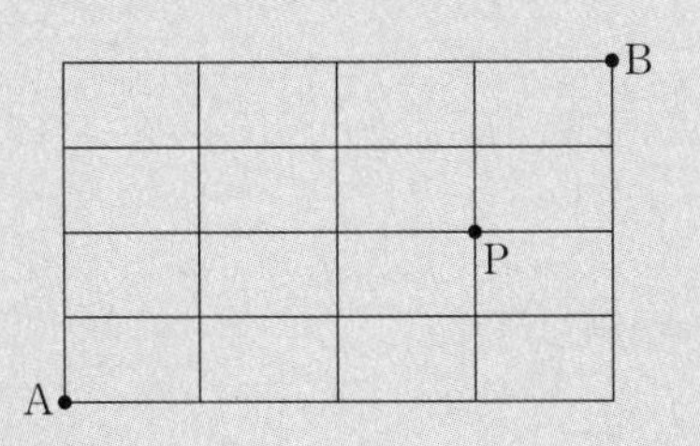

(1) A지점에서 B지점까지 최단 거리로 가는 경우의 수

(2) A지점에서 P지점을 거쳐 B지점까지 최단 거리로 가는 경우의 수

6-2 아래 그림과 같이 A지점에서 B지점으로 가는 도로망이 있다. 다음을 구하시오.

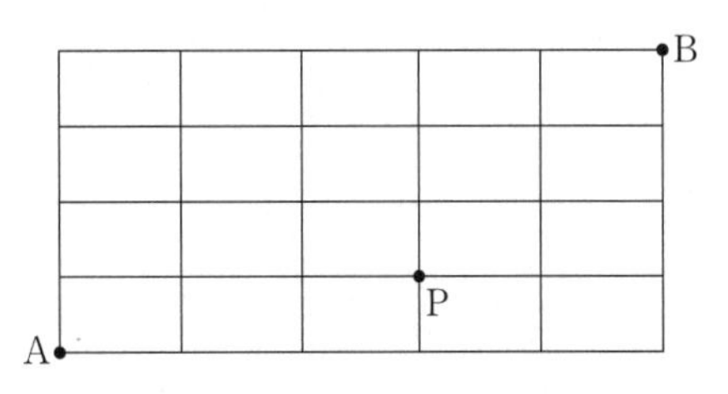

(1) A지점에서 P지점을 거쳐 B지점까지 최단 거리로 가는 경우의 수

(2) A지점에서 P지점을 거치지 않고 B지점까지 최단 거리로 가는 경우의 수

기출 기초 테스트

유형 01 원순열의 수

(천재, 교학, 금성, 동아, 미래엔, 비상, 좋은책, 지학 유사)

1-1 부모와 3명의 자녀로 이루어진 가족이 원탁에 둘러앉는 경우의 수를 구하시오.

1-2 한 쌍의 부부와 5명의 친구가 원탁에 둘러앉는 경우의 수를 구하시오.

유형 02 이웃할 조건이 있는 원순열의 수

(천재, 교학, 동아, 미래엔, 비상, 좋은책, 지학 유사)

2-1 미국인 4명과 중국인 2명이 원탁에 둘러앉을 때, 중국인끼리 이웃하게 앉는 경우의 수를 구하시오.

2-2 안경을 쓴 학생 3명과 안경을 쓰지 않은 학생 5명이 원탁에 둘러앉을 때, 안경을 쓴 학생끼리 이웃하게 앉는 경우의 수를 구하시오.

유형 03 이웃하지 않을 조건이 있는 원순열의 수

(천재, 교학, 금성, 동아, 좋은책, 지학 유사)

3-1 남학생 3명과 여학생 2명이 원탁에 둘러앉을 때, 여학생끼리 이웃하지 않게 앉는 경우의 수를 구하시오.

3-2 부모와 4명의 자녀로 이루어진 가족이 원탁에 둘러앉을 때, 부모가 이웃하지 않게 앉는 경우의 수를 구하시오.

정답과 해설 3쪽

유형 04 이웃하지 않을 조건이 있는 원순열의 수

(천재, 교학, 금성, 동아, 미래엔, 비상, 좋은책, 지학 유사)

4-1 남학생 5명과 여학생 3명이 원탁에 둘러앉을 때, 어느 두 명의 여학생도 이웃하지 않게 앉는 경우의 수를 구하시오.

4-2 남학생 6명과 여학생 6명이 원탁에 둘러앉을 때, 어느 두 명의 남학생도 이웃하지 않게 앉는 경우의 수를 구하시오.

유형 05 조건이 있는 원순열의 수

(천재, 금성, 동아, 좋은책, 지학 유사)

5-1 부모와 4명의 자녀로 이루어진 가족이 원탁에 둘러앉을 때, 부모가 마주 보고 앉는 경우의 수를 구하시오.

5-2 한 쌍의 부부와 6명의 친구가 원탁에 둘러앉을 때, 부부가 마주 보고 앉는 경우의 수를 구하시오.

유형 06 원순열의 수 – 색칠하는 경우의 수

(천재, 교학, 동아, 미래엔, 비상, 좋은책, 지학 유사)

6-1 오른쪽 그림과 같이 중심이 같은 두 원 사이를 4등분한 모양의 도형이 있다. 이 도형의 5개의 영역을 서로 다른 5가지 색을 모두 사용하여 칠하는 경우의 수를 구하시오. (단, 각 영역에는 한 가지 색만 칠하고, 회전하여 일치하는 것은 같은 것으로 본다.)

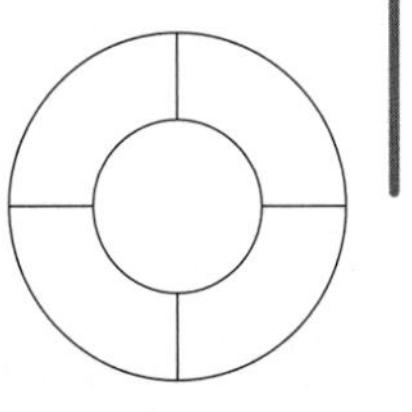

6-2 오른쪽 그림과 같이 중심이 같은 두 원 사이를 6등분한 모양의 도형이 있다. 이 도형의 7개의 영역을 서로 다른 7가지 색을 모두 사용하여 칠하는 경우의 수를 구하시오. (단, 각 영역에는 한 가지 색만 칠하고, 회전하여 일치하는 것은 같은 것으로 본다.)

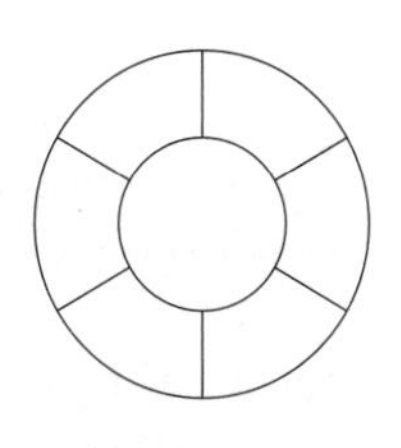

유형 07 중복순열의 수

7-1 중복을 허용하여 다음과 같이 주어진 숫자로 만들 수 있는 세 자리 자연수의 개수를 구하시오.

(1) 1, 3, 5

(2) 0, 1, 2, 3

(천재, 교학, 동아, 미래엔, 비상, 좋은책, 지학 유사)

7-2 중복을 허용하여 세 개의 숫자 0, 1, 2로 만들 수 있는 다섯 자리 자연수의 개수를 구하시오.

유형 08 중복순열의 수 – 함수의 개수

8-1 두 집합 $X=\{1, 2, 3, 4\}$, $Y=\{a, b, c\}$에 대하여 집합 X에서 집합 Y로의 함수 f의 개수를 구하시오.

(천재, 교학, 동아, 비상, 좋은책 유사)

8-2 두 집합 $X=\{1, 2, 3\}$, $Y=\{a, b, c, d\}$에 대하여 다음을 구하시오.

(1) 집합 X에서 집합 Y로의 함수 f의 개수

(2) 집합 Y에서 집합 Y로의 함수 g의 개수

유형 09 중복순열의 수 – 함수의 개수

9-1 집합 $X=\{1, 2, 3, 4\}$에 대하여 함수 $f: X \longrightarrow X$가 있다. 다음을 구하시오.

(1) 홀수는 홀수, 짝수는 짝수로 대응하는 함수 f의 개수

(2) $f(1)=1, f(2)\neq 2$인 함수 f의 개수

(천재, 교학, 금성, 동아, 미래엔, 비상, 좋은책, 지학 유사)

9-2 두 집합 $X=\{1, 2, 3\}$, $Y=\{2, 3, 4, 5, 6\}$에 대하여 집합 X에서 집합 Y로의 함수 f가 있다. 다음을 구하시오.

(1) $f(1)\neq 2$인 함수 f의 개수

(2) $f(2)=$(홀수)인 함수 f의 개수

유형 10 같은 것이 있는 순열의 수

10-1 다음과 같이 주어진 문자를 일렬로 나열하는 경우의 수를 구하시오.

(1) a, a, b, b, c, c

(2) a, b, b, b, c, d, d

(천재, 교학, 금성, 동아, 미래엔, 비상, 좋은책, 지학 유사)

10-2 다음과 같이 주어진 문자 또는 숫자를 일렬로 나열하는 경우의 수를 구하시오.

(1) $a, a, 1, 1, 2$

(2) $a, a, b, b, b, 1, 1, 2$

유형 11 같은 것이 있는 순열의 수

11-1 모양과 크기가 같은 빨간 공 2개, 검은 공 4개를 일렬로 나열하는 경우의 수를 구하시오.

(천재, 교학, 금성, 동아, 미래엔, 비상, 좋은책, 지학 유사)

11-2 모양과 크기가 같은 흰 깃발 2개, 검은 깃발 3개, 파란 깃발 2개를 일렬로 꽂는 경우의 수를 구하시오.

유형 12 최단 거리로 가는 경우의 수

12-1 다음 그림과 같이 A지점에서 B지점으로 가는 도로망이 있다. A지점에서 P지점을 거친 후, Q지점을 거쳐 B지점까지 최단 거리로 가는 경우의 수를 구하시오.

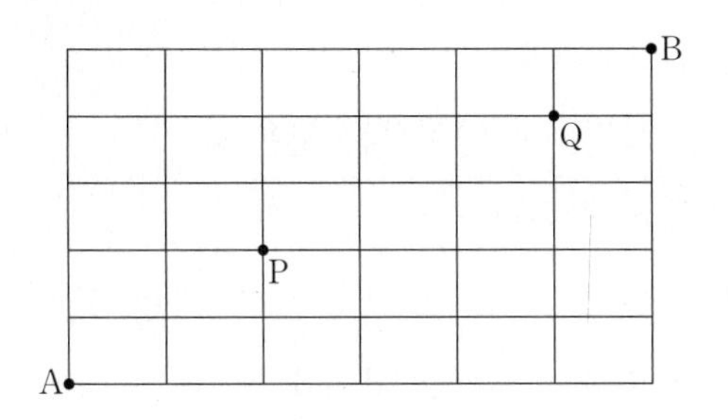

(천재, 교학, 금성, 동아, 미래엔, 비상, 좋은책, 지학 유사)

12-2 다음 그림과 같이 A지점에서 B지점으로 가는 도로망이 있다. A지점에서 B지점까지 최단 거리로 가는 경우의 수를 구하시오.

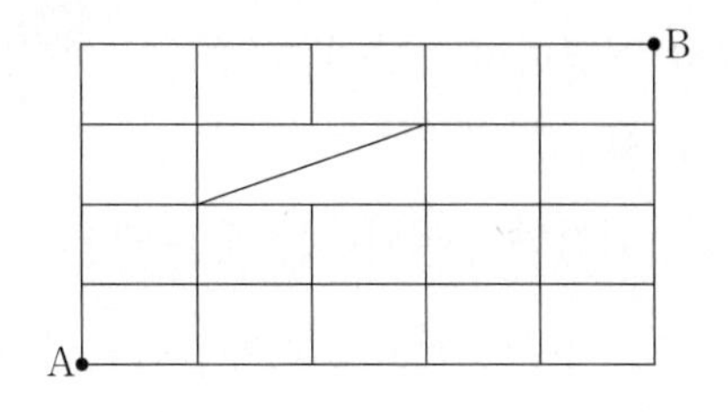

교과서 기본 테스트

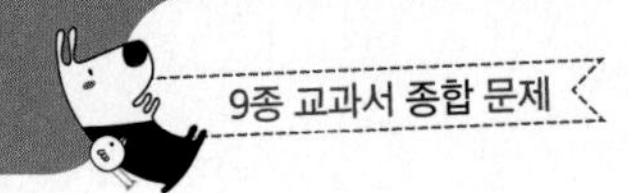

01 천재, 교학, 동아, 미래엔, 비상, 좋은책 유사 ⋙ 출제율 95%

남학생 4명과 여학생 3명이 원탁에 둘러앉을 때, 여학생끼리 이웃하게 앉는 경우의 수는?

① 24 ② 72 ③ 120
④ 144 ⑤ 360

02 천재, 동아, 미래엔, 비상, 좋은책, 지학 유사 ⋙ 출제율 95%

남학생 2명과 여학생 6명이 원탁에 둘러앉을 때, 남학생끼리 이웃하지 않게 앉는 경우의 수를 구하시오.

03 천재, 동아, 미래엔, 비상, 좋은책, 지학 유사 ⋙ 출제율 95%

오른쪽 그림과 같이 보라색 의자와 노란색 의자를 포함한 색이 서로 다른 6개의 의자를 원형으로 배열하려고 한다. 다음을 구하시오.

(단, 회전하여 일치하는 것은 같은 것으로 본다.)

(1) 6개의 의자를 원형으로 배열하는 경우의 수
(2) 보라색 의자와 노란색 의자를 마주 보게 배열하는 경우의 수

04 천재, 비상, 미래엔, 좋은책, 지학 유사 ⋙ 출제율 95%

남자 4명과 여자 4명이 원탁에 둘러앉을 때, 남자와 여자가 번갈아 앉는 경우의 수를 구하시오.

05 천재, 교학, 미래엔, 비상, 좋은책, 지학 유사 ⋙ 출제율 95%

오른쪽 그림과 같은 직사각형 모양의 탁자에 10명이 둘러앉는 경우의 수는?
(단, 회전하여 일치하는 것은 같은 것으로 본다.)

① $9! \times 3$ ② $9! \times 5$ ③ $9! \times 10$
④ $10! \times 2$ ⑤ $10! \times 5$

06 천재, 금성, 동아, 좋은책, 지학 유사 ⋙ 출제율 68%

오른쪽 그림과 같은 정삼각형 모양의 탁자에 9명이 둘러앉는 경우의 수는?
(단, 회전하여 일치하는 것은 같은 것으로 본다.)

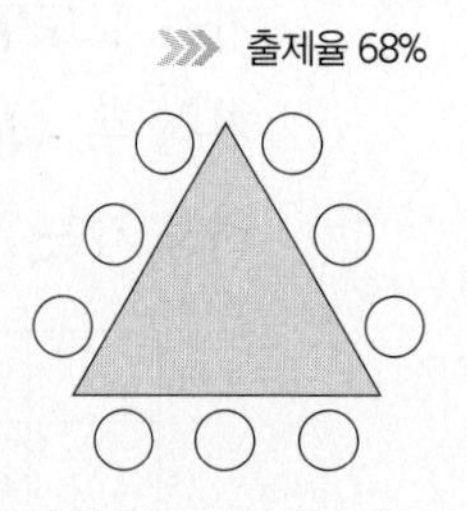

① $7! \times 2$ ② $8!$ ③ $8! \times 2$
④ $8! \times 3$ ⑤ $9! \times 3$

정답과 해설 5쪽

07 천재, 미래엔, 비상 유사

출제율 68%

중복을 허용하여 다섯 개의 숫자 0, 1, 2, 3, 4로 만들 수 있는 세 자리 자연수의 개수는?

① 24 ② 40 ③ 64 ④ 81 ⑤ 100

08 천재, 비상, 좋은책, 지학 유사

출제율 68%

중복을 허용하여 여섯 개의 숫자 0, 1, 2, 3, 4, 5로 만든 네 자리 자연수 중에서 짝수의 개수는?

① 90 ② 108 ③ 360 ④ 540 ⑤ 648

09 천재, 교학, 비상, 좋은책 유사

출제율 95%

중복을 허용하여 다섯 개의 숫자 1, 2, 3, 4, 5로 만든 네 자리 자연수 중에서 3300보다 큰 자연수의 개수는?

① 150 ② 200 ③ 250 ④ 325 ⑤ 375

10 천재, 교학, 비상, 좋은책 유사

출제율 95%

5명의 학생이 댄스반, 합창반, 방송반의 세 가지 동아리 중에서 각각 하나를 선택하여 가입하는 경우의 수는?

① 64 ② 125 ③ 243 ④ 625 ⑤ 729

11 천재, 동아, 미래엔, 비상, 좋은책 유사

출제율 75%

두 집합 $X=\{1, 2, 3, 4, 5\}$, $Y=\{a, b\}$에 대하여 집합 X에서 집합 Y로의 함수 f가 있다. 이때 치역과 공역이 서로 같은 함수 f의 개수는?

① 20 ② 23 ③ 25 ④ 30 ⑤ 32

12 천재, 동아, 비상, 좋은책, 지학 유사

출제율 95%

success의 일곱 개의 문자를 일렬로 나열하는 경우의 수는?

① 140 ② 420 ③ 720 ④ 840 ⑤ 5040

13 천재, 동아, 미래엔, 비상, 좋은책, 지학 유사 출제율 78%

여섯 개의 문자 a, b, c, d, e, f를 일렬로 나열할 때, e가 f보다 앞에 오도록 나열하는 경우의 수는?

① 120 ② 180 ③ 240
④ 300 ⑤ 360

14 천재, 금성, 동아, 좋은책, 지학 유사 출제율 80%

다섯 개의 문자 F, L, O, O, R를 일렬로 나열하는 경우의 수는 a이다. F를 L보다, L을 R보다 앞에 오도록 나열하는 경우의 수는 b일 때, $a-b$의 값은?

① 20 ② 30 ③ 40
④ 50 ⑤ 60

15 천재, 금성, 좋은책, 지학 유사 출제율 65%

다음과 같이 기호 '·'과 '−'를 나열하여 전신 부호를 만들려고 한다. 이 기호를 n개 사용하여 만들 수 있는 서로 다른 전신 부호가 100개 이상일 때, 자연수 n의 최솟값을 구하시오.

(i) 기호를 1개 사용하여 만들 수 있는 전신 부호
·, − ➡ 2개
(ii) 기호를 2개 사용하여 만들 수 있는 전신 부호
··, ·−, −·, −− ➡ 4개

16 천재, 교학, 금성, 동아, 비상, 좋은책 유사 출제율 78%

다음 그림과 같은 도로망이 있다. A지점에서 B지점까지 이동하려는데 교차로인 P지점과 Q지점이 공사 중이어서 통행을 할 수 없다고 한다. 이때 A지점에서 B지점까지 최단 거리로 가는 경우의 수는?

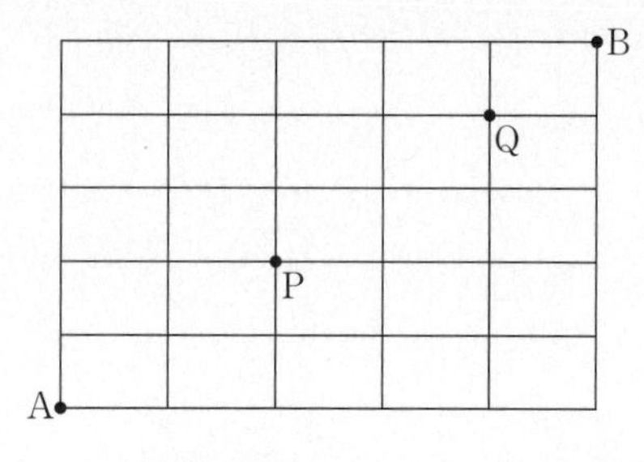

① 64 ② 120 ③ 180
④ 204 ⑤ 228

17 천재, 금성, 비상, 좋은책, 지학 유사 출제율 65%

다음 그림과 같이 A지점에서 B지점으로 가는 도로망이 있다. A지점에서 B지점까지 최단 거리로 가는 경우의 수는?

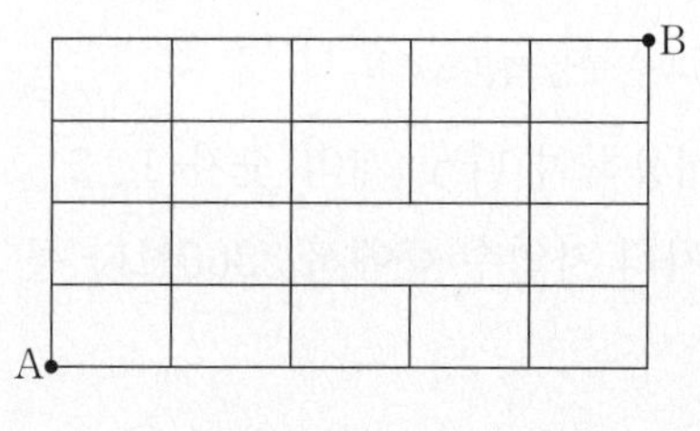

① 90 ② 102 ③ 114
④ 126 ⑤ 138

정답과 해설 6쪽

18 천재, 동아, 미래엔, 비상, 좋은책, 지학 유사 ⋙ 출제율 95%

모양과 크기가 같은 빨간 깃발 3개, 파란 깃발 2개, 노란 깃발 3개를 일렬로 꽂아서 신호를 만들려고 한다. 만들 수 있는 신호의 개수를 구하시오.

19 천재, 미래엔, 비상, 좋은책, 지학 유사 ⋙ 출제율 83%

오른쪽 그림과 같은 좌표평면 위에서 상하 또는 좌우 방향으로 한 번에 1만큼씩 움직이는 점 P가 있다. 원점을 출발한 점 P가 7번 움직여서 최종 위치가 점 $(3,\ 2)$가 되는 경우의 수를 구하시오.

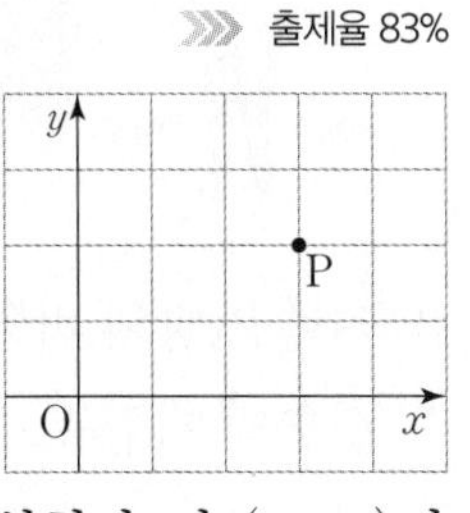

20 천재, 동아, 미래엔, 좋은책, 비상 유사 ⋙ 출제율 70%

오른쪽 그림과 같이 크기가 같은 9개의 정사각형으로 이루어진 도형이 있다. 이 도형의 9개의 영역을 9가지 색을 모두 사용하여 칠하는 경우의 수는?
(단, 각 영역에는 한 가지 색만 칠하고, 회전하여 일치하는 것은 같은 것으로 본다.)

① $7!$ ② $7! \times 9$ ③ $7! \times 18$
④ $8!$ ⑤ $8! \times 2$

과정을 평가하는 서술형입니다.

[21~23] 다음 문제의 풀이 과정을 자세히 쓰시오.

21 천재, 좋은책, 지학 유사 ⋙ 출제율 80%

회장 1명, 부회장 2명, 임원 6명이 원탁에 둘러앉아 학년 회의를 하려고 한다. 회장의 양 옆에 부회장이 앉는 경우의 수를 구하고, 그 풀이 과정을 쓰시오.

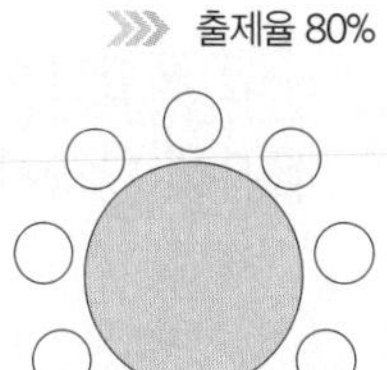

22 천재, 미래엔, 비상, 좋은책, 지학 유사 ⋙ 출제율 75%

두 집합 $X=\{a,\ b,\ c,\ d,\ e\}$, $Y=\{1,\ 2,\ 3\}$에 대하여 $f(X)=Y$를 만족시키는 함수 $f\colon X \longrightarrow Y$의 총 개수를 구하고, 그 풀이 과정을 쓰시오.

23 천재, 미래엔, 비상 유사 ⋙ 출제율 95%

11단으로 이루어진 계단을 한 걸음에 1단 또는 2단씩 올라갈 때, 이 계단을 8걸음에 오르는 경우의 수를 구하고, 그 풀이 과정을 쓰시오.

창의력·융합형·서술형·코딩

1

다음 그림과 같이 한 자리에 한 명씩 총 7명이 원형으로 탈 수 있는 회전 그네가 있다. 지우와 혜수를 포함한 7명이 이 회전 그네를 타려고 할 때, 물음에 답하시오.

(1) 7명이 원형으로 회전 그네를 타는 경우의 수를 구하시오.

(2) 지우와 혜수가 이웃하게 회전 그네를 타는 경우의 수를 구하시오.

(3) 지우와 혜수가 이웃하지 않게 회전 그네를 타는 경우의 수를 구하시오.

2

수연이와 지호는 여행 가방의 비밀번호를 정하려고 한다. 여행 가방의 비밀번호를 0부터 9까지의 숫자를 이용하여 세 자리 번호로 정한다고 할 때, 물음에 답하시오.

(1) 여행 가방의 비밀번호로 정할 수 있는 세 자리 번호의 개수를 구하시오.

(2) 수연이가 정한 비밀번호의 마지막 숫자가 0일 때, 수연이가 정한 비밀번호가 될 수 있는 것의 개수를 구하시오.

(3) 지호가 정한 비밀번호의 앞 두 자리의 숫자의 합이 짝수일 때, 지호가 정한 비밀번호가 될 수 있는 것의 개수를 구하시오.

3

5명의 학생이 다음 그림의 차림표에 있는 음식 중에서 주문을 하려고 한다. 물음에 답하시오.

(1) 5명의 학생이 각각 한 가지씩 주문하는 경우의 수를 구하시오.

(2) 만두를 주문한 사람이 2명인 경우의 수를 구하시오.

(3) 5명이 주문한 음식이 2가지인 경우의 수를 구하시오.

4

다음 그림과 같이 A지점에 로봇 토끼가 있다. 이 로봇 토끼가 길을 따라 움직일 때, 물음에 답하시오.

(1) A지점에서 B지점까지 최단 거리로 가는 경우의 수를 구하시오.

(2) A지점에서 P지점을 거쳐 B지점까지 최단 거리로 가는 경우의 수를 구하시오.

(3) A지점에서 Q지점을 거치지 않고 B지점까지 최단 거리로 가는 경우의 수를 구하시오.

중복조합

개념 01 중복조합

(1) 서로 다른 n개에서 중복을 허용하여 r개를 택하는 조합을 서로 다른 n개에서 r개를 택하는 ❶ ______ 이라 한다.
이 중복조합의 수를 기호로

$${}_{n}\mathrm{H}_{r}$$

와 같이 나타낸다.

(2) 서로 다른 n개에서 r개를 택하는 중복조합의 수는

$${}_{n}\mathrm{H}_{r}={}_{n+r-1}\mathrm{C}_{r}$$

이다.

참고 ${}_{n}\mathrm{C}_{r}$에서는 $0\le r\le n$이어야 하지만 ${}_{n}\mathrm{H}_{r}$에서는 중복하여 택할 수 있기 때문에 r ❷ ______ n일 수 있다.

답 | ❶ 중복조합 ❷ >

QUIZ

서로 다른 n개에서 r개를 택하는 중복조합의 수는

${}_{n}\mathrm{H}_{r}=$ ❶ ______ C_{r}

이다. 예를 들어 서로 다른 2개에서 4개를 택하는 중복조합의 수는

${}_{2}\mathrm{H}$ ❷ ______ $=$ ❸ ______ C_{4}

이다.

정답 |
❶ $n+r-1$ ❷ 4 ❸ 5

개념 02 $(a+b+c)^{n}$의 전개식에서 항의 개수

$$(a+b+c)^{n}=\underbrace{(a+b+c)(a+b+c)\times\cdots\times(a+b+c)}_{❶\ \_\_\_\_\_\_\ 개}$$

이므로 다항식 $(a+b+c)^{n}$을 전개할 때 생기는 각 항은 다음과 같은 꼴이다.

$$a^{n},\ a^{n-1}b,\ \cdots,\ abc^{n-2},\ \cdots,\ bc^{n-1},\ c^{n}$$

따라서 구하는 항의 개수는 3개의 문자 a, b, c 중에서 n개를 택하는 중복조합의 수와 같다.

예 다항식 $(a+b)^{6}$의 전개식에서 서로 다른 항의 개수는
❷ ______ H ❸ ______ $={}_{2+6-1}\mathrm{C}_{6}={}_{7}\mathrm{C}_{6}={}_{7}\mathrm{C}_{1}=7$

답 | ❶ n ❷ 2 ❸ 6

QUIZ

다항식 $(a+b+c)^{10}$의 전개식에서 서로 다른 항의 개수는 서로 다른 ❶ ______ 개에서 ❷ ______ 개를 택하는 중복조합의 수와 같으므로 ❸ ______ 이다.

정답 |
❶ 3 ❷ 10 ❸ ${}_{3}\mathrm{H}_{10}$

개념 03 $x+y+z=n$의 정수해의 개수

방정식 $x+y+z=8$의 음이 아닌 정수해의 하나인 $x=1$, $y=3$, $z=4$를 3개의 문자 x, y, z 중에서 1개의 x, 3개의 y, 4개의 z를 선택하는 중복조합의 한 경우인 $xyyyzzzz$와 같이 나타낼 수 있다. 따라서 방정식 $x+y+z=n$의 음이 아닌 정수해의 개수는 3개의 문자 x, y, z 중에서 ❶ ______ 개를 택하는 ❷ ______ 의 수와 같다.

참고 방정식 $x+y+z=n$의 양의 정수해의 개수는 $x=a+1$, $y=b+1$, $z=c+1$로 놓으면 방정식 $a+b+c=n-3$의 음이 아닌 정수해의 개수와 같다.

답 | ❶ n ❷ 중복조합

QUIZ

방정식 $a+b=10$을 만족시키는 음이 아닌 정수 a, b의 순서쌍 (a, b)의 개수는 서로 다른 2개에서 ❶ ______ 개를 택하는 ❷ (중복순열, 중복조합)의 수와 같으므로

${}_{2}\mathrm{H}_{10}=$ ❸ ______

이다.

정답 |
❶ 10 ❷ 중복조합 ❸ 11

교과서 개념 확인 테스트

정답과 해설 8쪽

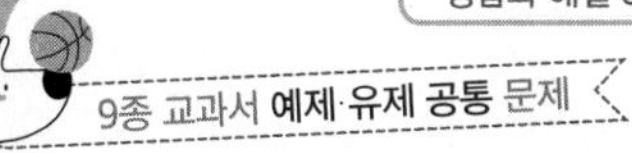

개념 01 중복조합의 수

1-1 흰 우유, 초코 우유, 딸기 우유, 커피 우유, 바나나 우유 중에서 3개의 우유를 구입하는 경우의 수를 구하시오. (단, 각 종류의 우유는 각각 3개 이상이고, 같은 종류의 우유는 서로 구별하지 않는다.)

1-2 흰색, 주황색, 연두색의 골프공 중에서 7개의 골프공을 택하는 경우의 수를 구하시오. (단, 각 색의 골프공은 각각 7개 이상이고, 같은 색의 골프공은 서로 구별하지 않는다.)

개념 02 중복조합과 항의 개수

2-1 다항식 $(a+b+c)^6$의 전개식에서 서로 다른 항의 개수를 구하시오.

2-2 다항식 $(a+b+c+d)^3$의 전개식에서 서로 다른 항의 개수를 구하시오.

개념 03 중복조합과 정수해의 개수

3-1 방정식 $x+y+z=8$에 대하여 다음을 구하시오.

(1) 음이 아닌 정수해의 개수

(2) 양의 정수해의 개수

3-2 방정식 $x+y+z+w=6$에 대하여 다음을 구하시오.

(1) 음이 아닌 정수해의 개수

(2) 양의 정수해의 개수

기출 기초 테스트

유형 01 중복조합의 수

(천재, 교학, 금성, 동아, 미래엔, 비상, 좋은책, 지학 유사)

1-1 다음 값을 구하시오.

(1) ${}_{2}H_{5}$ (2) ${}_{4}H_{4}$

1-2 다음 값을 구하시오.

(1) ${}_{3}H_{8}$ (2) ${}_{5}H_{2}$

유형 02 중복조합의 수

(천재, 교학, 동아, 미래엔, 비상, 좋은책, 지학 유사)

2-1 흰 공, 검은 공, 빨간 공 중에서 5개의 공을 택하는 경우의 수를 구하시오. (단, 각 색의 공은 각각 5개 이상이고, 같은 색의 공은 서로 구별하지 않는다.)

2-2 흰 구슬, 검은 구슬, 빨간 구슬, 파란 구슬 중에서 7개의 구슬을 택하는 경우의 수를 구하시오. (단, 각 색의 구슬은 각각 7개 이상이고, 같은 색의 구슬은 서로 구별하지 않는다.)

유형 03 중복조합과 함수의 개수

(천재, 교학, 금성, 동아, 좋은책, 지학 유사)

3-1 두 집합

$$X=\{1, 2, 3\}, Y=\{1, 2, 3, 4, 5\}$$

에 대하여 $f: X \longrightarrow Y$가 다음 조건을 만족시킬 때, 함수 f의 개수를 구하시오.

> 집합 X의 임의의 두 원소 x_1, x_2에 대하여
>
> $x_1 < x_2$이면 $f(x_1) \le f(x_2)$

3-2 집합 $X=\{1, 2, 3, 4, 5\}$에 대하여 $f: X \longrightarrow X$가 다음 조건을 만족시킬 때, 함수 f의 개수를 구하시오.

> 집합 X의 임의의 두 원소 x_1, x_2에 대하여
>
> $x_1 < x_2$이면 $f(x_1) \le f(x_2)$

유형 04 중복조합과 항의 개수

(천재, 교학, 금성, 동아, 미래엔, 비상, 좋은책, 지학 유사)

4-1 다항식 $(a+b+c)^4$의 전개식에서 서로 다른 항의 개수를 구하시오.

4-2 다항식 $(a+b+c+d)^5$의 전개식에서 서로 다른 항의 개수를 구하시오.

유형 05 중복조합과 정수해의 개수

(천재, 금성, 동아, 좋은책, 지학 유사)

5-1 방정식 $x+y+z=5$에 대하여 다음을 구하시오.

(1) 음이 아닌 정수해의 개수

(2) 양의 정수해의 개수

5-2 방정식 $x+y+z+w=10$에 대하여 다음을 구하시오.

(1) 음이 아닌 정수해의 개수

(2) 양의 정수해의 개수

유형 06 중복조합과 정수해의 개수

(천재, 교학, 금성, 동아, 미래엔, 비상, 좋은책, 지학 유사)

6-1 방정식 $x+y+z=9$에 대하여
$x\geq1$, $y\geq2$, $z\geq3$인 정수해의 개수를 구하시오.

6-2 방정식 $x+y+z=7$에 대하여
$x\geq3$, $y\geq1$, $z\geq1$인 정수해의 개수를 구하시오.

교과서 기본 테스트

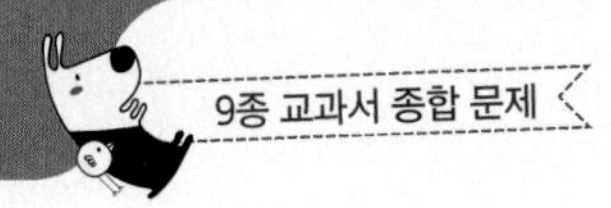

01 천재, 교학, 동아, 미래엔, 비상, 좋은책 유사 ≫ 출제율 95%

다음을 만족시키는 자연수 n의 값을 구하시오.

(1) ${}_{4}H_{2}={}_{n}C_{2}$ (2) ${}_{5}H_{8}={}_{n}C_{4}$

02 천재, 동아, 미래엔, 비상, 좋은책, 지학 유사 ≫ 출제율 95%

100원짜리 동전 7개를 서로 다른 4개의 저금통에 넣는 경우의 수는? (단, 동전은 서로 구별하지 않는다.)

① 35 ② 84 ③ 120
④ 210 ⑤ 330

03 천재, 동아, 미래엔, 비상, 좋은책, 지학 유사 ≫ 출제율 95%

빨간색, 파란색, 검정색 볼펜 중에서 8자루의 볼펜을 택하는 경우의 수를 구하시오. (단, 각 색의 볼펜은 각각 8자루 이상이고, 같은 색의 볼펜은 서로 구별하지 않는다.)

04 천재, 미래엔, 비상, 좋은책, 지학 유사 ≫ 출제율 95%

빨간색, 파란색, 노란색, 보라색 모자 중에서 6개의 모자를 택하는 경우의 수는? (단, 각 색의 모자는 각각 6개 이상이고, 같은 색의 모자는 서로 구별하지 않는다.)

① 36 ② 84 ③ 144
④ 462 ⑤ 512

05 천재, 교학, 미래엔, 비상, 좋은책, 지학 유사 ≫ 출제율 95%

같은 종류의 연필 10자루를 서로 다른 3개의 필통에 넣으려고 할 때, 빈 필통이 없도록 연필을 넣는 경우의 수를 구하시오.

06 천재, 금성, 동아, 좋은책, 지학 유사 ≫ 출제율 68%

같은 종류의 공 15개를 3개의 바구니 A, B, C에 넣으려고 한다. 각 바구니에 적어도 3개의 공이 들어가게 공을 바구니에 넣는 경우의 수는?

① 28 ② 45 ③ 56
④ 135 ⑤ 455

07 천재, 미래엔, 비상 유사

≫ 출제율 68%

두 집합

$X=\{1, 2, 3, 4\}$, $Y=\{1, 2, 3, 4, 5\}$

에 대하여 $f: X \longrightarrow Y$가 다음 조건을 만족시킬 때, 함수 f의 개수를 구하시오.

> 집합 X의 임의의 두 원소 x_1, x_2에 대하여
> $x_1 < x_2$이면 $f(x_1) \leq f(x_2)$

08 천재, 비상, 좋은책, 지학 유사

≫ 출제율 68%

방정식 $x+y+z=11$을 만족시키는 양의 정수해 중에서 x, y, z가 모두 홀수인 것의 개수를 구하시오.

09 천재, 교학, 비상, 좋은책 유사

≫ 출제율 95%

방정식 $x+y+z+w=12$를 만족시키는 음이 아닌 정수해 중에서 x, z는 모두 짝수, y, w는 모두 홀수인 것의 개수는? (단, 0은 짝수로 본다.)

① 21 ② 35 ③ 56
④ 60 ⑤ 126

과정을 평가하는 서술형입니다.

[10~11] 다음 문제의 풀이 과정을 자세히 쓰시오.

10 천재, 동아, 미래엔, 비상, 좋은책 유사

≫ 출제율 75%

두 집합

$X=\{1, 2, 3, 4, 5\}$,

$Y=\{x \mid x$는 9 이하의 자연수$\}$

에 대하여 함수 $f: X \longrightarrow Y$가 다음 조건을 만족시킬 때, 함수 f의 개수를 구하고, 그 풀이 과정을 쓰시오.

> (가) $f(2)f(3)=6$
> (나) $f(n) \leq f(n+1)$ (단, n은 4 이하의 자연수)

11 천재, 동아, 비상, 좋은책, 지학 유사

≫ 출제율 95%

혜진이는 가게에서 같은 종류의 주스 x병, 같은 종류의 생수 y병, 같은 종류의 우유 z병을 사려고 한다. 다음 조건을 만족시키는 세 자연수 x, y, z의 순서쌍 (x, y, z)의 개수를 구하고, 그 풀이 과정을 쓰시오. (단, 각 종류의 음료는 각각 12병 이상이고, 같은 종류의 음료는 서로 구별하지 않는다.)

> (가) $x+y+z=12$
> (나) $x \leq 7$

창의력·융합형·서술형·코딩

1

직사각형을 8개의 칸으로 등분한 도형에서 각 칸을 왼쪽부터 빨간색, 노란색, 초록색, 파란색의 순서로 네 가지 색을 모두 사용하여 칠하려고 한다. 다음은 위의 방법으로 칠한 하나의 예이다. 물음에 답하시오.

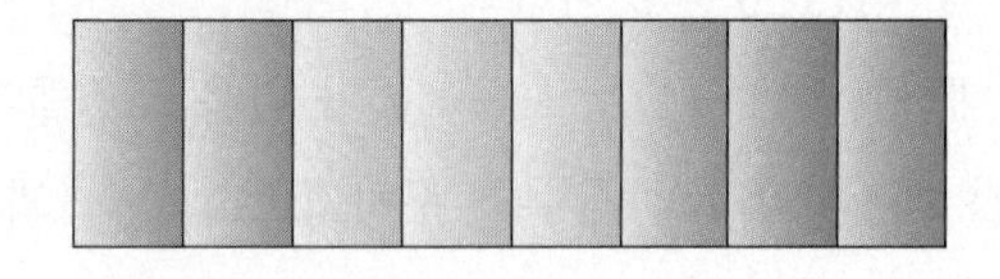

(1) 빨간색, 노란색, 초록색, 파란색으로 칠하는 칸의 수를 각각 a, b, c, d로 놓고, 식을 세우시오.

(2) 색을 칠하여 도형을 네 부분으로 나누는 모든 경우의 수를 구하시오.

2

시원이는 과일 가게에서 과일을 사려고 한다. 사과, 오렌지, 배, 감 중에서 10개를 담아 과일 바구니를 만들 계획이다. 다음 물음에 답하시오.

(단, 각 종류의 과일은 각각 10개 이상이고, 같은 종류의 과일은 서로 구별하지 않는다.)

(1) 과일 바구니에 담을 사과, 오렌지, 배, 감의 개수를 각각 a, b, c, d로 놓고, 식을 세우시오.

(2) 과일 바구니에 사과를 2개 이상 담는 경우의 수를 구하시오.

(3) 과일 바구니에 각 종류의 과일을 적어도 1개 이상씩 담는 경우의 수를 구하시오.

3

두 학생이 다항식 $(x^2+x+1)^3$의 전개식에서 서로 다른 항의 개수를 각각 다음과 같이 구하였다. 물음에 답하시오.

3개의 항 x^2, x, 1 중에서 중복을 허용하여 3개를 택하는 경우니까 항의 개수는 ${}_3H_3={}_5C_3=10$이야.
승빈
주어진 식을 전개하면 $x^6+3x^5+6x^4+7x^3+6x^2+3x+1$ 이니까 항의 개수는 7인 것 같은데…….
하윤
왜 결과가 다르지?
승빈

(1) 서로 다른 항의 개수를 잘못 구한 학생을 말하시오.

(2) (1)의 이유를 설명하시오.

4

유권자가 30명인 어느 반장 선거에 3명의 후보가 출마하였다. 유권자 한 명이 후보자 한 명에게 투표를 할 때, 다음 물음에 답하시오.

(1) 세 명의 후보가 얻은 표의 수를 각각 a, b, c로 놓고, 식을 세우시오.
(단, 무효표나 기권은 없다.)

(2) 무기명으로 투표를 할 때, 가능한 투표 결과의 모든 경우의 수를 구하시오.

(3) 기명으로 투표를 할 때, 가능한 투표 결과의 모든 경우의 수를 구하시오.

(4) 무기명으로 투표를 할 때와 기명으로 투표를 할 때 투표 결과를 구하는 방법을 설명하시오.

이항정리

개념 01 이항정리

자연수 n에 대하여 $(a+b)^n$의 전개식은 다음과 같이 나타낼 수 있고, 이것을 ❶ [ ] 라 한다.

$$(a+b)^n = {}_nC_0a^n + {}_nC_1a^{n-1}b + \cdots + {}_nC_ra^{n-r}b^r + \cdots + {}_nC_nb^n$$

여기서 각 항의 계수

$${}_nC_0, {}_nC_1, \cdots, {}_nC_r, \cdots, {}_nC_n$$

을 이항계수라 하고, 항 ❷ [ ] $a^{n-r}b^r$을 일반항이라 한다.

참고 $(a+b)^n$의 전개식은 n개의 인수 $(a+b)$에서 각각 a 또는 b를 하나씩 택하여 곱한 항을 모두 더한 것이다. 이때 $a^{n-r}b^r$은 n개의 인수 $(a+b)$ 중 $r(0\le r\le n)$개에서 ❸ [ ] 를 택하고 남은 $(n-r)$개에서 a를 택하여 이를 곱한 것이므로 이 항의 계수는 ${}_nC_r$와 같다.

답 | ❶ 이항정리 ❷ ${}_nC_r$ ❸ b

QUIZ

다음 □ 안에 알맞은 것을 써넣으시오.

(1) n이 자연수일 때

$(a+b)^n = {}_nC_0a^n + {}_nC_1$ ❶ [ ] $+ \cdots + {}_nC_ra^{n-r}$ ❷ [ ] $+ \cdots + {}_nC_nb^n$

(2) $(a+b)^n$의 전개식에서 각 항의 계수 ${}_nC_0, {}_nC_1, \cdots, {}_nC_r, \cdots, {}_nC_n$을 ❸ [ ] 라 하고, 항 ${}_nC_ra^{n-r}b^r$을 ❹ [ ] 이라 한다.

정답 |

❶ $a^{n-1}b$ ❷ b^r ❸ 이항계수 ❹ 일반항

개념 02 파스칼의 삼각형

(1) $(a+b)^n$의 ❶ [ ] 를 차례로 나열하면 다음과 같다.

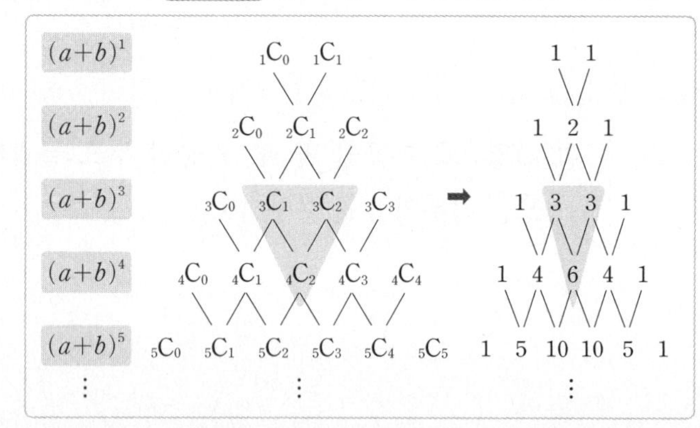

이와 같은 이항계수의 배열을 파스칼의 삼각형이라 한다.

(2) 파스칼의 삼각형에서 각 단계의 수는 그 위 단계의 이웃하는 두 수의 합과 같으므로

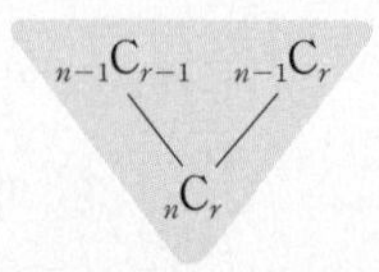

$${}_nC_r = {}_{n-1}C_{r-1} + \text{❷ [ ]} \quad (\text{단}, 1\le r<n)$$

이다. 또 배열이 좌우 대칭이므로

$${}_nC_r = \text{❸ [ ]}$$

임을 확인할 수 있다.

답 | ❶ 이항계수 ❷ ${}_{n-1}C_r$ ❸ ${}_nC_{n-r}$

QUIZ

다음은 $(a+b)^n$의 이항계수를 차례로 나열한 것이다. □ 안에 알맞은 것을 써넣으시오.

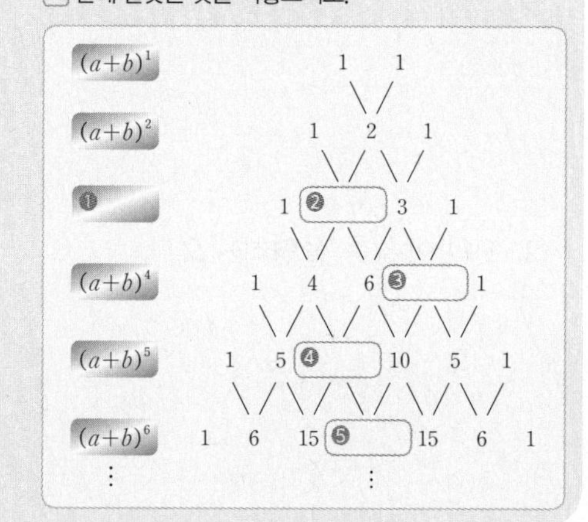

정답 |

❶ $(a+b)^3$ ❷ 3 ❸ 4 ❹ 10 ❺ 20

개념 03 이항계수의 성질

이항정리를 이용하여 $(1+x)^n$을 전개하면

$$(1+x)^n = {}_nC_0 + {}_nC_1x + {}_nC_2x^2 + \cdots + \text{❶}$$

이다. 이 전개식을 이용하면 자연수 n에 대하여 여러 가지 이항계수의 성질을 알 수 있다.

(1) ${}_nC_0 + {}_nC_1 + {}_nC_2 + \cdots + {}_nC_n = 2^n$

예 ${}_5C_0 + {}_5C_1 + {}_5C_2 + {}_5C_3 + {}_5C_4 + {}_5C_5 = 2^5$

(2) ${}_nC_0 - {}_nC_1 + {}_nC_2 - \cdots + (-1)^n{}_nC_n = \text{❷}$

예 ${}_6C_0 - {}_6C_1 + {}_6C_2 - \cdots + {}_6C_6 = 0$

(3) ${}_nC_0 + {}_nC_2 + {}_nC_4 + \cdots + {}_nC_{n-1}$
$= {}_nC_1 + {}_nC_3 + {}_nC_5 + \cdots + {}_nC_n$
$= 2^{n-1}$ (단, n은 1보다 큰 홀수)

예 ${}_{13}C_0 + {}_{13}C_2 + {}_{13}C_4 + \cdots + {}_{13}C_{12}$
$= {}_{13}C_1 + {}_{13}C_3 + {}_{13}C_5 + \cdots + {}_{13}C_{13}$
$= 2^{13-1} = 2^{12}$

(4) ${}_nC_0 + {}_nC_2 + {}_nC_4 + \cdots + {}_nC_n$
$= {}_nC_1 + {}_nC_3 + {}_nC_5 + \cdots + {}_nC_{n-1}$
$= 2^{n-1}$ (단, n은 짝수)

예 ${}_{12}C_0 + {}_{12}C_2 + {}_{12}C_4 + \cdots + {}_{12}C_{12}$
$= {}_{12}C_1 + {}_{12}C_3 + {}_{12}C_5 + \cdots + {}_{12}C_{11}$
$= 2^{12-1} = 2^{11}$

증명 이항정리를 이용하여 $(1+x)^n$을 전개하면

$(1+x)^n = {}_nC_0 + {}_nC_1x + {}_nC_2x^2 + \cdots + {}_nC_nx^n$ …… ㉠

(1) ㉠의 양변에 $x=1$을 대입하면
$(1+1)^n = {}_nC_0 + {}_nC_1 + {}_nC_2 + \cdots + {}_nC_n$
$\therefore {}_nC_0 + {}_nC_1 + {}_nC_2 + \cdots + {}_nC_n = \text{❸}$ …… ㉡

(2) ㉠의 양변에 $x = \text{❹}$을 대입하면
$\{1+(-1)\}^n = {}_nC_0 - {}_nC_1 + {}_nC_2 - \cdots + (-1)^n{}_nC_n$
$\therefore {}_nC_0 - {}_nC_1 + {}_nC_2 - \cdots + (-1)^n{}_nC_n = 0$ …… ㉢

(3) n이 1보다 큰 홀수일 때,
㉡+㉢을 하면
$2({}_nC_0 + {}_nC_2 + {}_nC_4 + \cdots + {}_nC_{n-1}) = 2^n$
$\therefore {}_nC_0 + {}_nC_2 + {}_nC_4 + \cdots + {}_nC_{n-1} = 2^{n-1}$
㉡−㉢을 하면
$2({}_nC_1 + {}_nC_3 + {}_nC_5 + \cdots + {}_nC_n) = 2^n$
$\therefore {}_nC_1 + {}_nC_3 + {}_nC_5 + \cdots + {}_nC_n = \text{❺}$

(4) n이 짝수일 때,
㉡+㉢을 하면
$2({}_nC_0 + {}_nC_2 + {}_nC_4 + \cdots + {}_nC_n) = 2^n$
$\therefore {}_nC_0 + {}_nC_2 + {}_nC_4 + \cdots + {}_nC_n = 2^{n-1}$
㉡−㉢을 하면
$2({}_nC_1 + {}_nC_3 + {}_nC_5 + \cdots + {}_nC_{n-1}) = 2^n$
$\therefore {}_nC_1 + {}_nC_3 + {}_nC_5 + \cdots + {}_nC_{n-1} = 2^{n-1}$

답 | ❶ ${}_nC_nx^n$ ❷ 0 ❸ 2^n ❹ -1 ❺ 2^{n-1}

QUIZ

다음 □ 안에 알맞은 것을 써넣으시오.

(1) ${}_{10}C_0 + {}_{10}C_1 + {}_{10}C_2 + \cdots + {}_{10}C_{10} = \text{❶}$

(2) ${}_9C_0 + {}_9C_2 + {}_9C_4 + {}_9C_6 + {}_9C_8 = \text{❷}$

(3) ${}_8C_1 + {}_8C_3 + {}_8C_5 + {}_8C_7 = \text{❸}$

정답 |

❶ 2^{10} ❷ 2^8 ❸ 2^7

교과서 개념 확인 테스트

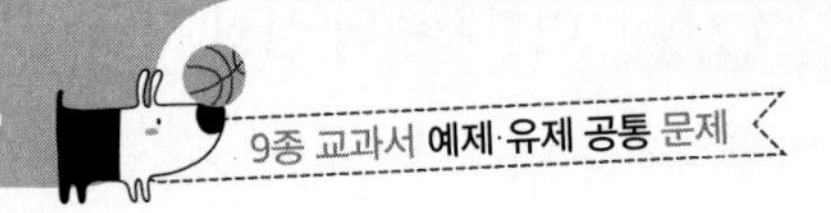

개념 01 이항정리

1-1 이항정리를 이용하여 다음 식을 전개하시오.

(1) $(a+b)^3$　　(2) $(x-y)^4$

1-2 이항정리를 이용하여 다음 식을 전개하시오.

(1) $(a-b)^3$　　(2) $(x+y)^5$

개념 02 이항정리

2-1 이항정리를 이용하여 다음 식을 전개하시오.

(1) $(2a+b)^4$　　(2) $(x-3y)^3$

2-2 이항정리를 이용하여 다음 식을 전개하시오.

(1) $(a-2b)^4$　　(2) $(x+2y)^5$

개념 03 이항정리

3-1 $\left(2x+\frac{1}{x}\right)^6$의 전개식에서 x^4의 계수를 구하시오.

3-2 $\left(x+\frac{2}{x}\right)^7$의 전개식에서 x^3의 계수를 구하시오.

정답과 해설 12쪽

개념 04 파스칼의 삼각형

4-1 파스칼의 삼각형을 이용하여 다음 식을 전개하시오.

(1) $(a+b)^7$ (2) $(a+1)^6$

4-2 파스칼의 삼각형을 이용하여 다음 식을 전개하시오.

(1) $(a+3)^4$ (2) $(2a+1)^5$

개념 05 파스칼의 삼각형

5-1 다음 식의 값을 구하시오.

$${}_1C_0+{}_2C_1+{}_3C_2+\cdots+{}_{10}C_9$$

5-2 다음 식의 값을 구하시오.

$${}_4C_3+{}_5C_3+{}_6C_3+\cdots+{}_9C_3$$

개념 06 이항계수의 성질

6-1 다음 식의 값을 구하시오.

(1) ${}_6C_0+{}_6C_1+{}_6C_2+{}_6C_3+{}_6C_4+{}_6C_5+{}_6C_6$

(2) ${}_{11}C_1+{}_{11}C_3+{}_{11}C_5+{}_{11}C_7+{}_{11}C_9+{}_{11}C_{11}$

6-2 다음 식의 값을 구하시오.

(1) ${}_8C_0+{}_8C_2+{}_8C_4+{}_8C_6+{}_8C_8$

(2) ${}_9C_0-{}_9C_1+{}_9C_2-\cdots+{}_9C_8-{}_9C_9$

기출 기초 테스트

유형 01 이항정리

(천재, 교학, 금성, 동아, 미래엔, 비상, 좋은책, 지학 유사)

1-1 이항정리를 이용하여 다음 식을 전개하시오.

(1) $(a-3)^4$ (2) $(x-2y)^5$

1-2 이항정리를 이용하여 다음 식을 전개하시오.

(1) $(2a+3b)^3$ (2) $(2x-y)^4$

유형 02 이항정리

(천재, 교학, 동아, 미래엔, 비상, 좋은책, 지학 유사)

2-1 $\left(2x^2+\frac{1}{x}\right)^7$의 전개식에서 x^2의 계수를 구하시오.

2-2 $\left(x^2-\frac{2}{x}\right)^5$의 전개식에서 x의 계수를 구하시오.

유형 03 이항정리

(천재, 교학, 금성, 동아, 좋은책, 지학 유사)

3-1 $\left(3x+\frac{2}{x}\right)^4$의 전개식에서 상수항을 구하시오.

3-2 $\left(2x-\frac{1}{x^2}\right)^6$의 전개식에서 상수항을 구하시오.

정답과 해설 13쪽

유형 04 이항정리

(천재, 교학, 금성, 동아, 미래엔, 비상, 좋은책, 지학 유사)

4-1 $(1+x)^5(2+x)^4$의 전개식에서 x^2의 계수를 구하시오.

4-2 $(1-x)^3(1+2x)^4$의 전개식에서 x^3의 계수를 구하시오.

유형 05 파스칼의 삼각형

(천재, 금성, 동아, 좋은책, 지학 유사)

5-1 다음 중에서

$${}_3C_0+{}_4C_1+{}_5C_2+\cdots+{}_{20}C_{17}$$

의 값과 같은 것은?

① ${}_{20}C_{16}$ ② ${}_{21}C_{16}$ ③ ${}_{22}C_{16}$
④ ${}_{21}C_{17}$ ⑤ ${}_{22}C_{18}$

5-2 다음 중에서

$$1+{}_3C_2+{}_4C_2+{}_5C_2+\cdots+{}_{10}C_2$$

의 값과 같은 것은?

① ${}_{10}C_3$ ② ${}_{11}C_2$ ③ ${}_{11}C_3$
④ ${}_{11}C_3-1$ ⑤ ${}_{12}C_2-1$

유형 06 이항계수의 성질

(천재, 교학, 금성, 동아, 미래엔, 비상, 좋은책, 지학 유사)

6-1 ${}_nC_1+{}_nC_3+{}_nC_5+\cdots+{}_nC_{n-1}=2048$을 만족시키는 자연수 n의 값을 구하시오.

6-2 ${}_{2n}C_0+{}_{2n}C_2+{}_{2n}C_4+\cdots+{}_{2n}C_{2n}=512$를 만족시키는 자연수 n의 값을 구하시오.

교과서 기본 테스트

01 천재, 교학, 동아, 미래엔, 비상, 좋은책 유사 ⋙ 출제율 95%

$(x^2-2)^5$의 전개식에서 x^2의 계수는?

① -80 ② -70 ③ 60
④ 70 ⑤ 80

02 천재, 동아, 미래엔, 비상, 좋은책, 지학 유사 ⋙ 출제율 95%

$\left(x^2-\frac{2}{x}\right)^7$의 전개식에서 $\frac{1}{x^4}$의 계수는?

① 442 ② 444 ③ 446
④ 448 ⑤ 450

03 천재, 동아, 미래엔, 비상, 좋은책, 지학 유사 ⋙ 출제율 95%

$(ax+2)^8$의 전개식에서 x^3의 계수가 28일 때, 실수 a의 값은?

① $\frac{1}{8}$ ② $\frac{1}{4}$ ③ $\frac{1}{2}$
④ 2 ⑤ 4

04 천재, 미래엔, 비상, 좋은책, 지학 유사 ⋙ 출제율 95%

$(x+a)^6$의 전개식에서 x^4의 계수가 x^5의 계수의 10배일 때, 양수 a의 값은?

① 4 ② 5 ③ 6
④ 7 ⑤ 8

05 천재, 교학, 미래엔, 비상, 좋은책, 지학 유사 ⋙ 출제율 95%

두 자연수 a, b에 대하여 $(ax+by)^4$의 전개식에서 x^3y의 계수는 216이고, xy^3의 계수는 96일 때, $a+b$의 값은?

① 5 ② 6 ③ 7
④ 8 ⑤ 9

06 천재, 금성, 동아, 좋은책, 지학 유사 ⋙ 출제율 68%

다음 중에서 옳은 것만을 있는 대로 고른 것은?

ㄱ. ${}_7C_0+{}_7C_1+{}_7C_2+\cdots+{}_7C_7=128$
ㄴ. ${}_5C_0-{}_5C_1+{}_5C_2-{}_5C_3+{}_5C_4-{}_5C_5=-1$
ㄷ. ${}_{10}C_1+{}_{10}C_3+{}_{10}C_5+{}_{10}C_7+{}_{10}C_9=512$
ㄹ. ${}_{11}C_2+{}_{11}C_4+{}_{11}C_6+{}_{11}C_8+{}_{11}C_{10}=1024$

① ㄱ ② ㄱ, ㄷ ③ ㄴ, ㄹ
④ ㄷ, ㄹ ⑤ ㄱ, ㄷ, ㄹ

07 천재, 미래엔, 비상 유사 ⋙ 출제율 68%

x에 대한 항등식

$$(1+x)^2+(1+x)^3+(1+x)^4+\cdots+(1+x)^{10}=a_0+a_1x+a_2x^2+\cdots+a_{10}x^{10}$$

에서 a_2의 값은? (단, a_0, a_1, a_2, $\cdots$, a_{10}은 상수)

① 145 ② 150 ③ 155
④ 160 ⑤ 165

08 천재, 비상, 좋은책, 지학 유사 ⋙ 출제율 68%

다음 식의 값은?

$$2{}_{10}C_1+2^2{}_{10}C_2+2^3{}_{10}C_3+\cdots+2^{10}{}_{10}C_{10}$$

① $2^{10}-1$ ② 2^{10} ③ 2^{11}
④ $3^{10}-1$ ⑤ 3^{10}

09 천재, 교학, 비상, 좋은책 유사 ⋙ 출제율 95%

${}_nC_r+{}_nC_{r+1}={}_8C_4$를 만족시키는 두 자연수 n, r에 대하여 $n+r$의 값은?

① 8 ② 9 ③ 10
④ 11 ⑤ 12

과정을 평가하는 서술형입니다.

[10~12] 다음 문제의 풀이 과정을 자세히 쓰시오.

10 천재, 교학, 비상, 좋은책 유사 ⋙ 출제율 95%

$\left(x-\frac{a}{x}\right)^4$의 전개식에서 상수항이 24일 때, 양수 a의 값을 구하고, 그 풀이 과정을 쓰시오.

11 천재, 동아, 미래엔, 비상, 좋은책 유사 ⋙ 출제율 75%

$(1+x)^4(1+x^2)^n$의 전개식에서 x^2의 계수가 12일 때, 자연수 n의 값을 구하고, 그 풀이 과정을 쓰시오.

12 천재, 동아, 비상, 좋은책, 지학 유사 ⋙ 출제율 95%

다음 부등식을 만족시키는 자연수 n의 값을 구하고, 그 풀이 과정을 쓰시오.

$$400<{}_nC_1+{}_nC_2+\cdots+{}_nC_n<800$$

창의력·융합형·서술형·코딩

1

서로 다른 4개의 주머니에 a가 적힌 공과 b가 적힌 공이 각각 한 개씩 들어 있다. 각 주머니에서 공을 한 개씩 꺼낼 때, 다음 물음에 답하시오.

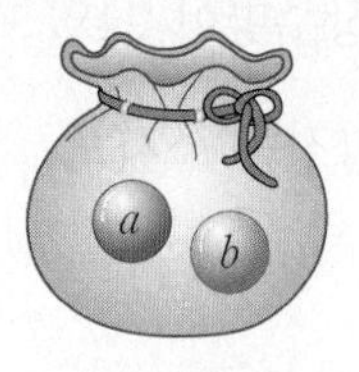

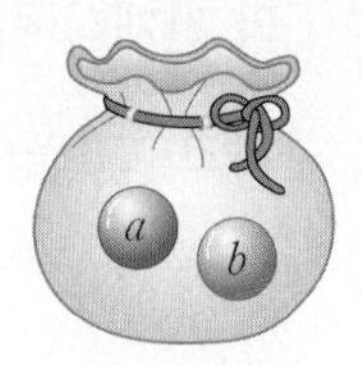

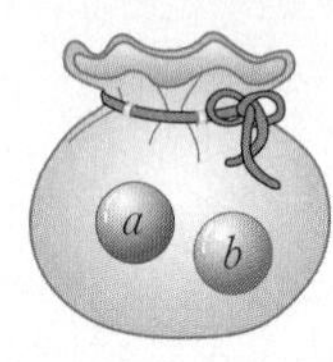

(1) 꺼낸 공들 중에서 a가 적힌 공이 2개일 때, b가 적힌 공은 몇 개인지 구하시오.

(2) a가 적힌 공 2개와 b가 적힌 공 2개를 꺼내는 경우의 수를 구하시오.

(3) $(a+b)^4$의 전개식에서 a^2b^2의 계수를 구하시오.

(4) 위의 (2), (3)에서 구한 결과를 비교하시오.

2

회장 1명을 포함하여 10명으로 이루어진 동아리에서 동아리 발표 대회에 참여할 5명의 대표를 뽑는 경우의 수를 구하려고 한다. 다음 대화를 읽고, 물음에 답하시오.

(1) 민호의 방법으로 5명의 대표를 뽑는 경우의 수를 구하시오.

(2) 소미의 방법으로 5명의 대표를 뽑는 경우의 수를 구하시오.

(3) 민호와 소미의 방법을 참고하여

$$_{n}\mathrm{C}_{r}={}_{n-1}\mathrm{C}_{r-1}+{}_{n-1}\mathrm{C}_{r}$$

임을 설명하시오.

정답과 해설 16쪽

3

다음 그림과 같은 파스칼의 삼각형에서 제3행의 오른쪽 1부터 시작하여 왼쪽 아래의 대각선 방향으로 세 개의 수 1, 4, 10을 더한 값은 그다음 행의 오른쪽으로부터 세 번째 수인 15와 같다. 즉

$$1+4+10=15$$

같은 방법으로 제6행의 왼쪽 1부터 시작하여 오른쪽 아래의 대각선 방향으로 네 개의 수 1, 7, 28, 84를 더한 값은 그다음 행의 왼쪽으로부터 네 번째 수인 120과 같다. 즉

$$1+7+28+84=120$$

물음에 답하시오.

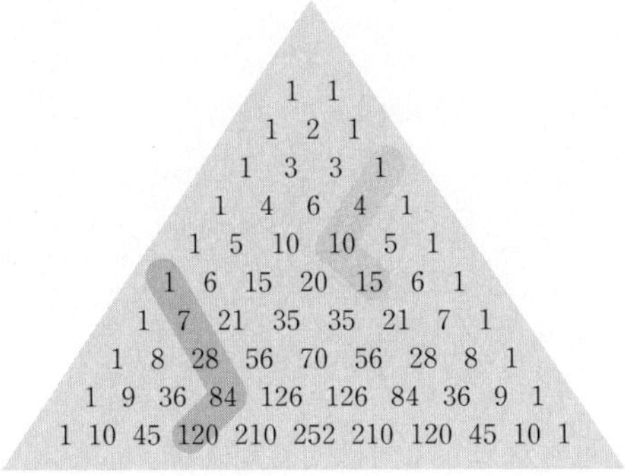

1 1
1 2 1
1 3 3 1
1 4 6 4 1
1 5 10 10 5 1
1 6 15 20 15 6 1
1 7 21 35 35 21 7 1
1 8 28 56 70 56 28 8 1
1 9 36 84 126 126 84 36 9 1
1 10 45 120 210 252 210 120 45 10 1

(1) 파스칼의 삼각형에서 얻은 다음과 같은 두 등식을 조합의 수를 이용한 식으로 나타내시오.

① $1+4+10=15$
② $1+7+28+84=120$

(2) 다음 식을 간단히 하여 ${}_nC_r$ 꼴로 나타내시오.

① ${}_2C_2+{}_3C_2+{}_4C_2+{}_5C_2+{}_6C_2$
② ${}_4C_0+{}_5C_1+{}_6C_2+\cdots+{}_{10}C_6$

4

다음 그림과 같은 파스칼의 삼각형에서 각 행에 배열된 수를 모두 더하면 2의 거듭제곱이 된다.

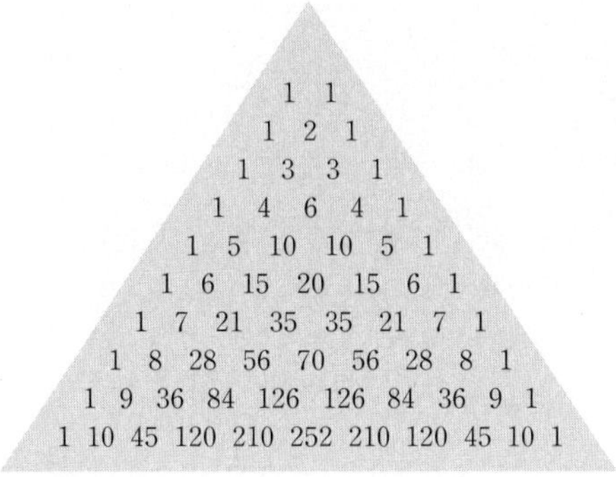

1 1
1 2 1
1 3 3 1
1 4 6 4 1
1 5 10 10 5 1
1 6 15 20 15 6 1
1 7 21 35 35 21 7 1
1 8 28 56 70 56 28 8 1
1 9 36 84 126 126 84 36 9 1
1 10 45 120 210 252 210 120 45 10 1

예를 들면

제1행 ➡ $1+1=2=2^1$
제2행 ➡ $1+2+1=4=2^2$
제3행 ➡ $1+3+3+1=8=2^3$
⋮

과 같다. 물음에 답하시오.

(1) 위의 식의 값이 성립하는 이유를 설명하시오.

(2) 위의 규칙을 이용하여 파스칼의 삼각형에서 제10행에 배열된 수들의 합을 구하시오.

비록 거스를지라도

When everything seems to be going against you,
remember that the airplane takes off
against the wind, not with it.
- Henry Ford

모든 것들이 당신에 불리하게 돌아가고 있는 듯 보일 때,
비행기는 바람과 더불어가 아닌
바람을 거슬러 이륙한다는 것을 기억하라.
– 헨리 포드

확률

확률

개념 01 배반사건과 여사건

(1) 시행과 사건

① ❶ [ ]: 같은 조건에서 반복할 수 있고, 그 결과가 우연에 의하여 정해지는 실험이나 관찰

② 표본공간: 어떤 시행에서 일어날 수 있는 모든 결과의 집합

③ ❷ [ ]: 표본공간의 부분집합

④ 근원사건: 표본공간의 부분집합 중에서 한 개의 원소로 이루어진 사건

(2) 배반사건과 여사건

① 표본공간 S의 두 사건 A, B에 대하여 A, B가 동시에 일어나지 않을 때, 즉 $A\cap B=\varnothing$일 때, A와 B는 서로 배반이라 하고, 이 두 사건을 서로 ❸ [ ]이라 한다.

② 어떤 사건 A에 대하여 A가 일어나지 않는 사건을 A의 여사건이라 하고, 이것을 기호로 ❹ [ ]와 같이 나타낸다.

참고 $A\cap A^C=\varnothing$이므로 A와 그 여사건 A^C는 서로 배반사건이다.

답 | ❶ 시행 ❷ 사건 ❸ 배반사건 ❹ A^C

QUIZ

한 개의 동전과 한 개의 주사위를 동시에 던지는 ❶ [ ]에서 표본공간의 원소의 개수는 ❷ [ ]이고, 동전은 앞면, 주사위는 짝수의 눈이 나오는 사건의 근원사건의 수는 ❸ [ ]이다.

정답 |

❶ 시행 ❷ 12 ❸ 3

개념 02 수학적 확률

어떤 시행에서 표본공간 S에 대하여 각각의 근원사건이 일어날 가능성이 모두 같은 정도로 기대될 때, 사건 A가 일어날 확률을 기호 ❶ [ ]로 나타낸다. 이때

$$\mathrm{P}(A)=\frac{n(A)}{n(S)}$$

→ 사건 A의 원소의 개수 (분자)
→ 표본공간 S의 원소의 개수 (분모)

로 정의하고, 이것을 사건 A가 일어날 ❷ [ ]이라 한다.

답 | ❶ $\mathrm{P}(A)$ ❷ 수학적 확률

QUIZ

한 개의 동전과 한 개의 주사위를 동시에 던지는 시행에서 동전은 앞면, 주사위는 짝수의 눈이 나오는 사건 A가 일어날 확률은 표본공간의 원소의 개수가 ❶ [ ]이고, 사건 A의 원소의 개수는 3이므로 $\mathrm{P}(A)=$ ❷ [ ]이다.

정답 |

❶ 12 ❷ $\frac{1}{4}$

개념 03 통계적 확률

일정한 조건에서 같은 시행을 n번 반복하였을 때, 사건 A가 일어난 횟수에 대하여 시행 횟수 n이 커짐에 따라 상대도수 $\frac{r_n}{n}$이 일정한 값 p에 가까워지면 이 값 p를 사건 A가 일어날 ❶ [ ]이라 한다.

참고 일반적으로 시행 횟수를 충분히 크게 하면 사건 A가 일어날 통계적 확률은 수학적 확률 p와 ❷ [ ].

답 | ❶ 통계적 확률 ❷ 같다

QUIZ

우리 주변의 여러 가지 현상 중 일어날 가능성이 같은 정도로 기대될 수 없는 경우에는 여러 번의 시행을 반복함으로써 얻어지는 ❶ (**상대도수**, **평균**)를 통하여 어떤 사건이 일어날 확률을 구한다. 이를 ❷ [ ]이라 한다.

정답 |

❶ 상대도수 ❷ 통계적 확률

개념 04 확률의 기본 성질

표본공간이 S인 어떤 시행에서

(1) 임의의 사건 A에 대하여

$$0 \le \mathrm{P}(A) \le 1$$

(2) 반드시 일어나는 사건 S에 대하여

$$\mathrm{P}(S) = \text{❶}\square$$

(3) 절대로 일어나지 않는 사건 $\varnothing$에 대하여

$$\mathrm{P}(\varnothing) = \text{❷}\square$$

참고 표본공간 S와 절대로 일어나지 않는 사건 $\varnothing$에 대하여

$$\mathrm{P}(S) = \frac{n(S)}{n(S)} = 1, \mathrm{P}(\varnothing) = \frac{n(\varnothing)}{n(S)} = 0$$

답 | ❶ 1 ❷ 0

QUIZ

어떤 시행에서 임의의 사건 A는 표본공간 S의 부분집합이므로

$$0 \le n(A) \le \text{❶}\square$$

이 부등식의 각 변을 $n(S)$로 나누면

$$0 \le \frac{n(A)}{n(S)} \le \text{❷}\square$$

$\mathrm{P}(A) = \dfrac{\text{❸}\square}{n(S)}$이므로

$$0 \le \mathrm{P}(A) \le 1$$

정답 |

❶ $n(S)$ ❷ 1 ❸ $n(A)$

개념 05 확률의 덧셈정리

(1) 두 사건 A, B에 대하여

$$\mathrm{P}(A \cup B) = \mathrm{P}(A) + \mathrm{P}(B) - \text{❶}\square$$

(2) 두 사건 A, B가 서로 배반사건이면

$$\mathrm{P}(A \cup B) = \mathrm{P}(A) + \mathrm{P}(B)$$

참고 사건 A 또는 사건 B가 일어날 확률은 다음과 같다.

$$\begin{aligned}\mathrm{P}(A \cup B) &= \frac{n(A \cup B)}{n(S)} \\ &= \frac{n(A)}{n(S)} + \frac{n(B)}{n(S)} - \frac{n(A \cap B)}{n(S)} \\ &= \mathrm{P}(A) + \mathrm{P}(B) - \mathrm{P}(A \cap B)\end{aligned}$$

특히 두 사건 A, B가 서로 배반사건이면 $\mathrm{P}(A \cap B) = \text{❷}\square$ 이므로

$$\mathrm{P}(A \cup B) = \mathrm{P}(A) + \mathrm{P}(B)$$

이다.

답 | ❶ $\mathrm{P}(A \cap B)$ ❷ 0

QUIZ

주사위 한 개를 던질 때, 다음을 구하시오.

❶ 짝수 또는 소수의 눈이 나올 확률

❷ 2의 배수 또는 5의 배수의 눈이 나올 확률

정답 |

❶ $\frac{5}{6}$ ❷ $\frac{2}{3}$

개념 06 여사건의 확률

사건 A에 대하여 $A \cap A^C = \varnothing$이므로 확률의 덧셈정리에 의하여

$$\mathrm{P}(A \cup A^C) = \mathrm{P}(A) + \mathrm{P}(A^C)$$

이다. 이때 $\mathrm{P}(A \cup A^C) = \mathrm{P}(S) = 1$이므로

$$\mathrm{P}(A^C) = 1 - \text{❶}\square$$

이다.

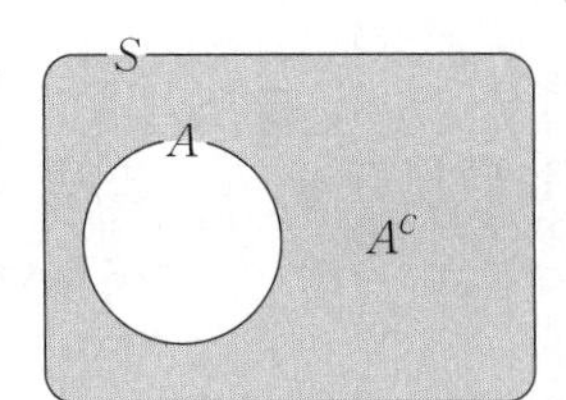

답 | ❶ $\mathrm{P}(A)$

QUIZ

서로 다른 두 개의 주사위를 동시에 던질 때, 적어도 하나는 짝수의 눈이 나오는 사건을 A라 하자. 이때 사건 A의 여사건은 모두 ❶☐의 눈이 나오는 사건이고,

$\mathrm{P}(A^C) = \dfrac{1}{\text{❷}\square}$이므로

$$\mathrm{P}(A) = 1 - \mathrm{P}(A^C) = \text{❸}\square$$

이다.

정답 |

❶ 홀수 ❷ 4 ❸ $\frac{3}{4}$

교과서 개념 확인 테스트

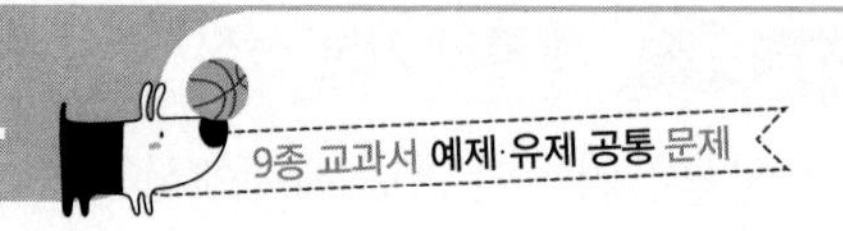

개념 01 배반사건과 여사건

1-1 네 개의 숫자 1, 2, 3, 4가 하나씩 적힌 네 장의 카드가 들어 있는 상자에서 임의로 한 장의 카드를 뽑을 때, 그 카드에 적힌 숫자가 3의 약수인 사건을 A, 2의 배수인 사건을 B, 소수인 사건을 C라 하자. 다음을 구하시오.

(1) 사건 A, B, C 중에서 서로 배반인 두 사건

(2) 사건 A의 여사건

1-2 주사위 한 개를 던질 때, 홀수의 눈이 나오는 사건을 A, 3의 배수의 눈이 나오는 사건을 B, 5의 약수의 눈이 나오는 사건을 C라 하자. 다음을 구하시오.

(1) 사건 A, B, C 중에서 서로 배반인 두 사건

(2) 사건 C의 여사건

개념 02 수학적 확률

2-1 서로 다른 두 개의 주사위를 동시에 던질 때, 나오는 두 눈의 수의 합이 7일 확률을 구하시오.

2-2 서로 다른 두 개의 주사위를 동시에 던질 때, 다음을 구하시오.

(1) 나오는 두 눈의 수의 합이 4일 확률

(2) 나오는 두 눈의 수의 차가 3일 확률

개념 03 통계적 확률

3-1 어느 달걀 100개 중 병아리가 나온 달걀이 83개이었다. 이 달걀 중 임의로 택한 1개의 달걀이 병아리가 나온 달걀일 확률을 구하시오.

3-2 어느 사격 선수가 30발을 쏘아 10점 과녁을 23번 맞혔을 때, 이 선수가 한 발을 사격하여 10점 과녁을 맞힐 확률을 구하시오.

개념 04 확률의 기본 성질

4-1 한 개의 주사위를 던질 때, 다음을 구하시오.

(1) 3의 배수의 눈이 나올 확률

(2) 자연수의 눈이 나올 확률

(3) 6보다 큰 수의 눈이 나올 확률

4-2 흰 공 3개와 파란 공 2개가 들어 있는 상자에서 임의로 3개의 공을 동시에 꺼낼 때, 다음을 구하시오.

(1) 흰 공이 1개 이상 나올 확률

(2) 파란 공이 3개 나올 확률

개념 05 확률의 덧셈정리

5-1 서로 다른 두 개의 주사위를 동시에 던질 때, 나오는 두 눈의 수의 합이 5 또는 8일 확률을 구하시오.

5-2 1부터 10까지의 자연수가 하나씩 적힌 10장의 카드 중에서 임의로 2장의 카드를 동시에 뽑을 때, 카드에 적힌 두 수가 모두 홀수이거나 모두 4의 배수일 확률을 구하시오.

개념 06 여사건의 확률

6-1 흰 공 3개와 파란 공 3개가 들어 있는 상자에서 임의로 3개의 공을 동시에 꺼낼 때, 적어도 파란 공이 1개 이상 나올 확률을 구하시오.

6-2 서로 다른 세 개의 주사위를 동시에 던질 때, 나오는 세 눈의 수의 곱이 짝수일 확률을 구하시오.

기출 기초 테스트

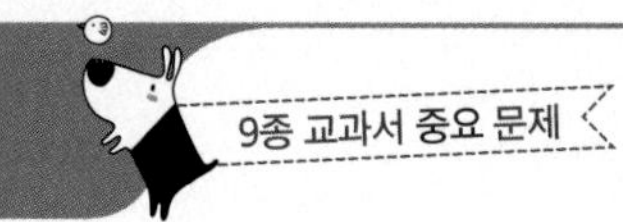

유형 01 시행과 사건

(천재, 교학, 금성, 동아, 미래엔, 비상, 좋은책, 지학 유사)

1-1 서로 다른 두 개의 동전을 동시에 던지는 시행에 대하여 다음을 집합을 써서 나타내시오. (단, 앞면은 H, 뒷면은 T로 나타낸다.)

(1) 표본공간

(2) 서로 같은 면이 나오는 사건

1-2 한 개의 주사위를 던지는 시행에 대하여 다음을 집합을 써서 나타내시오.

(1) 표본공간

(2) 소수의 눈이 나오는 사건

유형 02 배반사건

(천재, 교학, 동아, 미래엔, 비상, 좋은책, 지학 유사)

2-1 1부터 20까지의 자연수가 하나씩 적힌 정이십면체 모양의 주사위를 던지는 시행에서 20의 약수의 눈이 나오는 사건을 A, 7의 배수의 눈이 나오는 사건을 B라 할 때, 다음을 구하시오.

(1) $A\cap B$ (2) $A\cup B$

2-2 1부터 12까지의 자연수가 하나씩 적힌 정십이면체 모양의 주사위를 던지는 시행에서 9의 약수의 눈이 나오는 사건을 A, 5의 배수의 눈이 나오는 사건을 B라 할 때, 다음을 구하시오.

(1) $A\cap B$ (2) $A\cup B$

유형 03 여사건

(천재, 교학, 금성, 동아, 좋은책, 지학 유사)

3-1 한 개의 주사위를 던지는 시행에서 소수의 눈이 나오는 사건을 A, 4의 약수의 눈이 나오는 사건을 B라 할 때, 다음을 구하시오.

(1) A^C (2) B^C

3-2 서로 다른 두 개의 동전을 동시에 던지는 시행에서 적어도 앞면이 1개 나오는 사건을 A, 모두 뒷면이 나오는 사건을 B라 할 때, 다음을 구하시오.

(단, 앞면은 H, 뒷면은 T로 나타낸다.)

(1) A^C (2) B^C

유형 04 수학적 확률

(천재, 교학, 금성, 동아, 미래엔, 비상, 좋은책, 지학 유사)

4-1 한 개의 동전과 한 개의 주사위를 동시에 던지는 시행에서 다음을 구하시오.

(1) 앞면과 소수의 눈이 나올 확률

(2) 뒷면과 3의 배수의 눈이 나올 확률

4-2 서로 다른 세 개의 동전을 동시에 던지는 시행에서 다음을 구하시오.

(1) 앞면이 2개 나올 확률

(2) 뒷면이 적어도 1개 이상 나올 확률

유형 05 수학적 확률

(천재, 금성, 동아, 좋은책, 지학 유사)

5-1 남학생 3명과 여학생 3명으로 구성된 어느 학교 동아리에서 2명의 대표를 뽑을 때, 남학생 1명, 여학생 1명이 대표로 뽑힐 확률을 구하시오.

5-2 1부터 10까지의 자연수가 하나씩 적힌 공 10개가 들어 있는 상자에서 임의로 2개의 공을 동시에 꺼낼 때, 짝수와 홀수가 적힌 공이 1개씩 나올 확률을 구하시오.

유형 06 통계적 확률

(천재, 교학, 금성, 동아, 미래엔, 비상, 좋은책, 지학 유사)

6-1 어느 씨앗을 1000개 심었을 때, 싹이 나온 씨앗은 624개이었다. 이 씨앗을 1개 심었을 때, 싹이 나올 확률을 구하시오.

6-2 어느 야구 선수가 200타석 중에 안타를 56개 쳤을 때, 이 선수가 타석에서 안타를 칠 확률을 구하시오.

유형 07 확률의 기본 성질

(천재, 교학, 동아, 미래엔, 비상, 좋은책, 지학 유사)

7-1 세 개의 숫자 1, 2, 3을 한 번씩 사용하여 만든 세 자리 자연수 중에서 임의로 한 개를 뽑을 때, 다음을 구하시오.

(1) 짝수일 확률

(2) 120보다 큰 수일 확률

7-2 중복을 허용하여 세 개의 숫자 4, 5, 6으로 만든 네 자리 자연수 중에서 임의로 한 개를 뽑을 때, 다음을 구하시오.

(1) 홀수일 확률

(2) 6666보다 큰 수일 확률

유형 08 확률의 덧셈정리

(천재, 교학, 동아, 비상, 좋은책 유사)

8-1 20 이하의 자연수 중에서 임의로 한 개를 뽑을 때, 4의 배수 또는 5의 배수가 나올 확률을 구하시오.

8-2 100 이하의 자연수 중에서 임의로 한 개를 뽑을 때, 2의 배수 또는 3의 배수가 나올 확률을 구하시오.

유형 09 확률의 덧셈정리

(천재, 교학, 금성, 동아, 미래엔, 비상, 좋은책, 지학 유사)

9-1 두 사건 A, B에 대하여

$$\mathrm{P}(A)=\frac{1}{2},\ \mathrm{P}(B^C)=\frac{3}{5},$$
$$\mathrm{P}(A\cap B)=\frac{1}{3}$$

일 때, $\mathrm{P}(A\cup B)$를 구하시오.

9-2 두 사건 A, B에 대하여

$$\mathrm{P}(A)=\frac{1}{3},\ \mathrm{P}(B)=\frac{2}{5},$$
$$\mathrm{P}(A\cup B)=\frac{8}{15}$$

일 때, $\mathrm{P}(A\cap B^C)$를 구하시오.

정답과 해설 19쪽

유형 10 확률의 덧셈정리

10-1 1부터 10까지의 자연수가 하나씩 적힌 공 10개가 들어 있는 주머니에서 임의로 한 개의 공을 꺼내 공에 적힌 수를 확인하고 다시 넣는 시행을 2번 했을 때, 나온 두 수의 합이 19 이상일 확률을 구하시오.

(천재, 교학, 금성, 동아, 미래엔, 비상, 좋은책, 지학 유사)

10-2 1부터 5까지의 숫자가 하나씩 적힌 공 5개가 들어 있는 상자에서 임의로 한 개의 공을 꺼내 공에 적힌 수를 확인하고 다시 넣는 시행을 2번 했을 때, 나온 두 수의 차가 1 이하일 확률을 구하시오.

유형 11 여사건의 확률

11-1 승헌이와 민서를 포함한 8명의 학생이 있다. 이 중에서 임의로 2명을 뽑을 때, 승헌이와 민서 중에서 적어도 한 명이 뽑힐 확률을 구하시오.

(천재, 교학, 금성, 동아, 미래엔, 비상, 좋은책, 지학 유사)

11-2 모양과 크기가 같은 흰 깃발 2개, 검은 깃발 3개를 일렬로 나열할 때, 적어도 한쪽 끝에 흰 깃발이 놓일 확률을 구하시오.

유형 12 여사건의 확률

12-1 혜리는 장미 5송이와 튤립 4송이를 샀다. 이 중에서 임의로 3송이를 택하여 친구에게 선물로 주려고 한다. 서로 다른 종류의 꽃을 섞어 3송이를 택할 확률을 구하시오.

(천재, 교학, 금성, 동아, 미래엔, 비상, 좋은책, 지학 유사)

12-2 남학생 2명, 여학생 3명이 한 명씩 차례로 발표를 할 때, 남학생의 발표 순서가 연달아 있지 않을 확률을 구하시오.

교과서 기본 테스트

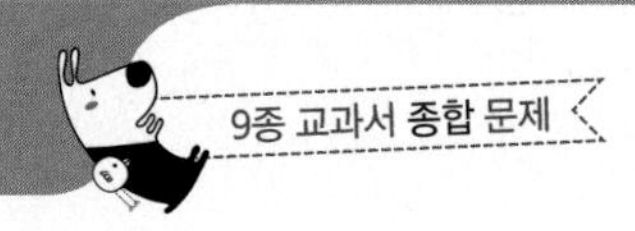

01 천재, 교학, 미래엔, 비상, 좋은책, 지학 유사 ⋙ 출제율 95%

1부터 12까지의 자연수가 하나씩 적힌 12장의 카드 중에서 임의로 한 장의 카드를 뽑을 때, 카드에 적힌 수가 3의 배수인 사건을 A, 소수인 사건을 B, 8의 약수인 사건을 C라 하자. 다음 중에서 서로 배반사건인 것만을 있는 대로 고른 것은?

ㄱ. A와 C
ㄴ. $A\cap B$와 $B\cap C$
ㄷ. $A\cup B$와 B^C

① ㄱ ② ㄴ ③ ㄱ, ㄴ
④ ㄴ, ㄷ ⑤ ㄱ, ㄴ, ㄷ

02 천재, 미래엔, 비상, 좋은책, 지학 유사 ⋙ 출제율 95%

한 개의 주사위를 차례로 두 번 던질 때, 두 번째 나온 눈의 수가 첫 번째 나온 눈의 수보다 클 확률을 구하시오.

03 천재, 미래엔, 비상, 좋은책, 지학 유사 ⋙ 출제율 95%

주머니 안에 흰 공 3개와 검은 공 4개가 들어 있다. 이 주머니에서 임의로 3개의 공을 동시에 꺼낼 때, 흰 공 2개와 검은 공 1개가 나올 확률을 구하시오.

04 천재, 미래엔, 비상, 지학 유사 ⋙ 출제율 68%

여섯 개의 문자 C, H, A, N, C, E를 일렬로 나열할 때, 양 끝에 모음이 올 확률은?

① $\frac{1}{30}$ ② $\frac{1}{15}$ ③ $\frac{1}{10}$
④ $\frac{2}{15}$ ⑤ $\frac{1}{6}$

05 천재, 비상, 좋은책, 지학 유사 ⋙ 출제율 68%

다음 그림과 같은 6장의 카드가 있다. 이 카드를 일렬로 나열하여 암호를 만들 때, 문자가 적힌 카드끼리 이웃하게 놓일 확률을 구하시오.

a b c 1 2 3

06 천재, 교학, 비상, 좋은책 유사 ⋙ 출제율 85%

어느 도시의 올해 태어난 신생아 1000명 중 남자아이와 여자아이의 수는 다음과 같다. 이 도시의 올해 태어난 신생아 중 임의로 1명을 택했을 때, 여자아이일 확률을 구하시오.

남자 신생아 수	여자 신생아 수
512	488

07 천재, 교학, 동아, 미래엔, 비상, 좋은책 유사 ⋙ 출제율 95%

한 개의 주사위를 던질 때, 2의 배수 또는 3의 배수의 눈이 나올 확률은?

① $\frac{1}{6}$ ② $\frac{1}{3}$ ③ $\frac{1}{2}$
④ $\frac{2}{3}$ ⑤ $\frac{5}{6}$

08 천재, 동아, 미래엔, 비상, 좋은책, 지학 유사 ⋙ 출제율 95%

1부터 10까지의 자연수가 하나씩 적힌 10장의 카드 중에서 임의로 한 장의 카드를 뽑을 때, 소수 또는 5의 배수가 적힌 카드가 나올 확률은?

① $\frac{1}{6}$ ② $\frac{1}{5}$ ③ $\frac{1}{4}$
④ $\frac{1}{3}$ ⑤ $\frac{1}{2}$

09 천재, 금성, 동아, 좋은책, 지학 유사 ⋙ 출제율 68%

1에서 100까지의 자연수가 하나씩 적힌 100장의 카드 중에서 임의로 한 장의 카드를 뽑을 때, 카드에 적힌 수가 4의 배수인 사건을 A, 10의 배수인 사건을 B라 하자. 이때 $\mathrm{P}(A \cup B)$를 구하시오.

10 천재, 동아, 미래엔, 비상, 좋은책 유사 ⋙ 출제율 75%

호은이네 반 학생 32명을 대상으로 통학할 때의 교통수단을 조사하였더니 버스를 이용하는 학생이 20명, 지하철을 이용하는 학생이 13명, 버스와 지하철을 모두 이용하는 학생이 5명이었다. 이 반 학생 중에서 임의로 한 명의 학생을 뽑을 때, 이 학생이 버스 또는 지하철을 이용하여 통학하는 학생일 확률을 구하시오.

11 천재, 비상, 좋은책, 지학 유사 ⋙ 출제율 85%

어느 학급에서 A, B 두 영화를 본 학생은 각각 전체의 25 %, 30 %이고, 두 영화를 모두 본 학생은 전체의 10 %이다. 이 학급에서 임의로 한 명의 학생을 뽑을 때, A 또는 B영화를 본 학생일 확률을 구하시오.

12 천재, 비상, 좋은책, 지학 유사 ⋙ 출제율 78%

민혁이네 반 학생 35명을 대상으로 혈액형을 조사하였더니 A형, B형, AB형, O형인 학생이 각각 11명, 11명, 3명, 10명이었다. 이 반 학생 중에서 임의로 한 명의 학생을 뽑을 때, 이 학생의 혈액형이 A형 또는 O형일 확률을 구하시오.

13 천재, 동아, 비상, 좋은책, 지학 유사 출제율 95%

주머니 안에 오렌지 맛 사탕 4개와 딸기 맛 사탕 4개가 들어 있다. 이 주머니에서 임의로 4개의 사탕을 동시에 꺼낼 때, 오렌지 맛 사탕이 3개 이상 나오거나 딸기 맛 사탕이 4개 나올 확률은?

① $\frac{8}{35}$ ② $\frac{9}{35}$ ③ $\frac{2}{7}$
④ $\frac{11}{35}$ ⑤ $\frac{12}{35}$

14 천재, 금성, 동아, 좋은책, 지학 유사 출제율 80%

두 사건 A, B에 대하여

$$P(A)=\frac{1}{2},\ P(A\cap B)=\frac{1}{5},$$
$$P(A^C\cap B^C)=\frac{1}{10}$$

일 때, $P(B)$는?

① $\frac{1}{5}$ ② $\frac{3}{10}$ ③ $\frac{2}{5}$
④ $\frac{1}{2}$ ⑤ $\frac{3}{5}$

15 천재, 금성, 좋은책, 지학 유사 출제율 80%

두 사건 A, B에 대하여

$$P(A\cup B)=\frac{1}{2},\ P(A^C\cup B^C)=\frac{5}{6}$$

일 때, $P(A)+P(B)$를 구하시오.

16 천재, 교학, 금성, 동아, 비상, 좋은책 유사 출제율 78%

서로 다른 두 개의 주사위를 동시에 던질 때, 나오는 두 눈의 수가 서로 다를 확률은?

① $\frac{1}{6}$ ② $\frac{1}{3}$ ③ $\frac{1}{2}$
④ $\frac{2}{3}$ ⑤ $\frac{5}{6}$

17 천재, 교학, 미래엔, 비상, 좋은책, 지학 유사 출제율 80%

100 이하의 자연수 중에서 임의로 한 개를 택할 때, 그 수가 45와 서로소일 확률을 구하시오.

18 천재, 금성, 비상, 좋은책, 지학 유사 출제율 65%

불량품 2개를 포함한 10개의 제품이 있다. 이 10개의 제품 중에서 임의로 3개의 제품을 동시에 택하여 검사할 때, 불량품이 1개 이하일 확률을 구하시오.

19 천재, 동아, 미래엔, 비상, 좋은책, 지학 유사 ⋙ 출제율 95%

빨간 볼펜이 3개, 파란 볼펜이 n개 들어 있는 필통에서 임의로 2개의 볼펜을 동시에 꺼낼 때, 적어도 한 개는 파란 볼펜이 나올 확률이 $\frac{7}{10}$이다. 이때 자연수 n의 값을 구하시오.

20 천재, 미래엔, 비상, 좋은책, 지학 유사 ⋙ 출제율 83%

1부터 20까지의 자연수가 하나씩 적힌 20장의 카드 중에서 임의로 2장의 카드를 동시에 뽑을 때, 카드에 적힌 두 수의 최댓값이 11 이상일 확률은?

① $\frac{27}{38}$ ② $\frac{14}{19}$ ③ $\frac{29}{38}$
④ $\frac{15}{19}$ ⑤ $\frac{31}{38}$

21 천재, 미래엔, 비상, 좋은책, 지학 유사 ⋙ 출제율 83%

오른쪽 그림과 같이 원의 둘레 위에 같은 간격으로 8개의 점이 있다. 이 중에서 임의로 세 점을 택하여 삼각형을 만들 때, 이 삼각형이 직각삼각형이 될 확률을 구하시오.

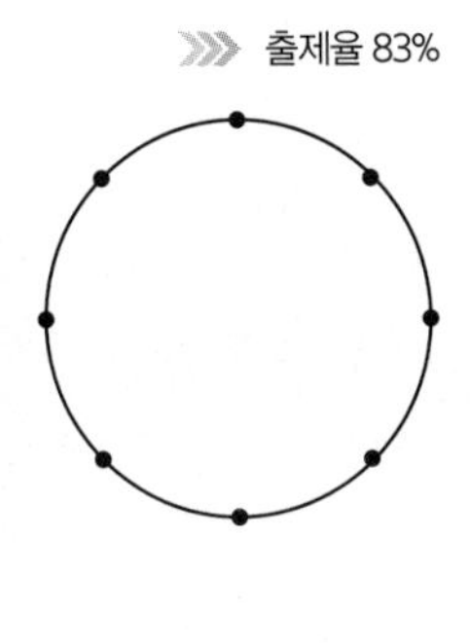

과정을 평가하는 서술형입니다.

[22~24] 다음 문제의 풀이 과정을 자세히 쓰시오.

22 천재, 동아, 좋은책, 지학 유사 ⋙ 출제율 80%

흰 공 4개, 빨간 공 6개가 들어 있는 상자에서 임의로 3개의 공을 동시에 꺼낼 때, 3개의 공이 모두 같은 색일 확률을 구하고, 그 풀이 과정을 쓰시오.

23 천재, 미래엔, 비상, 좋은책, 지학 유사 ⋙ 출제율 75%

남학생 8명, 여학생 10명으로 구성된 어느 학교 독서 동아리에서 임의로 2명의 학생을 동시에 뽑아 설문 조사를 할 때, 적어도 1명의 남학생이 뽑힐 확률을 구하고, 그 풀이 과정을 쓰시오.

24 천재, 교학, 미래엔, 비상 유사 ⋙ 출제율 65%

한 개의 주사위를 세 번 던져 나온 눈의 수를 차례로 a, b, c라 할 때, $(a-b)(b-c)=0$일 확률을 구하고, 그 풀이 과정을 쓰시오.

창의력·융합형·서술형·코딩

1

A, B 두 팀이 축구 경기를 하기 전에 한 개의 동전을 던져 먼저 공격할 팀을 정하려고 한다. 다음 물음에 답하시오.

(1) 한 개의 동전을 던져 나올 수 있는 모든 경우를 구하시오.

(2) A팀, B팀이 동전의 앞면, 뒷면을 선택하는 경우의 수를 구하시오.

(3) A팀이 먼저 공격할 확률을 구하고, 그 이유를 설명하시오.

2

동준, 혜미, 연수가 차례로 한 개의 주사위를 한 번씩 던져서 각자 나온 눈의 수만큼 말판에서 말을 움직이는 게임을 하려고 한다. 세 명이 모두 한 개의 주사위를 한 번씩 던졌을 때, 다음 물음에 답하시오.

(단, 세 명의 말의 시작 위치는 모두 같다.)

(1) 혜미의 말이 동준이의 말보다 앞에 놓일 확률을 구하시오.

(2) 연수의 말이 혜미의 말과 같은 곳에 놓일 확률을 구하시오.

(3) 동준이의 말이 혜미의 말과 연수의 말 사이에 있을 확률을 구하시오.

3

학생 수가 30명인 반에서 생일이 같은 학생이 있을 확률을 구하려고 한다. 1년을 365일로 생각할 때, 다음 물음에 답하시오.

(1) 30명 학생의 생일이 모두 다를 확률을 구하시오. (단, ${}_{365}\mathrm{P}_{30}=2.17\times10^{76}$, ${}_{365}\Pi_{30}=7.39\times10^{76}$으로 계산하고, 소수 셋째 자리에서 반올림한다.)

(2) 이 반에서 생일이 같은 학생이 있을 확률을 (1)의 여사건의 확률을 이용하여 구하시오.

4

현석이와 하리를 포함한 8명의 친구가 영화를 보기 위해 극장을 방문하여 다음 그림과 같은 좌석의 영화표를 구매하였다. 임의로 좌석을 배정하기로 할 때, 다음 물음에 답하시오. (단, 두 명이 같은 열의 바로 옆에 있을 때 이웃한 것으로 본다.)

(1) 8명의 친구가 좌석에 앉는 경우의 수를 구하시오.

(2) 현석이와 하리가 서로 이웃하게 앉는 경우의 수를 구하시오.

(3) 현석이와 하리가 서로 이웃하게 앉을 확률을 구하시오.

여러 가지 확률

개념 01 조건부확률

(1) 표본공간 S의 두 사건 A, B에 대하여 확률이 0이 아닌 사건 A가 일어났을 때, 사건 B가 일어날 확률을 사건 A가 일어났을 때의 사건 B의 조건부확률이라 하고, 기호로 $\mathrm{P}(B|A)$와 같이 나타낸다.

(2) 표본공간 S에서 사건 A가 일어났을 때의 사건 B의 ❶ ☐은 다음과 같다.

$$\mathrm{P}(B|A)=\frac{n(A\cap B)}{n(A)}$$

이때 이 식의 우변의 분자와 분모를 각각 $n(S)$로 나누면 다음과 같다.

$$\mathrm{P}(B|A)=\frac{n(A\cap B)}{❷\ \square}=\frac{\frac{n(A\cap B)}{n(S)}}{\frac{n(A)}{n(S)}}=\frac{\mathrm{P}(A\cap B)}{❸\ \square}$$

답 | ❶ 조건부확률 ❷ $n(A)$ ❸ $\mathrm{P}(A)$

QUIZ

한 개의 주사위를 던지는 시행에서 2의 배수의 눈이 나오는 사건을 A, 3의 배수의 눈이 나오는 사건을 B라 하면 표본공간 S와 두 사건 A, B는 아래 그림과 같다. 다음을 구하시오.

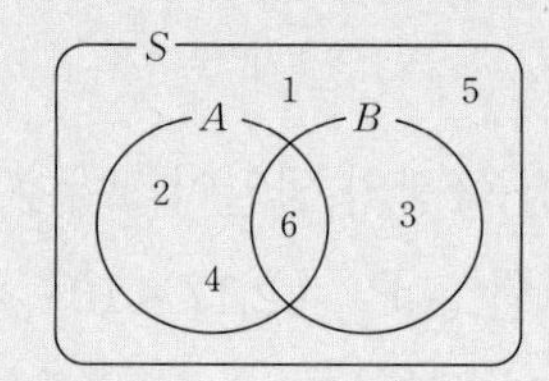

❶ $\mathrm{P}(B|A)$
❷ $\mathrm{P}(A|B)$

정답 |

❶ $\frac{1}{3}$ ❷ $\frac{1}{2}$

개념 02 확률의 곱셈정리

$\mathrm{P}(A)>0$, $\mathrm{P}(B)>0$인 두 사건 A, B에 대하여

$$❶\ \square=\frac{\mathrm{P}(A\cap B)}{\mathrm{P}(A)},\ \mathrm{P}(A|B)=\frac{\mathrm{P}(A\cap B)}{\mathrm{P}(B)}$$

이므로 다음을 알 수 있다.

$$\mathrm{P}(A\cap B)=\mathrm{P}(A)\mathrm{P}(B|A)=\mathrm{P}(B)\ ❷\ \square$$

답 | ❶ $\mathrm{P}(B|A)$ ❷ $\mathrm{P}(A|B)$

QUIZ

다음 ☐ 안에 알맞은 수를 써넣으시오.

$\mathrm{P}(A)>0$, $\mathrm{P}(B)>0$인 두 사건 A, B에 대하여
$\mathrm{P}(A)=\frac{2}{3}$, $\mathrm{P}(B|A)=\frac{1}{2}$이면
$\mathrm{P}(A\cap B)=\mathrm{P}(A)\mathrm{P}(B|A)$
$=\frac{2}{3}\times$ ❶ ☐ $=$ ❷ ☐

정답 |

❶ $\frac{1}{2}$ ❷ $\frac{1}{3}$

개념 03 독립과 종속

두 사건 A, B에 대하여 한 사건이 일어나는 것이 다른 사건이 일어날 확률에 아무런 영향을 주지 않을 때, 즉

$\mathrm{P}(B|A)=$ ❶ ☐

일 때, 두 사건 A, B는 서로 독립이라 한다.
또 두 사건 A, B가 서로 ❷ ☐이 아닐 때, 두 사건 A, B는 서로 종속이라 한다.

답 | ❶ $\mathrm{P}(B)$ ❷ 독립

QUIZ

한 개의 주사위를 던지는 시행에서 2의 배수의 눈이 나오는 사건을 A, 3의 배수의 눈이 나오는 사건을 B라 하면

$\mathrm{P}(B)=\frac{1}{3}$, $\mathrm{P}(B|A)=$ ❶ ☐이고,

$\mathrm{P}(B)$ ❷ ☐ $\mathrm{P}(B|A)$이므로 두 사건 A, B는 서로 ❸ (독립, 종속)이다.

정답 |

❶ $\frac{1}{3}$ ❷ = ❸ 독립

개념 04 독립사건의 곱셈정리

$P(A)>0$, $P(B)>0$인 두 사건 A, B가 서로 독립이면
$P(B|A)=$ ❶ 이므로

$$P(A\cap B)=P(A)P(B|A)=P(A)P(B)$$

가 성립한다.
역으로 $P(A)>0$, $P(B)>0$이고,
$P(A\cap B)=P(A)P(B)$이면

$$P(B|A)=\frac{P(A\cap B)}{P(A)}=\frac{❷}{P(A)}=P(B)$$

이므로 두 사건 A, B는 서로 독립이다.
따라서 두 사건 A, B가 서로 ❸ 이기 위한 필요충분조건은 다음과 같다.

$$P(A\cap B)=P(A)P(B)\ (\text{단, } P(A)>0,\ P(B)>0)$$

답 | ❶ $P(B)$ ❷ $P(A)P(B)$ ❸ 독립

QUIZ

두 사건 A, B가 서로 독립일 때, 다음을 구하시오.

❶ $P(A)=\frac{2}{5}$, $P(B)=\frac{1}{2}$일 때, $P(A\cap B)$

❷ $P(A)=\frac{2}{3}$, $P(B|A)=\frac{1}{4}$일 때, $P(A\cap B)$

정답 |
❶ $\frac{1}{5}$ ❷ $\frac{1}{6}$

개념 05 독립시행의 확률

(1) 주사위나 동전을 여러 번 던지는 시행과 같이 어떤 시행을 반복하는 경우 각 시행의 결과가 다른 시행의 결과에 아무런 영향을 주지 않을 때, 즉 각 시행마다 일어나는 사건이 서로 독립일 때, 이러한 시행을 ❶ 이라 한다.

(2) 독립시행에서는 각 시행에서 일어나는 사건이 서로 독립이므로 독립시행의 확률은 각 사건의 확률을 곱하여 구할 수 있다.
1회의 시행에서 사건 A가 일어날 확률이 p일 때, n회의 독립시행에서 사건 A가 r회 일어날 확률은
① ${}_{n}C_{r}p^{r}(1-p)^{n-r}$ (단, $r=1, 2, 3, \cdots, n-1$)
② $r=0$일 때 $(1-p)^{n}$
③ $r=n$일 때 ❷

예 한 개의 주사위를 4회 던져 1의 눈이 2번 나오는 경우는 오른쪽 표와 같이 ${}_{4}C_{2}$가지이고 각 경우의 확률은 모두 $\left(\frac{1}{6}\right)^{2}\times\left(\frac{5}{6}\right)^{2}$이다.
따라서 한 개의 주사위를 4회 던지는 독립시행에서 1의 눈이 2번 나올 확률은 다음과 같다.
${}_{4}C_{2}\left(\frac{1}{6}\right)^{2}$ ❸

1회	2회	3회	4회	확률
⚀	⚀	×	×	$\left(\frac{1}{6}\right)^{2}\times\left(\frac{5}{6}\right)^{2}$
⚀	×	⚀	×	$\left(\frac{1}{6}\right)^{2}\times\left(\frac{5}{6}\right)^{2}$
⚀	×	×	⚀	$\left(\frac{1}{6}\right)^{2}\times\left(\frac{5}{6}\right)^{2}$
×	⚀	⚀	×	$\left(\frac{1}{6}\right)^{2}\times\left(\frac{5}{6}\right)^{2}$
×	⚀	×	⚀	$\left(\frac{1}{6}\right)^{2}\times\left(\frac{5}{6}\right)^{2}$
×	×	⚀	⚀	$\left(\frac{1}{6}\right)^{2}\times\left(\frac{5}{6}\right)^{2}$

답 | ❶ 독립시행 ❷ p^{n} ❸ $\left(\frac{5}{6}\right)^{2}$

QUIZ

다음은 한 개의 동전을 5번 던져서 앞면이 3번 나올 확률을 구하는 과정이다. □ 안에 알맞은 것을 써넣으시오.

동전을 5번 던지는 시행은 독립시행이다. 매 시행에서 앞면이 나올 확률은 ❶ 이고, 앞면이 3번 나오는 경우는 ❷ 가지이므로 구하는 확률은 ❸ 이다.

정답 |
❶ $\frac{1}{2}$ ❷ ${}_{5}C_{3}$ ❸ ${}_{5}C_{3}\left(\frac{1}{2}\right)^{3}\left(\frac{1}{2}\right)^{2}$

교과서 개념 확인 테스트

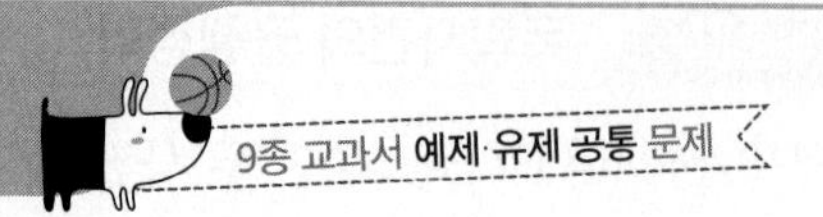

개념 01 조건부확률

1-1 한 개의 주사위를 던져서 홀수의 눈이 나왔을 때, 그 눈의 수가 소수일 확률을 구하시오.

1-2 한 개의 주사위를 던져서 짝수의 눈이 나왔을 때, 그 눈의 수가 3의 배수일 확률을 구하시오.

개념 02 확률의 곱셈정리

2-1 두 사건 A, B에 대하여

$$\mathrm{P}(A)=\frac{2}{3},\ \mathrm{P}(B|A)=\frac{3}{4}$$

일 때, $\mathrm{P}(A\cap B)$를 구하시오.

2-2 두 사건 A, B에 대하여

$$\mathrm{P}(B)=\frac{1}{3},\ \mathrm{P}(A|B)=\frac{2}{3}$$

일 때, $\mathrm{P}(A\cap B)$를 구하시오.

개념 03 독립과 종속

3-1 다음을 만족시키는 두 사건 A, B가 서로 독립인지 종속인지 판단하시오.

$$\mathrm{P}(A)=\frac{1}{4},\ \mathrm{P}(B)=\frac{4}{5},\ \mathrm{P}(A\cap B)=\frac{1}{5}$$

3-2 다음을 만족시키는 두 사건 A, B가 서로 독립인지 종속인지 판단하시오.

$$\mathrm{P}(A)=\frac{2}{3},\ \mathrm{P}(B)=\frac{3}{5},\ \mathrm{P}(A\cap B)=\frac{5}{8}$$

정답과 해설 24쪽

개념 04 독립과 종속

4-1 한 개의 주사위를 던질 때, 3의 배수의 눈이 나오는 사건을 A, 홀수의 눈이 나오는 사건을 B라 하자. 이때 두 사건 A, B가 서로 독립인지 종속인지 판단하시오.

4-2 한 개의 주사위를 던질 때, 소수의 눈이 나오는 사건을 A, 짝수의 눈이 나오는 사건을 B라 하자. 이때 두 사건 A, B가 서로 독립인지 종속인지 판단하시오.

개념 05 독립사건의 곱셈정리

5-1 두 사건 A, B가 서로 독립이고,

$$\mathrm{P}(A)=\frac{1}{2},\ \mathrm{P}(B|A)=\frac{3}{4}$$

일 때, 다음을 구하시오.

(1) $\mathrm{P}(B)$ (2) $\mathrm{P}(A\cap B)$

5-2 두 사건 A, B가 서로 독립이고,

$$\mathrm{P}(A)=\frac{1}{2},\ \mathrm{P}(A\cap B)=\frac{1}{3}$$

일 때, 다음을 구하시오.

(1) $\mathrm{P}(B)$ (2) $\mathrm{P}(A\cup B)$

개념 06 독립시행의 확률

6-1 어느 양궁 선수는 10점 영역을 맞힐 확률이 $\frac{2}{3}$라 한다. 이 양궁 선수가 화살을 5번 쏠 때, 10점 영역을 4번 이상 맞힐 확률을 구하시오.

6-2 한 개의 주사위를 4번 던질 때, 다음을 구하시오.

(1) 2의 눈이 3번 나올 확률
(2) 2의 눈이 2번 이상 나올 확률

기출 기초 테스트

유형 01 조건부확률

(천재, 교학, 금성, 동아, 미래엔, 비상, 좋은책, 지학 유사)

1-1 한 개의 주사위를 던져서 짝수의 눈이 나왔을 때, 그 눈의 수가 소수일 확률을 구하시오.

1-2 한 개의 주사위를 던져서 6의 약수의 눈이 나왔을 때, 그 눈의 수가 홀수일 확률을 구하시오.

유형 02 조건부확률

(천재, 교학, 동아, 미래엔, 비상, 좋은책, 지학 유사)

2-1 두 사건 A, B에 대하여

$$\mathrm{P}(A)=0.5,\ \mathrm{P}(B)=0.3,$$
$$\mathrm{P}(A\cup B)=0.7$$

일 때, $\mathrm{P}(B|A)$를 구하시오.

2-2 두 사건 A, B에 대하여

$$\mathrm{P}(A)=0.4,\ \mathrm{P}(B^C)=0.7,$$
$$\mathrm{P}(A\cup B)=0.5$$

일 때, $\mathrm{P}(B|A)$를 구하시오.

유형 03 조건부확률

(천재, 교학, 금성, 동아, 좋은책, 지학 유사)

3-1 다음은 어느 마라톤 대회 참가인에 대한 성별과 아침 식사 여부를 조사하여 나타낸 표이다.

(단위: 명)

	아침 식사를 함	아침 식사를 하지 않음	합계
남성	10	4	14
여성	9	2	11
합계	19	6	25

이 마라톤 대회 참가인 중에서 임의로 뽑은 한 사람이 남성이었을 때, 이 사람이 아침 식사를 했을 확률을 구하시오.

3-2 다음은 어느 동아리 회원에 대한 성별과 학년을 조사하여 나타낸 표이다.

(단위: 명)

	1학년	2학년	합계
남학생	12	6	18
여학생	9	3	12
합계	21	9	30

이 동아리 학생 중에서 임의로 뽑은 한 학생이 여학생이었을 때, 이 학생이 1학년일 확률을 구하시오.

유형 04 조건부확률

(천재, 교학, 금성, 동아, 미래엔, 비상, 좋은책, 지학 유사)

4-1 1부터 5까지의 자연수가 하나씩 적힌 5장의 카드가 있다. 이 중에서 임의로 두 장의 카드를 동시에 뽑았더니 두 장의 카드에 적힌 수의 합이 짝수일 때, 두 카드에 적힌 수가 모두 홀수일 확률을 구하시오.

4-2 서로 다른 두 개의 주사위를 동시에 던져서 나온 두 눈의 수의 곱이 짝수일 때, 두 주사위의 눈이 모두 짝수일 확률을 구하시오.

유형 05 확률의 곱셈정리

(천재, 금성, 동아, 좋은책, 지학 유사)

5-1 주머니 안에 흰 구슬 5개와 검은 구슬 3개가 들어 있다. 이 주머니에서 임의로 구슬을 한 개씩 두 번 꺼낼 때, 2개가 모두 흰 구슬일 확률을 구하시오.

(단, 꺼낸 구슬은 다시 넣지 않는다.)

5-2 1부터 8까지의 숫자가 하나씩 적힌 8장의 카드가 있다. 진태, 수연의 순서로 각각 한 장씩 카드를 뽑을 때, 진태는 소수가 적힌 카드를 뽑고, 수연이는 4의 배수가 적힌 카드를 뽑을 확률을 구하시오.

(단, 뽑은 카드는 다시 넣지 않는다.)

유형 06 확률의 곱셈정리

(천재, 교학, 금성, 동아, 미래엔, 비상, 좋은책, 지학 유사)

6-1 모양과 크기가 같은 11개의 호빵 중에서 7개는 팥이 들어 있고, 나머지 4개는 야채가 들어 있다. 세윤이가 호빵 2개를 차례로 먹을 때, 첫 번째에는 야채가 들어 있는 호빵을 먹고 두 번째에는 팥이 들어 있는 호빵을 먹을 확률을 구하시오.

6-2 접시에 담긴 15개의 송편 중에서 4개에는 깨가 들어 있고, 11개에는 콩이 들어 있다. 영준이와 윤서가 임의로 송편을 한 개씩 차례로 먹을 때, 두 명 모두 깨가 들어 있는 송편을 먹을 확률을 구하시오.

유형 07 독립사건의 곱셈정리

(천재, 교학, 동아, 미래엔, 비상, 좋은책, 지학 유사)

7-1 두 사건 A, B가 서로 독립이고,

$$P(A)=\frac{1}{3},\ P(B^C)=\frac{1}{3}$$

일 때, $P(A\cap B)$를 구하시오.

7-2 두 사건 A, B가 서로 독립이고,

$$P(A)=\frac{1}{4},\ P(B)=\frac{2}{3}$$

일 때, $P(A^C\cap B)$를 구하시오.

유형 08 독립사건의 곱셈정리

(천재, 교학, 동아, 비상, 좋은책 유사)

8-1 상자 안에 흰 공 6개와 검은 공 3개가 들어 있다. 이 상자에서 임의로 공을 한 개 꺼내 색을 확인하고 다시 상자에 넣는 시행을 두 번 반복할 때, 꺼낸 공 2개가 모두 흰 공일 확률을 구하시오.

8-2 주머니 안에 흰 구슬 4개와 검은 구슬 6개가 들어 있다. 이 주머니에서 임의로 구슬을 한 개 꺼내 색을 확인하고 다시 상자에 넣는 시행을 두 번 반복할 때, 첫 번째에는 검은 구슬을, 두 번째에는 흰 구슬을 꺼낼 확률을 구하시오.

유형 09 독립사건의 곱셈정리

(천재, 교학, 금성, 동아, 미래엔, 비상, 좋은책, 지학 유사)

9-1 두 야구 선수 A, B가 안타를 칠 확률이 각각 0.3, 0.25라 한다. 두 선수가 연이어 타석에 들어섰을 때, 연속으로 안타를 칠 확률을 구하시오.

9-2 두 농구 선수 A, B의 자유투 성공률이 각각 0.6, 0.7이라 한다. 두 선수가 한 번씩 자유투를 던질 때, 다음을 구하시오.

(1) 두 선수 모두 성공할 확률

(2) 한 선수만 성공할 확률

정답과 해설 26쪽

유형 10 독립시행의 확률

(천재, 교학, 금성, 동아, 미래엔, 비상, 좋은책, 지학 유사)

10-1 어느 시행에서 사건 A가 일어날 확률이 $\frac{1}{3}$일 때, 이 시행을 6회 반복하여 사건 A가 4번 일어날 확률을 구하시오.

10-2 어느 시행에서 사건 A가 일어날 확률이 $\frac{1}{4}$일 때, 이 시행을 5회 반복하여 사건 A가 3번 일어날 확률을 구하시오.

유형 11 독립시행의 확률

(천재, 교학, 금성, 동아, 미래엔, 비상, 좋은책, 지학 유사)

11-1 서로 다른 두 개의 주사위를 동시에 4번 던질 때, 두 주사위의 눈의 수가 3번 같을 확률을 구하시오.

11-2 서로 다른 두 개의 주사위를 동시에 5번 던질 때, 두 주사위의 눈의 수의 합이 5인 경우가 4번 나올 확률은?

① $\frac{32}{9^4}$ ② $\frac{40}{9^4}$ ③ $\frac{32}{9^5}$

④ $\frac{40}{9^5}$ ⑤ $\frac{64}{9^5}$

유형 12 독립시행의 확률

(천재, 교학, 금성, 동아, 미래엔, 비상, 좋은책, 지학 유사)

12-1 흰 공 2개, 검은 공 1개가 들어 있는 주머니에서 임의로 공을 한 개 꺼내 색을 확인하고 다시 주머니에 넣는 시행을 4회 반복할 때, 흰 공이 3번 이상 나올 확률을 구하시오.

12-2 오지선다형으로 출제된 5문제를 임의로 답할 때, 4문제 이상 맞힐 확률을 구하시오.

교과서 기본 테스트

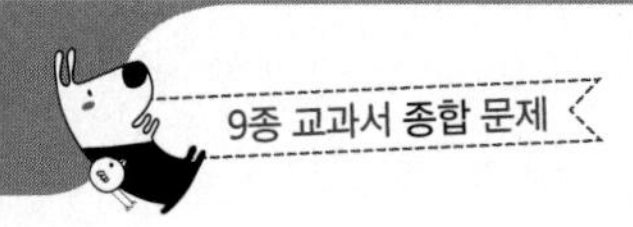

9종 교과서 종합 문제

01 천재, 교학, 동아, 미래엔, 비상, 좋은책 유사 ⋙ 출제율 95%

1부터 10까지의 자연수가 하나씩 적힌 10장의 카드에서 임의로 한 장의 카드를 뽑으려고 한다. 뽑은 카드에 홀수가 적혀 있을 때, 그 수가 5의 배수일 확률을 구하시오.

02 천재, 동아, 미래엔, 비상, 좋은책, 지학 유사 ⋙ 출제율 95%

다음은 어느 반의 학생들에 대한 성별과 축구 선호도를 조사하여 나타낸 표이다.

(단위: 명)

	축구를 좋아함	축구를 좋아하지 않음	합계
남학생	16	4	20
여학생	9	6	15
합계	25	10	35

이 반의 학생 중에서 임의로 뽑은 한 학생이 여학생이었을 때, 이 학생이 축구를 좋아하지 않을 확률을 구하시오.

03 천재, 교학, 미래엔, 비상, 좋은책, 지학 유사 ⋙ 출제율 80%

상자 안에 흰 구슬 3개, 검은 구슬 5개가 들어 있다. 이 상자에서 임의로 구슬을 한 개씩 두 번 꺼낼 때, 꺼낸 구슬 2개가 모두 흰 구슬일 확률을 구하시오. (단, 꺼낸 구슬은 다시 넣지 않는다.)

04 천재, 미래엔, 비상, 좋은책, 지학 유사 ⋙ 출제율 95%

주머니 안에 흰 공 2개, 검은 공 4개가 들어 있다. 이 주머니에서 임의로 공을 한 개씩 두 번 꺼낼 때, 꺼낸 공 2개가 모두 검은 공일 확률을 구하시오.

(단, 꺼낸 공은 다시 넣지 않는다.)

05 천재, 교학, 미래엔, 비상, 좋은책, 지학 유사 ⋙ 출제율 95%

상자 안에 파란 공 3개, 노란 공 5개가 들어 있다. 이 상자에서 임의로 공을 한 개씩 두 번 꺼낼 때, 첫 번째에는 파란 공, 두 번째에는 노란 공이 나올 확률을 구하시오. (단, 꺼낸 공은 다시 넣지 않는다.)

06 천재, 금성, 동아, 좋은책, 지학 유사 ⋙ 출제율 68%

상자 안에 3개의 당첨 제비가 포함된 10개의 제비가 들어 있다. 이 상자에서 첫 번째에는 A가 한 개를 뽑고, 두 번째에는 B가 한 개를 뽑을 때, 두 사람 모두 당첨 제비를 뽑을 확률은?

(단, 뽑은 제비는 다시 넣지 않는다.)

① $\frac{1}{20}$　② $\frac{3}{50}$　③ $\frac{2}{25}$
④ $\frac{1}{15}$　⑤ $\frac{9}{100}$

정답과 해설 28쪽

07 천재, 미래엔, 비상, 지학 유사 출제율 68%

남학생 60명, 여학생 40명 중에서 남학생 30명, 여학생 35명이 A영화를 보았다고 한다. 100명의 학생 중에서 임의로 뽑은 한 학생이 A영화를 보았을 때, 이 학생이 여학생일 확률을 구하시오.

08 천재, 비상, 좋은책, 지학 유사 출제율 68%

두 사건 A, B에 대하여 사건 A가 일어날 확률이 0.4이고, 사건 A와 사건 B가 동시에 일어날 확률이 0.35라 한다. 사건 A가 일어났을 때, 사건 B가 일어날 확률은?

① 0.15 ② 0.45 ③ 0.6
④ 0.65 ⑤ 0.875

09 천재, 교학, 비상, 좋은책 유사 출제율 85%

어떤 두 사건 A, B에 대하여

$$\mathrm{P}(A)=0.4,\ \mathrm{P}(B)=0.6,\ \mathrm{P}(A\cup B)=0.8$$

일 때, $\mathrm{P}(B|A)$는?

① 0.5 ② 0.6 ③ 0.7
④ 0.8 ⑤ 0.9

10 천재, 미래엔, 비상, 좋은책, 지학 유사 출제율 95%

두 사건 A, B에 대하여

$$\mathrm{P}(A)=0.2,\ \mathrm{P}(B)=0.3,\ \mathrm{P}(B|A)=0.6$$

일 때, $\mathrm{P}(A|B)$는?

① 0.3 ② 0.4 ③ 0.5
④ 0.6 ⑤ 0.7

11 천재, 동아, 미래엔, 비상, 좋은책 유사 출제율 75%

두 사건 A, B가 서로 독립이고,

$$\mathrm{P}(A)=\frac{1}{2},\ \mathrm{P}(B)=\frac{1}{3}$$

일 때, $\mathrm{P}(A\cup B)$는?

① $\frac{1}{4}$ ② $\frac{1}{3}$ ③ $\frac{2}{3}$
④ $\frac{3}{4}$ ⑤ $\frac{4}{5}$

12 천재, 동아, 비상, 좋은책, 지학 유사 출제율 95%

두 사건 A, B가 서로 독립이고,

$$\mathrm{P}(A)=\frac{1}{3},\ \mathrm{P}(A^C\cap B^C)=\frac{1}{6}$$

일 때, $\mathrm{P}(B)$는?

① $\frac{1}{4}$ ② $\frac{2}{5}$ ③ $\frac{3}{5}$
④ $\frac{3}{4}$ ⑤ $\frac{5}{6}$

13 천재, 비상, 좋은책, 지학 유사 ≫ 출제율 78%

두 사건 A, B가 서로 독립일 때, 다음 중에서 옳은 것만을 있는 대로 고른 것은?

ㄱ. $\mathrm{P}(A|B^C)=1-\mathrm{P}(A^C|B)$
ㄴ. $\mathrm{P}(A^C|B^C)=1-\mathrm{P}(A|B^C)$
ㄷ. $\mathrm{P}(A^C|B^C)=1-\mathrm{P}(A|B)$

① ㄱ ② ㄴ ③ ㄱ, ㄴ
④ ㄱ, ㄷ ⑤ ㄱ, ㄴ, ㄷ

14 천재, 금성, 동아, 좋은책, 지학 유사 ≫ 출제율 80%

두 야구 선수 진태와 승현이가 안타를 치는 사건을 각각 A, B라 하자. 두 사건 A, B는 서로 독립이고 $\mathrm{P}(A\cup B)=\frac{3}{4}$, $\mathrm{P}(A\cap B)=\frac{1}{6}$, $\mathrm{P}(A)>\mathrm{P}(B)$일 때, 진태가 안타를 칠 확률을 구하시오.

15 천재, 금성, 좋은책, 지학 유사 ≫ 출제율 80%

어느 학생이 한자 시험에 합격할 확률이 $\frac{1}{5}$이고, 한자 시험과 컴퓨터 시험에 모두 합격할 확률이 $\frac{1}{20}$이다. 이 학생이 한자 시험에 합격했을 때, 컴퓨터 시험에 합격할 확률을 구하시오.

16 천재, 교학, 금성, 동아, 비상, 좋은책 유사 ≫ 출제율 78%

어느 고등학교에서 혈액형을 조사하였더니 B형인 학생이 전체의 60 %이었고, B형인 여학생은 전체의 30 %이었다. B형인 학생 중에서 임의로 한 명을 뽑을 때, 이 학생이 여학생일 확률은?

① 0.09 ② 0.18 ③ 0.36
④ 0.5 ⑤ 0.6

17 천재, 비상, 좋은책, 지학 유사 ≫ 출제율 85%

지안이가 지각한 날의 다음 날에 지각할 확률은 $\frac{1}{3}$이고, 지각하지 않은 날의 다음 날에 지각할 확률은 $\frac{1}{5}$이라 한다. 월요일에 지안이가 지각하였을 때, 같은 주 수요일에 지안이가 지각할 확률을 구하시오.

18 천재, 금성, 비상, 좋은책, 지학 유사 ≫ 출제율 65%

두 축구 선수 A, B의 승부차기 성공률이 각각 $\frac{3}{4}$, $\frac{4}{5}$라 한다. 두 선수가 한 번씩 승부차기를 할 때, 한 선수만 성공할 확률을 구하시오.

19 천재, 동아, 미래엔, 비상, 좋은책, 지학 유사 ⋙ 출제율 95%

한 개의 동전을 8번 던져서 앞면이 2번, 뒷면이 6번 나올 확률은?

① $\frac{1}{4}$ ② $\frac{3}{8}$ ③ $\frac{7}{16}$
④ $\frac{7}{32}$ ⑤ $\frac{7}{64}$

20 천재, 미래엔, 비상, 좋은책, 지학 유사 ⋙ 출제율 83%

어느 퀴즈 대회에서 문제 5개 중 4개 이상을 맞히면 상을 탈 수 있다. 진희가 각 문제를 맞힐 확률이 $\frac{2}{5}$로 같을 때, 진희가 상을 탈 확률을 구하시오.

21 천재, 미래엔, 비상, 좋은책, 지학 유사 ⋙ 출제율 83%

오른쪽 그림과 같이 한 변의 길이가 1인 정사각형 ABCD가 있다. 점 P는 한 개의 동전을 던져서 앞면이 나오면 정사각형의 변을 따라 시계 방향으로 2만큼, 뒷면이 나오면 시계 방향으로 1만큼 움직인다. 한 개의 동전을 3번 던질 때, 꼭짓점 A를 출발한 점 P가 다시 꼭짓점 A로 돌아올 확률을 구하시오.

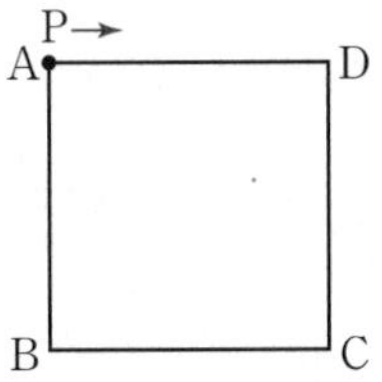

P→
A D
B C

과정을 평가하는 서술형입니다.

[22~24] 다음 문제의 풀이 과정을 자세히 쓰시오.

22 천재, 동아, 좋은책, 지학 유사 ⋙ 출제율 80%

두 사건 A, B에 대하여

$$\mathrm{P}(A)=\frac{2}{5},\ \mathrm{P}(B)=\frac{1}{3},\ \mathrm{P}(B|A)=\frac{5}{6}$$

일 때, $\mathrm{P}(A|B^C)$를 구하고, 그 풀이 과정을 쓰시오.

23 천재, 미래엔, 비상, 좋은책, 지학 유사 ⋙ 출제율 75%

어느 공장에서 같은 제품을 두 기계 A, B에서 생산하는데 두 기계 A, B의 생산량은 각각 전체 제품의 60 %, 40 %이고, 각 기계의 불량률은 3 %, 2 %라 한다. 이 공장에서 만들어진 제품 중에서 임의로 한 개의 제품을 택하였더니 불량품이었을 때, 그 제품이 A기계에서 생산된 제품일 확률을 구하고, 그 풀이 과정을 쓰시오.

24 천재, 교학, 미래엔, 비상 유사 ⋙ 출제율 65%

어느 탁구 경기의 결승전은 5세트 경기를 해서 먼저 3세트를 이기면 우승을 한다. 실력이 같은 정도로 기대되는 A, B 두 선수가 결승전에서 맞붙게 되었을 때, 4세트에서 우승이 결정될 확률을 구하고, 그 풀이 과정을 쓰시오. (단, 비기는 경우는 없다.)

창의력·융합형·서술형·코딩

1

수혁, 재경, 대성이는 과제를 마치고 발표할 사람을 제비뽑기로 결정하기로 하였다. 3개의 제비 중에서 당첨 제비는 1개이고 뽑은 제비는 다시 넣지 않을 때, 제비를 뽑는 순서에 따라 발표자로 결정될 확률에 차이가 있는지 살펴보려고 한다. 다음 물음에 답하시오.

(1) 수혁, 재경, 대성의 순서로 제비를 뽑을 때, 각 사람이 당첨 제비를 뽑을 확률을 구하시오.

(2) 대성, 재경, 수혁의 순서로 제비를 뽑을 때, 각 사람이 당첨 제비를 뽑을 확률을 구하시오.

(3) (1), (2)의 결과를 비교하고, 제비를 뽑는 순서와 발표자로 결정될 확률의 관계를 설명하시오.

2

다음은 500명을 대상으로 음식 A를 매주 한 번 이상 먹는 사람과 질병 B와의 연관성 여부를 조사하여 나타낸 표이다.

(단위: 명)

	질병 B에 걸림	질병 B에 걸리지 않음	합계
음식 A를 매주 한 번 이상 먹음	8	144	152
음식 A를 매주 한 번 이상 먹지 않음	124	224	348
합계	132	368	500

전체 500명 중에서 임의로 한 명을 택할 때, 다음 물음에 답하시오.

(1) 택한 사람이 질병 B에 걸린 사람일 확률을 구하시오.

(2) 택한 사람이 음식 A를 매주 한 번 이상 먹는 사람일 때, 이 사람이 질병 B에 걸린 사람일 확률을 구하시오.

(3) 택한 사람이 음식 A를 매주 한 번 이상 먹지 않는 사람일 때, 이 사람이 질병 B에 걸린 사람일 확률을 구하시오.

(4) (1), (2), (3)의 결과를 이용하여 음식 A를 매주 한 번 이상 먹는 것이 질병 B에 걸릴 확률에 영향을 끼친다고 볼 수 있는지 설명하시오.

3

암을 조기에 발견하는 검사법으로 CT 단층 촬영이 있다. 이 CT 단층 촬영에 대하여 다음과 같은 연구 조사가 있다.

암에 걸린 사람에게 CT 단층 촬영을 하면 80 %의 확률로 정확하게 암이라고 진단되고, 암에 걸리지 않은 사람에게 CT 단층 촬영을 하면 5 %의 오진이 있다.

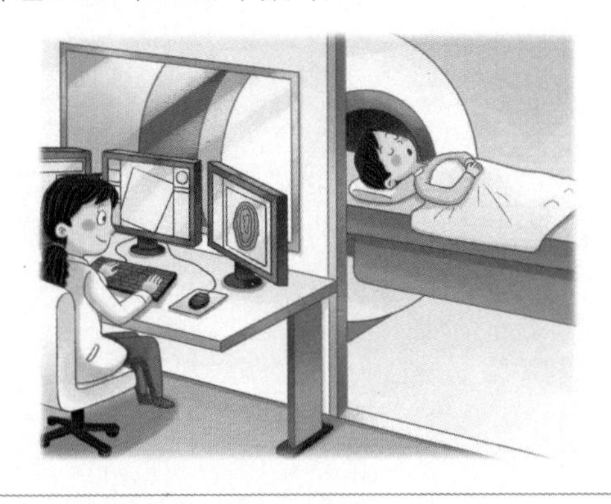

암에 걸린 사람과 걸리지 않은 사람의 비율이 각각 10 %, 90 %인 어떤 집단에서 임의로 한 사람을 택하여 CT 단층 촬영을 하여 암에 걸렸다고 진단할 때, 다음 물음에 답하시오.

(1) 암에 걸린 사람이 암에 걸렸다고 진단 받을 확률을 구하시오.

(2) 암에 걸리지 않은 사람이 암에 걸렸다고 진단 받을 확률을 구하시오.

(3) 암에 걸렸다고 진단 받은 사람 중에서 임의로 한 사람을 택하였을 때, 이 사람이 정말로 암에 걸렸을 확률을 구하시오.

4

17세기 프랑스의 도박사 드메레가 제기한 다음과 같은 질문을 읽고, 물음에 답하시오.

한 개의 주사위를 4번 던졌을 때, 적어도 한 번 6의 눈이 나올 확률과 서로 다른 두 개의 주사위를 동시에 24번 던졌을 때, 적어도 한 번 두 개의 주사위 모두 6의 눈이 나올 확률이 같은가?

(1) 한 개의 주사위를 4번 던졌을 때, 적어도 한 번 6의 눈이 나올 확률을 여사건의 확률을 이용하여 구하시오.

$\left(\text{단, } \left(\frac{5}{6}\right)^4 = 0.483\text{으로 계산한다.}\right)$

(2) 서로 다른 두 개의 주사위를 동시에 24번 던졌을 때, 적어도 한 번 두 개의 주사위 모두 6의 눈이 나올 확률을 여사건의 확률을 이용하여 구하시오.

$\left(\text{단, } \left(\frac{35}{36}\right)^{24} = 0.509\text{로 계산한다.}\right)$

(3) (1), (2)의 결과를 이용하여 드메레의 질문에 대한 답을 설명하시오.

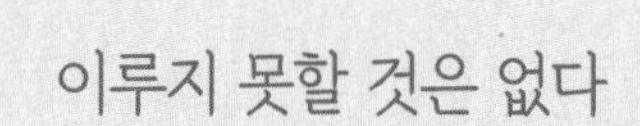

That some achieve great success,
is proof to all that others can achieve it as well.
- Abraham Lincoln

누군가가 거대한 성공을 이루어냈다는 것은,
다른 사람들 또한 그것을 이루어낼 수 있다는 증거이다.
– 에이브러햄 링컨

통계

06 이산확률분포

개념 01 확률변수

(1) 어떤 시행에서 표본공간의 각 원소에 하나의 실수를 대응시킨 함수를 ❶ ☐ 라 한다. 확률변수는 보통 알파벳 대문자 X, Y, Z 등으로 나타내고, 확률변수가 가지는 값은 알파벳 소문자 x, y, z 등으로 나타낸다.

(2) 주사위를 던질 때 나온 눈의 수와 같이 확률변수 X가 가질 수 있는 값이 유한개이거나 무한히 많더라도 자연수와 같이 셀 수 있을 때 그 확률변수를 ❷ ☐ 확률변수라 하고, 회전판이 멈추는 지점의 각도와 같이 어떤 범위에 속한 모든 실숫값을 가질 때 그 확률변수를 ❸ ☐ 확률변수라 한다.

답 | ❶ 확률변수 ❷ 이산 ❸ 연속

QUIZ

흰 공 3개, 검은 공 3개가 들어 있는 주머니에서 임의로 3개의 공을 꺼낼 때, 나오는 검은 공의 개수를 X라 하면 X는 ❶ (**이산확률변수, 연속확률변수**)이고, 어느 날 측정한 실내 온도 X는 ❷ (**이산확률변수, 연속확률변수**)이다.

정답 |

❶ 이산확률변수 ❷ 연속확률변수

개념 02 확률분포

(1) 확률변수 X의 값과 그 값을 가질 확률 $\mathrm{P}(X=x)$ 사이의 대응 관계를 확률변수 X의 ❶ ☐ 라 한다.

(2) 이산확률변수 X가 가지는 값이 $x_1, x_2, \cdots, x_n$이고 X가 이들 값을 가질 확률이 각각 $p_1, p_2, \cdots, p_n$일 때, 확률변수 X의 확률분포는

$$\mathrm{P}(X=x_i)=p_i\ (i=1, 2, \cdots, n)$$

와 같이 나타내고, 위 관계식을 이산확률변수 X의 ❷ ☐ 라 한다. 또 이산확률변수 X의 확률분포를 다음과 같이 표 또는 그래프로 나타낼 수 있다.

확률분포를 나타낸 표

X	x_1	x_2	$\cdots$	x_n	합계
$\mathrm{P}(X=x_i)$	p_1	p_2	$\cdots$	p_n	1

확률분포를 나타낸 그래프

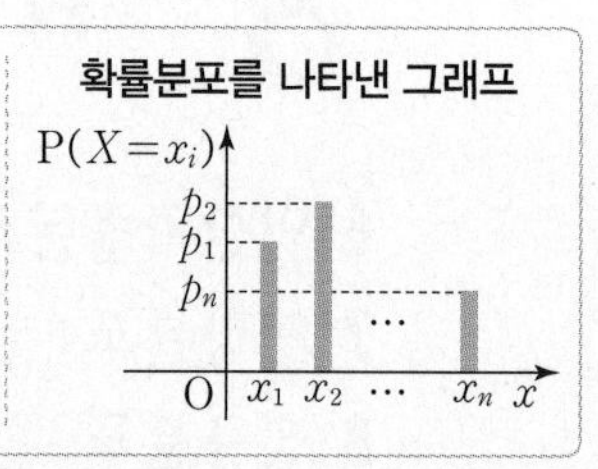

(3) 이산확률변수 X의 확률질량함수가

$$\mathrm{P}(X=x_i)=p_i\ (i=1, 2, \cdots, n)$$

일 때, 확률의 기본 성질에 의하여 다음이 성립한다.

① $0\le p_i\le 1\ (i=1, 2, \cdots, n)$

② $p_1+p_2+\cdots+p_n=$ ❸ ☐

답 | ❶ 확률분포 ❷ 확률질량함수 ❸ 1

QUIZ

확률변수 X의 확률분포를 나타내는 다음 표를 완성하시오.

X	1	2	3	4	합계
$\mathrm{P}(X=x)$	$\frac{1}{10}$	$\frac{1}{5}$	❶	$\frac{2}{5}$	❷

정답 |

❶ $\frac{3}{10}$ ❷ 1

개념 03 이산확률변수의 기댓값

이산확률변수 X의 확률분포가 오른쪽 표와 같을 때,

X	x_1	x_2	$\cdots$	x_n	합계
$\mathrm{P}(X=x_i)$	p_1	p_2	$\cdots$	p_n	1

$$x_1p_1+x_2p_2+\cdots+x_np_n$$

을 이산확률변수 X의 ❶ ☐ 또는 ❷ ☐ 이라 하고, $\mathrm{E}(X)$와 같이 나타낸다. 즉 다음이 성립한다.

$$\mathrm{E}(X)=x_1p_1+x_2p_2+\cdots+x_np_n$$

참고 $\mathrm{E}(X)$에서 E는 기댓값을 뜻하는 'Expectation'의 첫 글자이다.

답 | ❶ 기댓값 ❷ 평균

QUIZ

확률변수 X의 확률분포가 아래 표와 같다.

X	1	2	3	합계
$\mathrm{P}(X=x)$	$\frac{1}{3}$	$\frac{1}{3}$	$\frac{1}{3}$	1

다음 ☐ 안에 알맞은 수를 써넣으시오.

$$\mathrm{E}(X)=1\times\frac{1}{3}+2\times \text{❶}\square+3\times\frac{1}{3}=\text{❷}\square$$

정답 |

❶ $\frac{1}{3}$ ❷ 2

개념 04 이산확률변수의 분산, 표준편차

이산확률변수 X의 확률분포가 오른쪽 표와 같을 때, X의 기댓값

X	x_1	x_2	$\cdots$	x_n	합계
$\mathrm{P}(X=x_i)$	p_1	p_2	$\cdots$	p_n	1

$\mathrm{E}(X)$를 m이라 하면 $(X-m)^2$의 기댓값을 확률변수 X의 ❶ ☐ 이라 하고, $\mathrm{V}(X)$와 같이 나타낸다. 즉 다음이 성립한다.

$$\mathrm{V}(X)=\mathrm{E}((X-m)^2)=\mathrm{E}(X^2)-\{\mathrm{E}(X)\}^2$$

또 분산 $\mathrm{V}(X)$의 양의 제곱근 $\sqrt{\mathrm{V}(X)}$를 확률변수 X의 ❷ ☐ 라 하고, $\sigma(X)$와 같이 나타낸다. 즉 다음이 성립한다.

$$\sigma(X)=\sqrt{\mathrm{V}(X)}$$

참고 $\mathrm{V}(X)$에서 V는 분산을 뜻하는 'Variance'의 첫 글자이고
$\sigma(X)$에서 σ는 'Sigma'라 읽으며, 표준편차를 뜻하는 'standard deviation'의 s에 해당하는 그리스 문자이다.

답 | ❶ 분산 ❷ 표준편차

QUIZ

확률변수 X의 확률분포가 아래 표와 같다.

X	1	2	3	합계
$\mathrm{P}(X=x)$	$\frac{1}{3}$	$\frac{1}{3}$	$\frac{1}{3}$	1

다음을 구하시오.

❶ $\mathrm{V}(X)$
❷ $\sigma(X)$

정답 |

❶ $\frac{2}{3}$ ❷ $\frac{\sqrt{6}}{3}$

개념 05 확률변수 $aX+b$의 평균, 분산, 표준편차

확률변수 X와 상수 a, $b\,(a\neq0)$에 대하여

① $\mathrm{E}(aX+b)=a\mathrm{E}(X)+b$
② $\mathrm{V}(aX+b)=a^2\mathrm{V}(X)$
③ $\sigma(aX+b)=|a|\sigma(X)$

예 확률변수 X에서 $\mathrm{E}(X)=1$, $\mathrm{V}(X)=4$일 때,
① $\mathrm{E}(2X+1)=$ ❶ ☐ $\mathrm{E}(X)+1=2\times1+1=3$
② $\mathrm{V}(2X+1)=$ ❷ ☐ $\mathrm{V}(X)=4\times4=16$

답 | ❶ 2 ❷ 4

QUIZ

확률변수 X에 대하여
$\mathrm{E}(X)=2$, $\mathrm{V}(X)=9$
일 때, 다음을 구하시오.

❶ $\mathrm{E}(-3X+5)$
❷ $\sigma(-3X+5)$

정답 |

❶ -1 ❷ 9

교과서 개념 확인 테스트

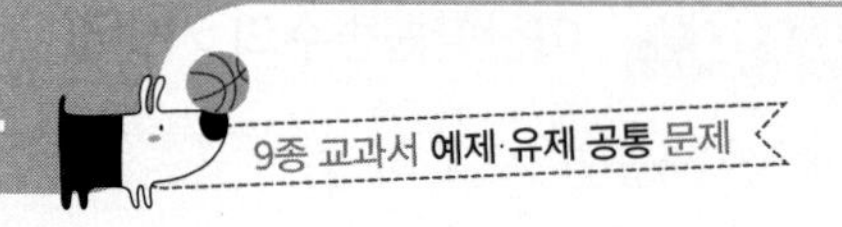

개념 01 확률변수

1-1 서로 다른 세 개의 동전을 동시에 던질 때, 나오는 앞면의 개수를 확률변수 X라 하자. 이때 X가 가질 수 있는 값을 모두 구하시오.

1-2 흰 공 5개, 검은 공 4개가 들어 있는 주머니에서 임의로 4개의 공을 동시에 꺼낼 때, 나오는 흰 공의 개수를 확률변수 X라 하자. 이때 X가 가질 수 있는 값을 모두 구하시오.

개념 02 확률분포

2-1 서로 다른 두 개의 동전을 동시에 던질 때, 나오는 앞면의 개수를 확률변수 X라 하자. 이때 X의 확률분포를 나타내는 다음 표를 완성하시오.

X	0	1	2	합계
$\mathrm{P}(X=x)$	$\frac{1}{4}$			1

2-2 흰 공 3개, 검은 공 2개가 들어 있는 주머니에서 임의로 3개의 공을 동시에 꺼낼 때, 나오는 흰 공의 개수를 확률변수 X라 하자. 이때 X의 확률분포를 나타내는 다음 표를 완성하시오.

X	1	2	3	합계
$\mathrm{P}(X=x)$			$\frac{1}{10}$	1

개념 03 확률분포

3-1 확률변수 X의 확률분포가 다음 표와 같을 때, 상수 a의 값을 구하시오.

X	1	2	3	4	합계
$\mathrm{P}(X=x)$	$\frac{1}{6}$	$\frac{1}{4}$	a	$\frac{1}{3}$	1

3-2 확률변수 X의 확률분포가 다음 표와 같을 때, 상수 a의 값을 구하시오.

X	1	2	3	4	합계
$\mathrm{P}(X=x)$	$\frac{1}{6}$	$\frac{1}{4}$	$3a$	$4a$	1

개념 04 이산확률변수의 기댓값

4-1 확률변수 X의 확률분포가 다음 표와 같을 때, X의 기댓값을 구하시오.

X	0	1	2	합계
$\mathrm{P}(X=x)$	$\frac{1}{3}$	$\frac{1}{3}$	$\frac{1}{3}$	1

4-2 확률변수 X의 확률분포가 다음 표와 같을 때, X의 기댓값을 구하시오.

X	1	2	3	4	합계
$\mathrm{P}(X=x)$	$\frac{1}{8}$	$\frac{3}{8}$	$\frac{3}{8}$	$\frac{1}{8}$	1

개념 05 이산확률변수의 분산, 표준편차

5-1 확률변수 X의 확률분포가 다음 표와 같을 때, X의 분산과 표준편차를 구하시오.

X	0	1	2	합계
$\mathrm{P}(X=x)$	$\frac{1}{4}$	$\frac{1}{2}$	$\frac{1}{4}$	1

5-2 확률변수 X의 확률분포가 다음 표와 같을 때, X의 분산과 표준편차를 구하시오.

X	1	2	3	4	합계
$\mathrm{P}(X=x)$	$\frac{2}{5}$	$\frac{3}{10}$	$\frac{1}{5}$	$\frac{1}{10}$	1

개념 06 이산확률변수의 성질

6-1 확률변수 X의 평균이 8, 표준편차가 2일 때, 다음을 구하시오.

(1) $\mathrm{E}(2X-1)$

(2) $\sigma(2X-1)$

6-2 확률변수 X의 평균이 10, 분산이 9일 때, 다음을 구하시오.

(1) $\mathrm{E}(-3X+2)$

(2) $\sigma(-3X+2)$

기출 기초 테스트

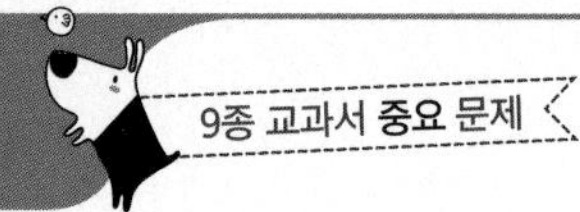

유형 01 확률변수

(천재, 교학, 금성, 동아, 미래엔, 비상, 좋은책, 지학 유사)

1-1 각 면에 1, 2, 2, 2, 3, 3의 수가 하나씩 적힌 한 개의 주사위를 한 번 던져서 나오는 눈의 수를 확률변수 X라 하자. X의 확률분포를 표로 나타내시오.

1-2 남학생 3명과 여학생 3명 중에서 임의로 대표 3명을 뽑을 때, 뽑힌 남학생의 수를 확률변수 X라 하자. X의 확률분포를 표로 나타내시오.

유형 02 확률분포

(천재, 교학, 동아, 미래엔, 비상, 좋은책, 지학 유사)

2-1 확률변수 X의 확률분포가 다음 표와 같을 때, $\mathrm{P}(X=2$ 또는 $X=3)$을 구하시오.

X	0	1	2	3	합계
$\mathrm{P}(X=x)$	$\frac{5}{14}$	$\frac{2}{7}$	$\frac{1}{7}$	$\frac{3}{14}$	1

2-2 확률변수 X의 확률분포가 다음 표와 같을 때, $\mathrm{P}(X\le1)$을 구하시오.

X	0	1	2	3	합계
$\mathrm{P}(X=x)$	$\frac{1}{6}$	$\frac{1}{3}$	$\frac{1}{8}$	$\frac{3}{8}$	1

유형 03 확률분포

(천재, 교학, 금성, 동아, 좋은책, 지학 유사)

3-1 확률변수 X의 확률분포가 아래 표와 같을 때, 다음을 구하시오.

X	-1	0	1	합계
$\mathrm{P}(X=x)$	$\frac{1}{3}$	$\frac{1}{4}$	a	1

(1) 상수 a의 값
(2) $\mathrm{P}(0\le X\le1)$

3-2 확률변수 X의 확률분포가 아래 표와 같을 때, 다음을 구하시오.

X	1	2	3	합계
$\mathrm{P}(X=x)$	$\frac{1}{4}$	a	$2a$	1

(1) 상수 a의 값
(2) $\mathrm{P}(X^2-3X+2\le0)$

유형 04 이산확률변수의 기댓값

(천재, 교학, 금성, 동아, 미래엔, 비상, 좋은책, 지학 유사)

4-1 당첨 제비 2개를 포함한 6개의 제비 중 임의로 2개의 제비를 동시에 뽑을 때, 뽑은 당첨 제비의 수를 확률변수 X라 하자. 이때 X의 기댓값을 구하시오.

4-2 한 개의 동전을 세 번 던져서 앞면이 나올 때마다 3점, 뒷면이 나올 때마다 1점의 점수를 받는다고 할 때, 이 시행에서 얻는 점수를 확률변수 X라 하자. 이때 X의 기댓값을 구하시오.

유형 05 이산확률변수의 분산, 표준편차

(천재, 금성, 동아, 좋은책, 지학 유사)

5-1 확률변수 X의 확률분포가 다음 표와 같을 때, X의 분산과 표준편차를 구하시오.

X	1	2	3	합계
$P(X=x)$	$\frac{1}{5}$	$\frac{3}{5}$	$\frac{1}{5}$	1

5-2 확률변수 X의 확률분포가 다음 표와 같을 때, X의 분산과 표준편차를 구하시오.

X	0	4	8	합계
$P(X=x)$	$\frac{1}{4}$	$\frac{1}{2}$	$\frac{1}{4}$	1

유형 06 이산확률변수의 성질

(천재, 교학, 금성, 동아, 미래엔, 비상, 좋은책, 지학 유사)

6-1 확률변수 X의 평균이 5, 분산이 1일 때, 확률변수 $Y=-2X+3$의 평균, 분산, 표준편차를 구하시오.

6-2 확률변수 X의 평균이 8, 분산이 4일 때, 확률변수 $Y=5X-1$의 평균, 분산, 표준편차를 구하시오.

교과서 기본 테스트

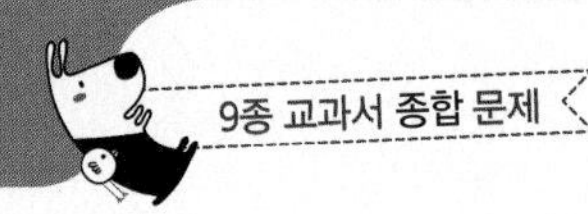

01 천재, 교학, 동아, 미래엔, 비상, 좋은책 유사 ⋙ 출제율 95%

이산확률변수 X의 확률질량함수가

$$P(X=x)=\begin{cases} \frac{1}{12} & (x=0, 1, 4, 5) \\ \frac{1}{3} & (x=2, 3) \end{cases}$$

일 때, X의 확률분포를 표로 나타내시오.

02 천재, 동아, 미래엔, 비상, 좋은책, 지학 유사 ⋙ 출제율 95%

이산확률변수 X의 확률분포가

$$P(X=x)=k(x-1)\ (x=1, 2, 3, 4)$$

일 때, 상수 k의 값은?

① $\frac{1}{10}$ ② $\frac{1}{8}$ ③ $\frac{1}{6}$
④ $\frac{1}{4}$ ⑤ $\frac{1}{2}$

03 천재, 교학, 미래엔, 비상, 좋은책, 지학 유사 ⋙ 출제율 80%

확률변수 X의 확률분포가 다음 표와 같을 때, $P(2\le X\le 3)$은?

X	1	2	3	4	합계
$P(X=x)$	$\frac{1}{8}$	$\frac{3}{8}$	$\frac{1}{4}$	$\frac{1}{4}$	1

① $\frac{1}{8}$ ② $\frac{1}{4}$ ③ $\frac{3}{8}$
④ $\frac{1}{2}$ ⑤ $\frac{5}{8}$

04 천재, 미래엔, 비상, 좋은책, 지학 유사 ⋙ 출제율 95%

확률변수 X의 확률분포가 다음 표와 같을 때, $P(X\ge 3)$은? (단, a는 상수)

X	1	2	3	4	합계
$P(X=x)$	$\frac{1}{10}$	$3a$	a	$\frac{1}{2}$	1

① $\frac{1}{5}$ ② $\frac{3}{10}$ ③ $\frac{1}{2}$
④ $\frac{3}{5}$ ⑤ $\frac{7}{10}$

05 천재, 교학, 미래엔, 비상, 좋은책, 지학 유사 ⋙ 출제율 95%

확률변수 X의 확률분포가 다음 표와 같을 때, $P(X^2-X-2<0)$을 구하시오. (단, a는 상수)

X	-1	0	1	합계
$P(X=x)$	$\frac{1}{6}$	$\frac{1}{3}$	a	1

06 천재, 금성, 동아, 좋은책, 지학 유사 ⋙ 출제율 68%

남학생 6명, 여학생 3명으로 이루어진 중창단에서 임의로 3명의 학생을 선발할 때, 선발되는 여학생의 수를 확률변수 X라 하자. 다음 물음에 답하시오.

(1) X의 확률분포를 표로 나타내시오.

(2) 여학생이 1명 이하로 선발될 확률을 구하시오.

07 천재, 미래엔, 비상, 지학 유사 ⋙ 출제율 68%

확률변수 X의 확률분포가 다음 표와 같을 때, X의 기댓값은?

X	0	1	2	3	합계
$\mathrm{P}(X=x)$	$\frac{5}{12}$	$\frac{1}{3}$	$\frac{1}{12}$	$\frac{1}{6}$	1

① $\frac{1}{2}$ ② 1 ③ $\frac{3}{2}$
④ 2 ⑤ $\frac{5}{2}$

08 천재, 비상, 좋은책, 지학 유사 ⋙ 출제율 68%

확률변수 X의 확률분포가 다음 표와 같다.
$\mathrm{E}(X)=2$일 때, $\mathrm{P}(X=3)$을 구하시오.
(단, a, b는 상수)

X	1	2	3	합계
$\mathrm{P}(X=x)$	$\frac{1}{4}$	a	b	1

09 천재, 교학, 비상, 좋은책 유사 ⋙ 출제율 85%

2, 4, 6이 각각 적힌 3개의 공이 들어 있는 주머니에서 임의로 1개의 공을 꺼낼 때, 꺼낸 공에 적힌 수를 확률변수 X라 하자. 이때 $\mathrm{E}(X)+\mathrm{V}(X)$의 값을 구하시오.

10 천재, 미래엔, 비상, 좋은책, 지학 유사 ⋙ 출제율 95%

남학생 3명, 여학생 4명으로 구성된 시사 토론 동아리에서 임의로 4명의 토론 대회 대표를 선발할 때, 선발되는 남학생의 수를 확률변수 X라 하자. 이때 X의 기댓값은?

① $\frac{36}{35}$ ② $\frac{6}{5}$ ③ $\frac{48}{35}$
④ $\frac{54}{35}$ ⑤ $\frac{12}{7}$

11 천재, 동아, 미래엔, 비상, 좋은책 유사 ⋙ 출제율 75%

확률변수 X의 확률질량함수가

$$\mathrm{P}(X=x)=\frac{3x+1}{12}\ (x=0,\ 1,\ 2)$$

일 때, $\mathrm{E}(X)$를 구하시오.

12 천재, 동아, 비상, 좋은책, 지학 유사 ⋙ 출제율 95%

확률변수 X가 가질 수 있는 값이 1, 2, 3, 4, 5이고 그 각각의 확률 $\mathrm{P}(X=x)$가 x의 값에 비례할 때, $\mathrm{E}(X)$를 구하시오.

13 천재, 비상, 좋은책, 지학 유사 ⋙ 출제율 78%

확률변수 X의 평균이 3, 표준편차가 2일 때, 확률변수 $-3X+1$의 평균과 표준편차의 합은?

① -2 ② -1 ③ 0
④ 1 ⑤ 2

14 천재, 금성, 동아, 좋은책, 지학 유사 ⋙ 출제율 80%

확률변수 X에 대하여

$$\mathrm{E}(X)=8,\ \mathrm{E}(X^2)=100$$

일 때, 확률변수 $4X-1$의 표준편차는?

① 6 ② 23 ③ 24
④ 35 ⑤ 36

15 천재, 금성, 좋은책, 지학 유사 ⋙ 출제율 80%

평균이 1, 분산이 2인 확률변수 X에 대하여

$$\mathrm{E}(aX+b)=5,\ \mathrm{V}(aX+b)=18$$

일 때, $a+2b$의 값을 구하시오.

(단, a, b는 상수, $a<0$)

16 천재, 교학, 금성, 동아, 비상, 좋은책 유사 ⋙ 출제율 78%

각 면에 1, 1, 3, 5, 5, 5의 수가 하나씩 적힌 한 개의 주사위를 한 번 던져서 나오는 눈의 수를 확률변수 X라 할 때, 확률변수 $3X-5$의 평균은?

① 1 ② 2 ③ 3
④ 4 ⑤ 5

17 천재, 비상, 좋은책, 지학 유사 ⋙ 출제율 85%

빨간 방울토마토 3개와 노란 방울토마토 4개가 들어 있는 바구니에서 임의로 2개를 동시에 꺼낼 때, 나오는 노란 방울토마토의 개수를 확률변수 X라 하자. 이때 확률변수 $7X$의 분산은?

① 8 ② 12 ③ 16
④ 20 ⑤ 24

18 천재, 금성, 비상, 좋은책, 지학 유사 ⋙ 출제율 65%

한 개의 주사위를 한 번 던져서 나오는 눈의 수의 100배를 상금으로 받는 게임이 있다. 주사위를 던져서 나오는 눈의 수를 확률변수 X, 받는 상금을 확률변수 Y라 할 때, $\mathrm{E}(X)$와 $\mathrm{E}(Y)$를 구하시오.

19 천재, 동아, 미래엔, 비상, 좋은책, 지학 유사 ⋙ 출제율 95%

1, 2, 3, 4의 숫자가 각각 하나씩 적혀 있는 4장의 카드 중에서 임의로 2장을 동시에 뽑을 때, 카드에 적힌 두 수의 차를 확률변수 X라 하자. 이때 확률변수 $Y=2X+3$의 분산은?

① $\frac{10}{9}$　② $\frac{5}{3}$　③ $\frac{20}{9}$
④ $\frac{25}{9}$　⑤ $\frac{10}{3}$

20 천재, 미래엔, 비상, 좋은책, 지학 유사 ⋙ 출제율 83%

확률변수 X의 확률질량함수가

$$P(X=x)=ax+b\ (x=1,\ 2,\ 3,\ 4,\ 5)$$

이다. $E(X)=\frac{10}{3}$일 때, $3a+b$의 값을 구하시오.
(단, a, b는 상수)

21 천재, 미래엔, 비상, 좋은책, 지학 유사 ⋙ 출제율 83%

원점 O를 출발하여 수직선 위를 움직이는 점 P가 있다. 점 P는 동전을 던져서 앞면이 나오면 $+1$만큼, 뒷면이 나오면 -1만큼 이동한다. 한 개의 동전을 세 번 던질 때, 점 P의 좌표를 확률변수 X라 하자. 이때 X의 평균과 분산을 구하시오.

과정을 평가하는 서술형입니다.

[22~24] 다음 문제의 풀이 과정을 자세히 쓰시오.

22 천재, 동아, 좋은책, 지학 유사 ⋙ 출제율 80%

확률변수 X의 확률질량함수가

$$P(X=x)=\frac{x+2}{20}\ (x=0,\ 1,\ 2,\ 3,\ 4)$$

일 때, X의 분산을 구하고, 그 풀이 과정을 쓰시오.

23 천재, 미래엔, 비상, 좋은책, 지학 유사 ⋙ 출제율 75%

확률변수 X의 평균이 10, 분산이 25일 때, 확률변수 $Y=3X+7$의 평균, 분산, 표준편차를 구하고, 그 풀이 과정을 쓰시오.

24 천재, 교학, 미래엔, 비상 유사 ⋙ 출제율 65%

흰 공 7개, 검은 공 3개가 들어 있는 주머니에서 임의로 2개의 공을 동시에 꺼낼 때, 나오는 흰 공의 개수를 확률변수 X라 하자. 이때 확률변수 $Y=5X+2$의 평균과 분산을 구하고, 그 풀이 과정을 쓰시오.

창의력·융합형·서술형·코딩

1

한 개의 동전을 네 번 던질 때, 아래 규칙에 따라 얻은 점수의 합을 확률변수 X라 하자. 다음 물음에 답하시오. (단, 첫 번째에 동전을 던져서 나온 결과에 대해서는 점수를 얻지 못한다.)

> ① 앞면이 나온 후 앞면이 나오거나 뒷면이 나온 후 뒷면이 나오면 1점을 얻는다.
> ② 앞면이 나온 후 뒷면이 나오거나 뒷면이 나온 후 앞면이 나오면 2점을 얻는다.

(1) X가 가질 수 있는 값을 모두 구하시오.

(2) (1)에서 구한 X의 값에 각각 대응하는 확률을 구하시오.

(3) X의 확률분포를 표로 나타내시오.

2

오른쪽 그림과 같이 한 모서리의 길이가 2인 정육면체에서 서로 다른 세 꼭짓점을 택하여 만든 삼각형의 넓이를 확률변수 X라 할 때, 다음 물음에 답하시오.

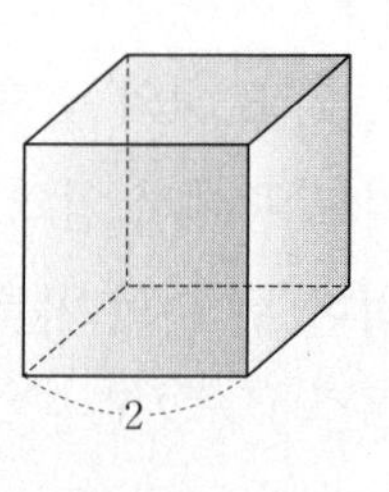

(1) X가 가질 수 있는 값을 모두 구하시오.

(2) X의 확률분포를 표로 나타내시오.

(3) $\mathrm{P}(X \leq 3)$을 구하시오.

3

어느 사탕 가게에서는 아래 표와 같이 사탕이 들어 있는 세 종류의 행운 박스를 고객에게 나누어 주려고 한다. 1000개의 행운 박스 중에서 임의로 택한 한 행운 박스에 들어 있는 사탕의 개수를 확률변수 X라 할 때, 다음 물음에 답하시오.

행운 박스의 종류	A	B	C	합계
들어 있는 사탕의 개수	10	20	30	
행운 박스의 개수	500	300	200	1000

(1) X가 가질 수 있는 값을 모두 구하시오.

(2) X의 확률분포를 표로 나타내시오.

(3) X의 평균과 분산을 구하시오.

4

오른쪽 표는 어느 학교의 중간고사와 기말고사에 대하여 수학 시험 성적의 평균과 표준편차, 두 학생 A, B가 받은 수학 시험 점수를 나타낸 것이다. 수학 시험 점수 X의 평균이 m이고, 표준편차가 σ일 때, 표준 점수 T를

구분	중간고사	기말고사
평균	52	56
표준편차	20	16
A 학생	84	88
B 학생	80	92

$$T=20\times\frac{X-m}{\sigma}+100$$

이라 하자. 다음 물음에 답하시오.

(1) A학생의 중간고사와 기말고사 수학 시험의 표준 점수를 구하시오.

(2) B학생의 중간고사와 기말고사 수학 시험의 표준 점수를 구하시오.

(3) 두 학생 A, B 중에서 표준 점수의 합이 높은 학생을 구하시오.

이항분포

개념 01 이항분포

1회의 시행에서 사건 A가 일어날 확률이 p일 때, n회의 독립시행에서 사건 A가 일어나는 횟수를 확률변수 X라 하면 확률변수 X가 가지는 값은 0, 1, 2, $\cdots$, n이며, 그 확률질량함수는

$$\mathrm{P}(X=x)={}_n\mathrm{C}_x p^x q^{n-x} \text{ (단, } q=1-p,\ x=0, 1, 2, \cdots, n)$$

이고, 확률변수 X의 확률분포를 표로 나타내면 다음과 같다.

X	0	1	2	$\cdots$	n	합계
$\mathrm{P}(X=x)$	${}_n\mathrm{C}_0q^n$	${}_n\mathrm{C}_1p^1q^{n-1}$	${}_n\mathrm{C}_2p^2q^{n-2}$	$\cdots$	❶	1

이 표에서 각 확률은 이항정리에 의하여 $(q+p)^n$을 전개한 식

$$(q+p)^n={}_n\mathrm{C}_0q^n+{}_n\mathrm{C}_1p^1q^{n-1}+\text{❷}\boxed{}+\cdots+{}_n\mathrm{C}_np^n$$

의 우변의 각 항과 같다. 이와 같은 확률변수 X의 확률분포를 이항분포라 하고, 이것을 기호로 ❸ ☐와 같이 나타내며 확률변수 X는 이항분포 $\mathrm{B}(n, p)$를 따른다고 한다. 이때 n은 시행 횟수이고 p는 각 시행에서 사건 A가 일어날 확률이다.

답 | ❶ ${}_n\mathrm{C}_np^n$ ❷ ${}_n\mathrm{C}_2p^2q^{n-2}$ ❸ $\mathrm{B}(n, p)$

QUIZ

1회의 시행에서 사건 A가 일어날 확률이 $\frac{1}{6}$일 때, 36회의 독립시행에서 사건 A가 일어나는 횟수를 확률변수 X라 하면 확률변수 X의 확률분포를 ❶ ☐라 하고, 이것을 기호로 B(❷ ☐, ❸ ☐)과 같이 나타낸다.

정답 |

❶ 이항분포 ❷ 36 ❸ $\frac{1}{6}$

개념 02 이항분포의 평균, 분산, 표준편차

확률변수 X가 이항분포 $\mathrm{B}(n, p)$를 따를 때 (단, $q=1-p$)

(1) 평균 $\mathrm{E}(X)=np$

(2) 분산 $\mathrm{V}(X)=npq$

(3) 표준편차 $\sigma(X)=\sqrt{npq}$

예 확률변수 X가 이항분포 $\mathrm{B}\left(50, \frac{1}{5}\right)$을 따를 때

$\mathrm{E}(X)=$ ❶ ☐, $\mathrm{V}(X)=$ ❷ ☐, $\sigma(X)=$ ❸ ☐

답 | ❶ 10 ❷ 8 ❸ $2\sqrt{2}$

QUIZ

확률변수 X가 이항분포 $\mathrm{B}\left(36, \frac{1}{6}\right)$을 따를 때, 다음을 구하시오.

❶ $\mathrm{E}(X)$

❷ $\mathrm{V}(X)$

❸ $\sigma(X)$

정답 |

❶ 6 ❷ 5 ❸ $\sqrt{5}$

개념 03 큰수의 법칙

어떤 시행에서 사건 A가 일어날 수학적 확률이 p일 때, n회의 독립시행에서 사건 A가 일어나는 횟수를 확률변수 X라 하면 임의의 양수 h에 대하여 n이 커짐에 따라 확률 $\mathrm{P}\left(\left|\frac{X}{n}-p\right|<h\right)$는 점점 ❶ ☐에 가까워진다. 이를 ❷ ☐이라고 한다.

답 | ❶ 1 ❷ 큰수의 법칙

QUIZ

다음 ☐ 안에 알맞은 수를 써넣으시오.

❶ ☐에 의하면 시행 횟수가 충분히 클 때, 통계적 확률은 ❷ ☐에 가까워지므로 자연 현상이나 사회 현상에서 수학적 확률을 구하기 곤란한 경우 통계적 확률을 대신 사용할 수 있다.

정답 |

❶ 큰수의 법칙 ❷ 수학적 확률

교과서 개념 확인 테스트

정답과 해설 38쪽

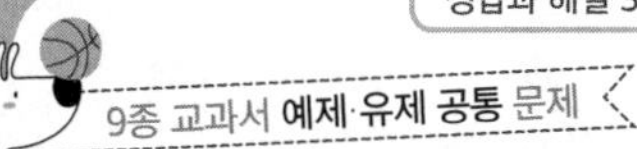

개념 01 이항분포

1-1 다음 ☐ 안에 알맞은 수를 써넣으시오.

불량률이 3 %인 제품 100개 중에 들어 있는 불량품의 개수를 확률변수 X라 할 때, X는 이항분포 B(☐, ☐)을 따른다.

1-2 다음 ☐ 안에 알맞은 수를 써넣으시오.

자유투 성공률이 80 %인 어느 농구 선수가 자유투를 20번 던져서 성공하는 횟수를 확률변수 X라 할 때, X는 이항분포 B(☐, ☐)를 따른다.

개념 02 이항분포의 평균, 분산, 표준편차

2-1 확률변수 X가 이항분포 $\mathrm{B}\left(100, \frac{1}{10}\right)$을 따를 때, X의 평균, 분산, 표준편차를 구하시오.

2-2 확률변수 X가 이항분포 $\mathrm{B}\left(240, \frac{1}{6}\right)$을 따를 때, X의 평균, 분산, 표준편차를 구하시오.

개념 03 이항분포의 평균, 분산, 표준편차

3-1 발아율이 90 %로 일정한 봉숭아 씨앗 300개를 심었을 때, 발아되는 씨앗의 개수를 확률변수 X라 하자. X의 평균과 분산을 구하시오.

3-2 오른쪽 그림과 같은 교차로에 진입하는 차량 전체의 70 %가 좌회전을 한다고 한다. 이 교차로에 진입하는 200대의 차량 중에서 좌회전하는 차량의 수를 확률변수 X라 하자. X의 평균과 표준편차를 구하시오.

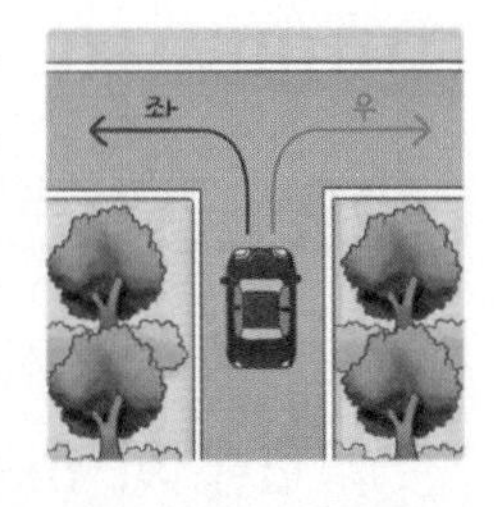

기출 기초 테스트

9종 교과서 중요 문제

유형 01 이항분포

(천재, 교학, 금성, 동아, 미래엔, 비상, 좋은책, 지학 유사)

1-1 서로 다른 두 개의 동전을 동시에 던지는 시행을 5번 반복할 때, 두 개 모두 앞면이 나오는 횟수를 확률변수 X라 하자. 다음을 구하시오.

(1) X의 확률질량함수

(2) $\mathrm{P}(X=1)$

1-2 서로 다른 두 개의 주사위를 동시에 던지는 시행을 6번 반복할 때, 두 개 모두 3의 배수의 눈이 나오는 횟수를 확률변수 X라 하자. 다음을 구하시오.

(1) X의 확률질량함수

(2) $\mathrm{P}(X=5)$

유형 02 이항분포

(천재, 교학, 동아, 미래엔, 비상, 좋은책, 지학 유사)

2-1 한 개의 주사위를 8번 던질 때, 3 이상의 눈이 나오는 횟수를 확률변수 X라 하자. X의 확률분포를 $\mathrm{B}(n, p)$ 꼴로 나타내시오.

2-2 국수를 주문하는 손님의 비율이 전체의 30 %인 어느 식당에서 250명의 손님 중 국수를 주문하는 손님의 수를 확률변수 X라 하자. X의 확률분포를 $\mathrm{B}(n, p)$ 꼴로 나타내시오.

유형 03 이항분포의 확률

(천재, 교학, 금성, 동아, 좋은책, 지학 유사)

3-1 어느 배구 선수의 공격 성공률은 40 %라 한다. 이 선수가 5번의 공격을 할 때, 성공한 횟수를 확률변수 X라 하자. 이 선수가 4번 이상 공격이 성공할 확률을 구하시오.

3-2 어느 클레이 사격 선수의 표적 명중률은 75 %라 한다. 이 선수가 4번의 사격을 할 때, 명중시키는 횟수를 확률변수 X라 하자. 이 선수가 표적을 2번 이상 명중시킬 확률을 구하시오.

정답과 해설 38쪽

유형 04 이항분포의 평균, 분산, 표준편차

4-1 어느 농구 선수의 3점 슛 성공률은 $\frac{4}{5}$라 한다. 이 선수가 3점 슛을 25회 던질 때, 성공한 횟수를 확률변수 X라 하자. X의 평균과 표준편차를 구하시오.

(천재, 교학, 금성, 동아, 미래엔, 비상, 좋은책, 지학 유사)

4-2 흰 공 2개, 검은 공 4개가 들어 있는 상자에서 임의로 한 개의 공을 꺼내어 색을 확인한 후 다시 넣기를 45번 반복할 때, 흰 공이 나오는 횟수를 확률변수 X라 하자. X의 평균과 표준편차를 구하시오.

유형 05 큰수의 법칙

5-1 다음은 이항분포 $\mathrm{B}\left(n, \frac{1}{6}\right)$을 따르는 확률변수 X에 대하여 n의 값이 10, 20, 30, 40, 50일 때의 확률분포를 표와 그래프로 나타낸 것이다. 물음에 답하시오.

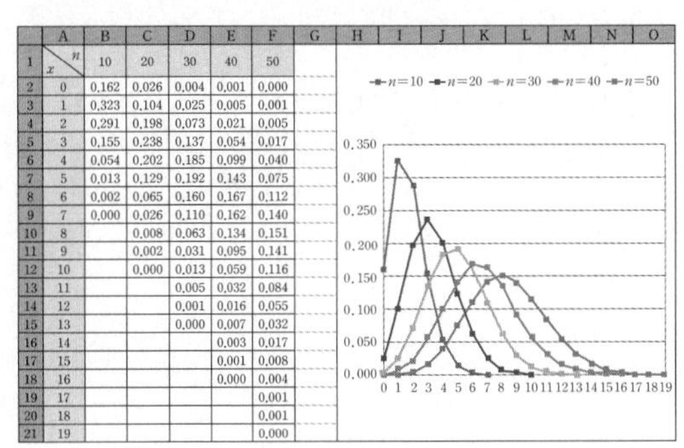

x \ n	10	20	30	40	50
0	0.162	0.026	0.004	0.001	0.000
1	0.323	0.104	0.025	0.005	0.001
2	0.291	0.198	0.073	0.021	0.005
3	0.155	0.238	0.137	0.054	0.017
4	0.054	0.202	0.185	0.099	0.040
5	0.013	0.129	0.192	0.143	0.075
6	0.002	0.065	0.160	0.167	0.112
7	0.000	0.026	0.110	0.162	0.140
8		0.008	0.063	0.134	0.151
9		0.002	0.031	0.095	0.141
10		0.000	0.013	0.059	0.116
11			0.005	0.032	0.084
12			0.001	0.016	0.055
13			0.000	0.007	0.032
14				0.003	0.017
15				0.001	0.008
16				0.000	0.004
17					0.001
18					0.001
19					0.000

(1) 위의 표를 이용하여 n의 값이 20일 때,

$\mathrm{P}\left(\left|\frac{X}{n}-\frac{1}{6}\right|<0.1\right)$을 구하시오.

(2) 위의 표를 이용하여 n의 값이 40일 때,

$\mathrm{P}\left(\left|\frac{X}{n}-\frac{1}{6}\right|<0.1\right)$을 구하시오.

(3) n의 값이 커짐에 따라

$\mathrm{P}\left(\left|\frac{X}{n}-\frac{1}{6}\right|<0.1\right)$이 점점 1에 가까워짐을 확인하시오.

(천재, 금성, 동아, 좋은책, 지학 유사)

5-2 다음은 이항분포 $\mathrm{B}\left(n, \frac{1}{6}\right)$을 따르는 확률변수 X에 대하여 n의 값이 10, 20, 30, 40, 50일 때의 확률분포를 표와 그래프로 나타낸 것이다. 물음에 답하시오.

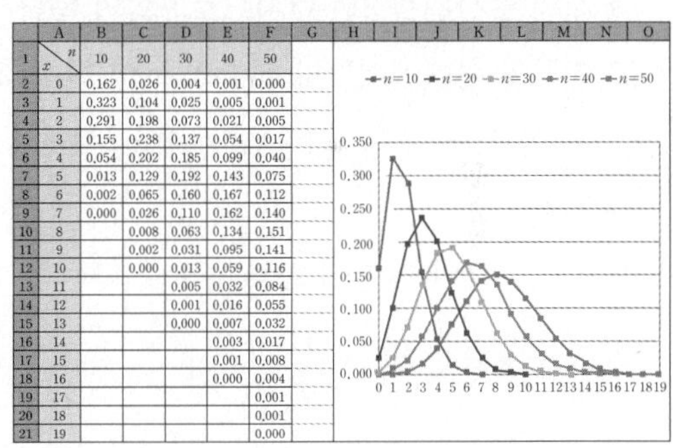

x \ n	10	20	30	40	50
0	0.162	0.026	0.004	0.001	0.000
1	0.323	0.104	0.025	0.005	0.001
2	0.291	0.198	0.073	0.021	0.005
3	0.155	0.238	0.137	0.054	0.017
4	0.054	0.202	0.185	0.099	0.040
5	0.013	0.129	0.192	0.143	0.075
6	0.002	0.065	0.160	0.167	0.112
7	0.000	0.026	0.110	0.162	0.140
8		0.008	0.063	0.134	0.151
9		0.002	0.031	0.095	0.141
10		0.000	0.013	0.059	0.116
11			0.005	0.032	0.084
12			0.001	0.016	0.055
13			0.000	0.007	0.032
14				0.003	0.017
15				0.001	0.008
16				0.000	0.004
17					0.001
18					0.001
19					0.000

(1) 위의 표를 이용하여 n의 값이 10일 때,

$\mathrm{P}\left(\left|\frac{X}{n}-\frac{1}{6}\right|<0.1\right)$을 구하시오.

(2) 위의 표를 이용하여 n의 값이 30일 때,

$\mathrm{P}\left(\left|\frac{X}{n}-\frac{1}{6}\right|<0.1\right)$을 구하시오.

(3) 위의 표를 이용하여 n의 값이 50일 때,

$\mathrm{P}\left(\left|\frac{X}{n}-\frac{1}{6}\right|<0.1\right)$을 구하시오.

(4) n의 값이 커짐에 따라

$\mathrm{P}\left(\left|\frac{X}{n}-\frac{1}{6}\right|<0.1\right)$이 점점 1에 가까워짐을 확인하시오.

교과서 기본 테스트

01 천재, 교학, 동아, 미래엔, 비상, 좋은책 유사 >>> 출제율 95%

확률변수 X의 확률질량함수가

$\mathrm{P}(X=x)={}_6\mathrm{C}_x\left(\frac{3}{7}\right)^x\left(\frac{4}{7}\right)^{6-x}$ $(x=0, 1, 2, \cdots, 6)$

이고, X는 이항분포 $\mathrm{B}(n, p)$를 따른다. 이때 $n+p$의 값을 구하시오.

02 천재, 동아, 미래엔, 비상, 좋은책, 지학 유사 >>> 출제율 95%

한 개의 주사위를 8번 던져서 3의 배수의 눈이 나오는 횟수를 확률변수 X라 하자. 다음은 X의 확률질량함수를 구하는 과정이다. (가)~(다)에 알맞은 것을 구하시오.

> 한 개의 주사위를 8번 던지므로 8회의 독립시행이고, 1회의 시행에서 3의 배수의 눈이 나올 확률은 (가) 이므로 확률변수 X는 이항분포 (나) 을 따른다.
> 따라서 확률변수 X의 확률질량함수는
> $\mathrm{P}(X=x)=$ (다) $\left(\frac{1}{3}\right)^x\left(\frac{2}{3}\right)^{8-x}$
> $(x=0, 1, 2, \cdots, 8)$

03 천재, 교학, 미래엔, 비상, 좋은책, 지학 유사 >>> 출제율 80%

이항분포 $\mathrm{B}(6, p)$를 따르는 확률변수 X에 대하여 $4\mathrm{P}(X=2)=3\mathrm{P}(X=3)$일 때, p의 값을 구하시오. (단, $0<p<1$)

04 천재, 미래엔, 비상, 좋은책, 지학 유사 >>> 출제율 95%

서로 다른 두 개의 동전을 동시에 던지는 시행을 5번 반복할 때, 앞면과 뒷면이 한 개씩 나오는 횟수를 확률변수 X라 하자. 이때 $\mathrm{P}(X\geq 1)$은?

① $\frac{3}{4}$ ② $\frac{7}{8}$ ③ $\frac{11}{12}$
④ $\frac{15}{16}$ ⑤ $\frac{31}{32}$

05 천재, 교학, 미래엔, 비상, 좋은책, 지학 유사 >>> 출제율 95%

확률변수 X가 이항분포 $\mathrm{B}\left(36, \frac{1}{10}\right)$을 따를 때, $\sigma(X)$는?

① $\frac{3\sqrt{5}}{5}$ ② $\frac{9}{5}$ ③ $\frac{12}{5}$
④ $\frac{81}{25}$ ⑤ $\frac{18}{5}$

06 천재, 금성, 동아, 좋은책, 지학 유사 >>> 출제율 68%

확률변수 X가 이항분포 $\mathrm{B}\left(n, \frac{2}{5}\right)$를 따르고, $\mathrm{E}(X)=12$일 때, n의 값은?

① 10 ② 20 ③ 30
④ 40 ⑤ 50

07 천재, 미래엔, 비상, 지학 유사 출제율 68%

확률변수 X가 이항분포 $\mathrm{B}\left(225, \frac{1}{5}\right)$을 따를 때, 확률변수 $2X-1$의 평균과 표준편차를 차례로 구한 것은?

① 45, 6 ② 45, 12 ③ 49, 15
④ 89, 6 ⑤ 89, 12

08 천재, 비상, 좋은책, 지학 유사 출제율 68%

민지와 재석이가 가위바위보를 30번 할 때, 민지가 재석이를 이기는 횟수를 확률변수 X라 하자. $\mathrm{E}(2X+k)=25$일 때, 상수 k의 값은?

① 4 ② 5 ③ 6
④ 7 ⑤ 8

09 천재, 교학, 비상, 좋은책 유사 출제율 85%

확률변수 X가 이항분포 $\mathrm{B}\left(48, \frac{1}{4}\right)$을 따를 때, $\mathrm{E}(X^2)$은?

① 81 ② 126 ③ 144
④ 153 ⑤ 182

10 천재, 미래엔, 비상, 좋은책, 지학 유사 출제율 95%

어느 축구 선수가 승부차기에서 슛을 성공할 확률은 0.6이라 한다. 이 선수가 5번의 승부차기를 하였을 때, 슛을 성공하는 횟수를 확률변수 X라 하자. 이때 X의 평균은?

① 2 ② 3 ③ 4
④ 5 ⑤ 6

11 천재, 동아, 미래엔, 비상, 좋은책 유사 출제율 75%

어느 공장에서 생산된 제품 중에서 20 %는 불량품이라고 한다. 이 공장에서 생산된 100개의 제품 중에 들어 있는 불량품의 개수를 확률변수 X라 하자. 이때 X의 표준편차는?

① 4 ② $2\sqrt{5}$ ③ 8
④ 10 ⑤ 20

12 천재, 동아, 비상, 좋은책, 지학 유사 출제율 95%

서로 다른 동전 세 개를 동시에 160번 던질 때, 2개가 앞면, 1개가 뒷면이 나오는 횟수를 확률변수 X라 하자. 이때 X의 평균은?

① 30 ② 40 ③ 50
④ 60 ⑤ 120

13 천재, 비상, 좋은책, 지학 유사 출제율 78%

720개의 주사위를 동시에 한 번 던질 때, 1의 눈이 나오는 주사위의 개수를 확률변수 X라 하자. X의 평균을 m, 분산을 s라 할 때, $m-s$의 값은?

① 10 ② 20 ③ 30
④ 40 ⑤ 50

14 천재, 금성, 동아, 좋은책, 지학 유사 출제율 80%

검은 공 14개, 흰 공 2개가 들어 있는 주머니에서 임의로 한 개의 공을 꺼내어 색을 확인한 후 다시 넣는 시행을 320번 반복할 때, 흰 공이 나오는 횟수를 확률변수 X라 하자. 이때 $\mathrm{E}(X)+\mathrm{V}(X)$의 값은?

① 55 ② 60 ③ 65
④ 70 ⑤ 75

15 천재, 금성, 좋은책, 지학 유사 출제율 80%

윷놀이를 하는 수희가 윷을 던져 개가 나올 확률은 $\frac{2}{5}$라 한다. 수희가 윷을 150번 던질 때, 개가 나오는 횟수를 X라 하자. 이때 X의 평균과 표준편차를 차례로 구한 것은?

① 40, 6 ② 40, 8 ③ 60, 6
④ 60, 36 ⑤ 80, 8

16 천재, 교학, 금성, 동아, 비상, 좋은책 유사 출제율 78%

어느 핸드볼 선수의 슛 성공률은 80 %라 한다. 이 선수가 슛을 16번 던질 때, 성공한 횟수를 확률변수 X라 하자. 이때 X의 표준편차는?

① $\frac{8}{25}$ ② $\frac{2}{5}$ ③ $\frac{3}{5}$
④ $\frac{8}{5}$ ⑤ $\frac{64}{25}$

17 천재, 비상, 좋은책, 지학 유사 출제율 85%

확률변수 X가 이항분포 $\mathrm{B}(n, p)$를 따를 때, X의 평균과 표준편차가 0.95로 같다고 한다. 이때 n, p의 값을 구하시오.

18 천재, 금성, 비상, 좋은책, 지학 유사 출제율 65%

한 개의 주사위를 n번 던질 때, 3의 눈이 나오는 횟수를 확률변수 X라 하자. X의 표준편차가 5일 때, n의 값은?

① 100 ② 120 ③ 140
④ 160 ⑤ 180

19 천재, 동아, 미래엔, 비상, 좋은책, 지학 유사 ⋙ 출제율 95%

어느 볼링 선수가 공을 한 번 던질 때, 스트라이크를 칠 확률은 p라 한다. 이 선수가 공을 100번 던질 때, 스트라이크를 치는 횟수를 확률변수 X라 하자. $\frac{\mathrm{P}(X=3)}{\mathrm{P}(X=2)}=\frac{98}{9}$일 때, p의 값을 구하시오.

(단, $0<p<1$)

20 천재, 미래엔, 비상, 좋은책, 지학 유사 ⋙ 출제율 83%

어느 제약 회사에서 새로 개발한 치료약은 특정 질병의 환자에게 75 %의 치유율을 보인다고 한다. 특정 질병의 환자 중 임의로 5명을 뽑아 이 약을 먹였을 때, 4명 이상이 치유될 확률을 구하시오.

21 천재, 미래엔, 비상, 좋은책, 지학 유사 ⋙ 출제율 83%

확률변수 X가 이항분포 $\mathrm{B}\left(n, \frac{1}{10}\right)$을 따르고 $\mathrm{E}(X^2)=2\{\mathrm{E}(X)\}^2$일 때, 자연수 n의 값을 구하시오.

과정을 평가하는 서술형입니다.

[22~24] 다음 문제의 풀이 과정을 자세히 쓰시오.

22 천재, 동아, 좋은책, 지학 유사 ⋙ 출제율 80%

확률변수 X의 확률질량함수가

$$\mathrm{P}(X=x)={}_{100}\mathrm{C}_x\left(\frac{1}{5}\right)^x\left(\frac{4}{5}\right)^{100-x}$$

$(x=0, 1, 2, \cdots, 100)$

일 때, X의 평균과 표준편차를 구하고, 그 풀이 과정을 쓰시오.

23 천재, 미래엔, 비상, 좋은책, 지학 유사 ⋙ 출제율 75%

이항분포 $\mathrm{B}(n, p)$를 따르는 확률변수 X에 대하여 $\mathrm{E}(X)=8$, $\mathrm{V}(X)=4$일 때, $\mathrm{P}(X=2)$를 구하고, 그 풀이 과정을 쓰시오.

24 천재, 교학, 미래엔, 비상 유사 ⋙ 출제율 65%

어떤 공장에서 생산되는 제품은 10 %가 불량품이다. 이 공장에서 10000개의 제품을 생산했을 때, 불량품의 개수를 확률변수 X라 하자. 이때 X의 평균과 표준편차를 구하고, 그 풀이 과정을 쓰시오.

창의력·융합형·서술형·코딩

1

한 개의 주사위를 3번 던지는 독립시행에서 6의 눈이 나오는 횟수를 확률변수 X라 할 때, 다음 물음에 답하시오.

(1) 확률변수 X의 확률질량함수가
$\mathrm{P}(X=x)={}_3\mathrm{C}_x p^x q^{3-x}\ (x=0,\ 1,\ 2,\ 3)$일 때, p, q의 값을 구하시오.

(2) 다음은 확률변수 X의 확률분포를 표로 나타낸 것이다. 표를 완성하시오.

X	0	1	2	3	합계
$\mathrm{P}(X=x)$		${}_3\mathrm{C}_1\left(\frac{1}{6}\right)^1\left(\frac{5}{6}\right)^2=\frac{25}{72}$			

(3) 확률변수 X의 확률분포를 이항분포 $\mathrm{B}(n, p)$ 꼴로 나타내시오.

2

탑승 가능한 좌석이 80석인 어느 항공 노선에서 전산 오류로 인해 82명이 예약되었다고 한다. 예약된 사람이 사전 통보 없이 탑승하지 않을 확률이 0.05라 할 때, 좌석이 부족하지 않을 확률을 아래 두 학생의 방법으로 각각 구하려고 한다. 다음 물음에 답하시오.
(단, $0.95^{81}=0.0157$, $0.95^{82}=0.0149$로 계산한다.)

서준
탑승하는 사람의 수를 확률변수 X라 하면 좌석이 부족하지 않을 확률은 $\mathrm{P}(X\le 80)$을 구하면 돼!
나연
탑승하지 않는 사람의 수를 확률변수 Y라 하면 좌석이 부족하지 않을 확률은 $1-\mathrm{P}(Y\le 1)$을 구하면 되지!

(1) 서준이의 방법을 이용하여 좌석이 부족하지 않을 확률을 구하시오.

(2) 나연이의 방법을 이용하여 좌석이 부족하지 않을 확률을 구하시오.

(3) 두 학생의 방법으로 구한 결과를 서로 비교하고, 그 풀이 방법을 설명하시오.

3

어느 기계에서 생산되는 제품은 20개 중에서 1개꼴로 불량품이라고 한다. 이 기계로 400개의 제품을 생산할 때 나오는 불량품의 개수를 확률변수 X라 하자. 다음 물음에 답하시오.

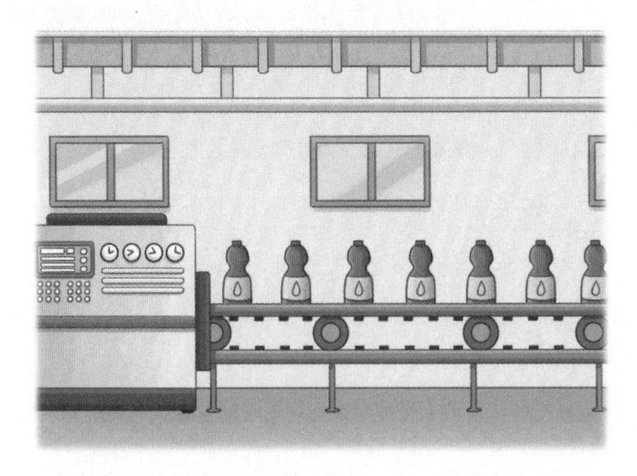

(1) 확률변수 X의 확률분포를 이항분포 $\mathrm{B}(n, p)$ 꼴로 나타내시오.

(2) $\mathrm{E}(X)$를 구하시오.

(3) 불량품 1개당 200원의 손해가 생긴다고 할 때, 손해 금액의 평균을 구하시오.

4

한 개의 주사위를 20번 던져서 아래 게임의 규칙대로 움직인 점 P의 좌표를 확률변수 X라 할 때, 다음 물음에 답하시오.

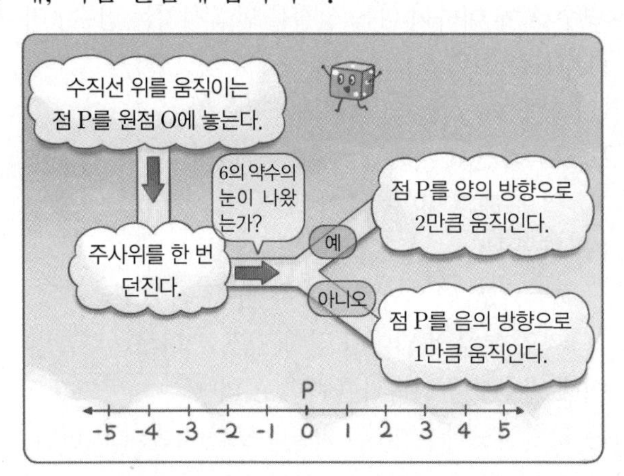

(1) 20번의 독립시행에서 점 P를 양의 방향으로 2만큼 움직이는 횟수를 Y라 할 때, 점 P의 좌표 X를 Y에 대한 식으로 나타내시오.

(2) $\mathrm{E}(Y)$를 구하시오.

(3) 위의 (1), (2)를 이용하여 $\mathrm{E}(X)$를 구하시오.

정규분포

개념 01 연속확률변수의 확률분포

일반적으로 $\alpha \le X \le \beta$에서 모든 실숫값을 가지는 연속확률변수 X에 대하여 다음 성질을 만족시키는 함수 f가 존재한다.

(1) $f(x) \ge$ ❶

(2) 함수 $y=f(x)$의 그래프와 x축 및 두 직선 $x=\alpha$, $x=\beta$로 둘러싸인 부분의 넓이는 1이다.

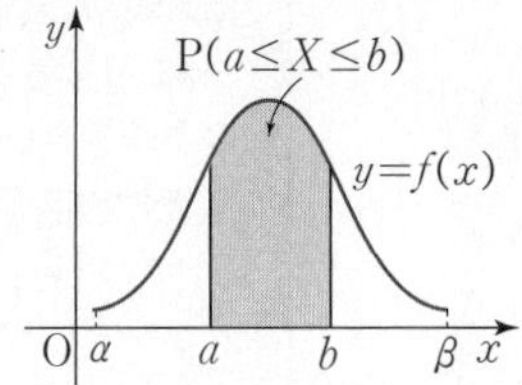

(3) 확률 $P(a \le X \le b)$는 함수 $y=f(x)$의 그래프와 x축 및 두 직선 $x=a$, $x=b$로 둘러싸인 부분의 넓이와 같다. (단, $\alpha \le a \le b \le \beta$)

이때 함수 f를 연속확률변수 X의 ❷ 라 하며, X는 확률밀도함수가 f인 확률분포를 따른다고 한다.

답 | ❶ 0 ❷ 확률밀도함수

QUIZ

$\alpha \le X \le \beta$에서 모든 실숫값을 가지는 연속확률변수 X에 대하여 확률 $P(a \le X \le b)$는 함수 $y=f(x)$의 그래프와 x축 및 두 직선 $x=a$, $x=b$로 둘러싸인 부분의 넓이와 ❶ . (단, $\alpha \le a \le b \le \beta$)

정답 |

❶ 같다

개념 02 정규분포

연속확률변수 X가 모든 실숫값을 가지고, 그 확률밀도함수 f가

$$f(x)=\frac{1}{\sqrt{2\pi}\sigma}e^{-\frac{(x-m)^2}{2\sigma^2}}$$

(x는 모든 실수)

$f(x)=\frac{1}{\sqrt{2\pi}\sigma}e^{-\frac{(x-m)^2}{2\sigma^2}}$, m, x

일 때, X의 확률분포를 ❶ 라 하고, 기호로 $N(m, \sigma^2)$과 같이 나타낸다. 이때 확률변수 X는 정규분포 $N(m, \sigma^2)$을 따른다고 한다. 여기서 e는 그 값이 $2.718281\cdots$인 무리수이고, 상수 m과 $\sigma(\sigma>0)$는 각각 확률변수 X의 평균과 표준편차임이 알려져 있다.

참고 정규분포의 확률밀도함수의 그래프를 정규분포곡선이라 한다.

답 | ❶ 정규분포

QUIZ

확률변수 X, Y, Z가 정규분포 $N(10, 1^2)$, $N(5, 2^2)$, $N(5, 1^2)$을 각각 따를 때, 평균이 가장 큰 것은 ❶ 이고, 표준편차가 가장 큰 것은 ❷ 이다.

정답 |

❶ X ❷ Y

개념 03 정규분포의 확률밀도함수의 그래프의 성질

(1) 직선 ❶ 에 대하여 대칭이고 종 모양의 곡선이다.

(2) 곡선과 x축 사이의 넓이는 1이다.

(3) ❷ 을 점근선으로 하며, $x=m$일 때 최댓값을 갖는다.

(4) m의 값이 일정할 때, σ의 값이 커지면 곡선은 낮아지면서 양쪽으로 퍼지고, σ의 값이 작아지면 곡선은 높아지면서 뾰족해진다.

(5) σ의 값이 일정할 때, m의 값에 따라 대칭축의 위치는 바뀌지만 곡선의 모양은 같다.

답 | ❶ $x=m$ ❷ x축

QUIZ

정규분포 $N(m, \sigma^2)$의 확률밀도함수의 그래프는 직선 $x=m$에 대하여 대칭이다. 또 m의 값이 일정할 때, σ의 값이 커지면 곡선은 ❶ **(낮아지면서, 높아지면서)** 양쪽으로 퍼지고, σ의 값이 ❷ **(작아지면, 커지면)** 곡선은 높아지면서 뾰족해진다.

정답 |

❶ 낮아지면서 ❷ 작아지면

개념 04 표준정규분포

평균이 0이고 분산이 1인 정규분포를 [❶] 라 하고, 이것을 기호로 N(0, 1)과 같이 나타낸다. 확률변수 Z가 표준정규분포를 따르면 Z의 확률밀도함수는

$$f(z)=\frac{1}{\sqrt{2\pi}}e^{-\frac{z^2}{2}}\ (z\text{는 모든 실수})$$

이다. 이때 Z가 0 이상 a 이하의 값을 가질 확률

$$P(0\le Z\le a)$$

는 오른쪽 그림에서 색칠한 부분의 넓이와 같고, 그 값은 부록에 있는 표준정규분포표에 주어져 있다.

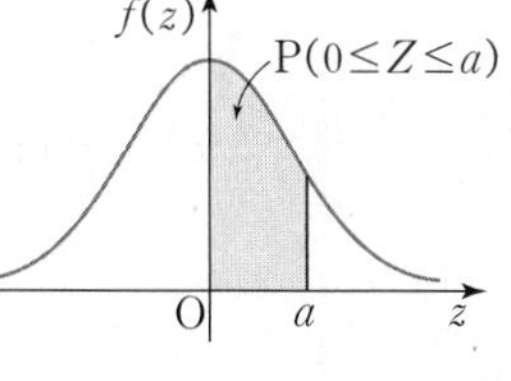

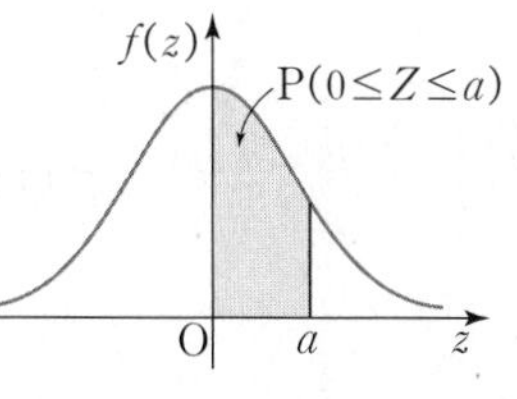

예를 들어 오른쪽 표준정규분포표에서

$$P(0\le Z\le 1.14)=0.3729$$

이다.

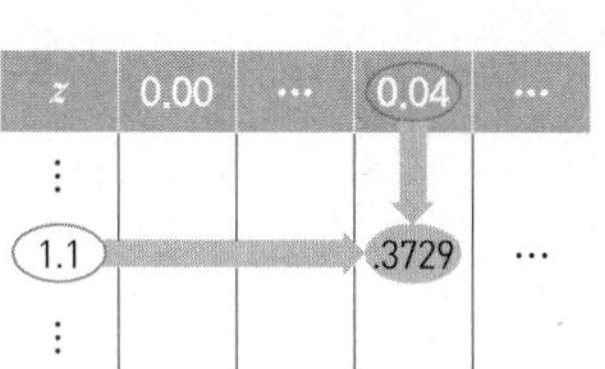

z	0.00	···	0.04	···
⋮				
1.1			.3729	···
⋮				

답 | ❶ 표준정규분포

QUIZ

평균이 [❶] 이고 분산이 [❷] 인 정규분포를 표준정규분포라 하고, 이것을 기호로 [❸] 과 같이 나타낸다.

정답 |

❶ 0 ❷ 1 ❸ N(0, 1)

개념 05 정규분포의 표준화

확률변수 X가 정규분포 $\mathrm{N}(m, \sigma^2)$을 따를 때

(1) 확률변수 $Z=\frac{X-m}{\sigma}$은 표준정규분포 N([❶], [❷])을 따른다.

(2) $P(a\le X\le b)=P\left(\frac{a-m}{\sigma}\le Z\le \frac{b-m}{\sigma}\right)$

참고 확률변수 X가 정규분포 $\mathrm{N}(m, \sigma^2)$을 따를 때,

$$P(a\le X\le b)=P\left(\frac{a-m}{\sigma}\le \frac{X-m}{\sigma}\le \frac{b-m}{\sigma}\right)$$
$$=P\left(\frac{a-m}{\sigma}\le Z\le \frac{b-m}{\sigma}\right)$$

답 | ❶ 0 ❷ 1

QUIZ

확률변수 X가 정규분포 $\mathrm{N}(10, 2^2)$을 따를 때,

$P(8\le X\le 12)=P($[❶]$\le Z\le$[❷]$)$

이다.

정답 |

❶ −1 ❷ 1

개념 06 이항분포와 정규분포의 관계

확률변수 X가 이항분포 $\mathrm{B}(n, p)$를 따르고 n이 충분히 클 때, X는 근사적으로 정규분포 N([❶], [❷])를 따른다. (단, $q=1-p$)

참고 이항분포 $\mathrm{B}\left(n, \frac{1}{3}\right)$에서 n을 점점 크게 하면 그 그래프는 오른쪽 그림과 같이 정규분포곡선에 가까워짐을 알 수 있다.

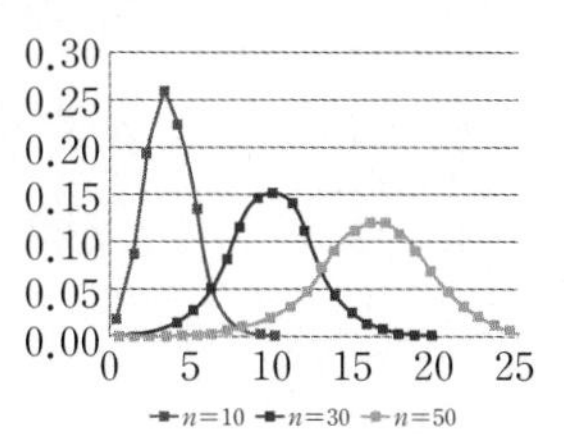

답 | ❶ np ❷ npq

QUIZ

확률변수 X가 이항분포 $\mathrm{B}\left(180, \frac{1}{6}\right)$을 따르면 X는 근사적으로 정규분포 N([❶], [❷])을 따른다.

정답 |

❶ 30 ❷ 5^2

교과서 개념 확인 테스트

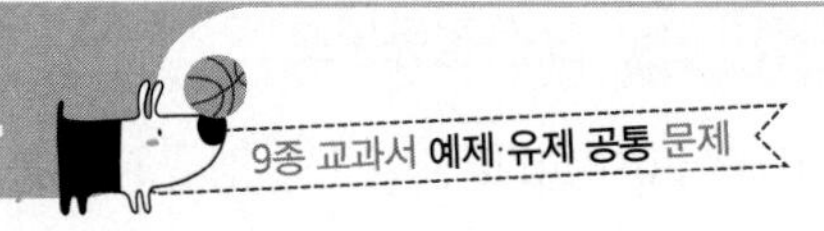

개념 01 연속확률분포

1-1 연속확률변수 X의 확률밀도함수

$$f(x)=|x-1| \quad (0\le x\le 2)$$

의 그래프가 위와 같을 때, 다음을 구하시오.

(1) $\mathrm{P}(0\le X\le 2)$ (2) $\mathrm{P}\left(1\le X\le \frac{3}{2}\right)$

1-2 연속확률변수 X의 확률밀도함수

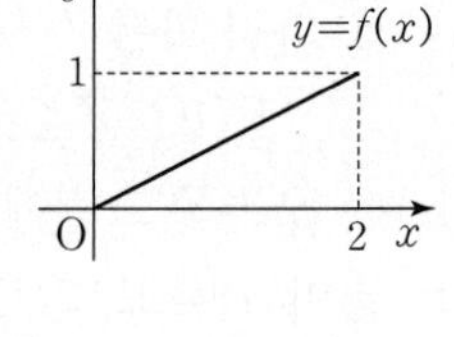

$$f(x)=\frac{1}{2}x \quad (0\le x\le 2)$$

의 그래프가 위와 같을 때, 다음을 구하시오.

(1) $\mathrm{P}(0\le X\le 2)$ (2) $\mathrm{P}\left(1\le X\le \frac{3}{2}\right)$

개념 02 정규분포

2-1 확률변수 X가 정규분포 $\mathrm{N}(10,\ 2^2)$을 따를 때, 확률변수 X의 평균, 분산, 표준편차를 구하시오.

2-2 확률변수 X가 정규분포 $\mathrm{N}(20,\ 3^2)$을 따를 때, 확률변수 X의 평균, 분산, 표준편차를 구하시오.

개념 03 정규분포의 확률밀도함수의 그래프

3-1 오른쪽 그림은 정규분포를 따르는 확률변수 X의 확률밀도함수의 그래프이다. 평균 m의 값을 구하시오.

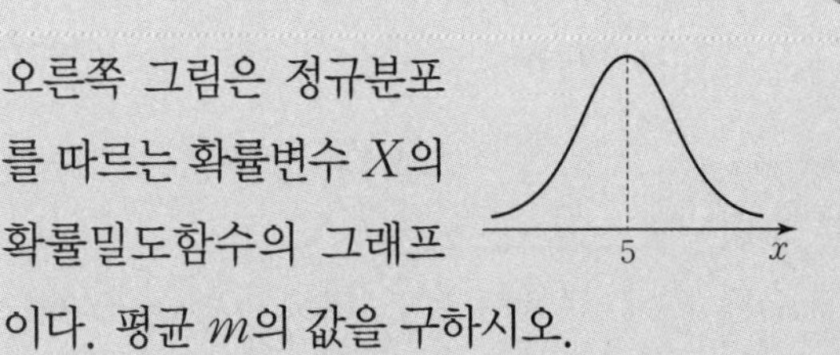

3-2 오른쪽 그림에서 곡선 A, B는 각각 정규분포를 따르는 두 확률변수 X, Y의 확률밀도함수의 그래프이다. X, Y의 평균을 각각 m_1, m_2라 할 때, m_1, m_2의 값을 구하시오.

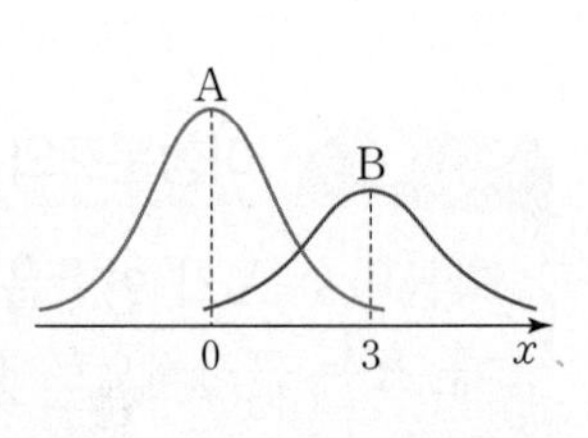

개념 04 표준정규분포

4-1 확률변수 Z가 표준정규분포 $N(0, 1)$을 따를 때, 오른쪽 표준정규분포표를 이용하여 다음을 구하시오.

z	$P(0 \le Z \le z)$
1.0	0.3413
2.0	0.4772
3.0	0.4987

(1) $P(Z \le 1)$　　(2) $P(-1 \le Z \le 2)$

4-2 확률변수 Z가 표준정규분포 $N(0, 1)$을 따를 때, 오른쪽 표준정규분포표를 이용하여 다음을 구하시오.

z	$P(0 \le Z \le z)$
1.0	0.3413
2.0	0.4772
3.0	0.4987

(1) $P(-1 \le Z \le 1)$　　(2) $P(1 \le Z \le 2)$

개념 05 정규분포의 표준화

5-1 확률변수 X가 정규분포 $N(10, 2^2)$을 따를 때, 오른쪽 표준정규분포표를 이용하여 $P(7 \le X \le 12)$를 구하시오.

z	$P(0 \le Z \le z)$
1.0	0.3413
1.5	0.4332
2.0	0.4772

5-2 확률변수 X가 정규분포 $N(12, 4^2)$을 따를 때, 오른쪽 표준정규분포표를 이용하여 $P(8 \le X \le 14)$를 구하시오.

z	$P(0 \le Z \le z)$
0.5	0.1915
1.0	0.3413
1.5	0.4332

개념 06 이항분포와 정규분포

6-1 확률변수 X가 이항분포 $B\left(72, \frac{1}{3}\right)$을 따를 때, $P(24 \le X \le 32)$를 구하시오.
(단, $P(0 \le Z \le 2) = 0.4772$)

6-2 확률변수 X가 이항분포 $B\left(36, \frac{1}{2}\right)$을 따를 때, $P(15 \le X \le 21)$을 구하시오.
(단, $P(0 \le Z \le 1) = 0.3413$)

기출 기초 테스트

9종 교과서 중요 문제

유형 01 연속확률분포

1-1 연속확률변수 X의 확률밀도함수가

$$f(x)=k\ (0\le x\le 2)$$

일 때, 상수 k의 값을 구하시오.

(천재, 교학, 금성, 동아, 미래엔, 비상, 좋은책, 지학 유사)

1-2 연속확률변수 X의 확률밀도함수가

$$f(x)=kx\ (0\le x\le 3)$$

일 때, 상수 k의 값을 구하시오.

유형 02 연속확률분포

2-1 연속확률변수 X의 확률밀도함수가

$$f(x)=2(1-x)\ (0\le x\le 1)$$

일 때, $P\left(0\le X\le \frac{1}{2}\right)$을 구하시오.

(천재, 교학, 동아, 미래엔, 비상, 좋은책, 지학 유사)

2-2 연속확률변수 X의 확률밀도함수가

$$f(x)=\frac{1}{4}x+k\ (0\le x\le 2)$$

일 때, $P\left(0\le X\le \frac{1}{2}\right)$을 구하시오.

(단, k는 상수)

유형 03 정규분포

3-1 정규분포 $N(m,\ \sigma^2)$을 따르는 확률변수 X에 대하여

x	$P(m\le X\le x)$
$m+\sigma$	0.3413
$m+2\sigma$	0.4772
$m+3\sigma$	0.4987

$P(m\le X\le x)$의 값이 위의 표와 같다. 확률변수 X가 정규분포 $N(10,\ 2^2)$을 따를 때, $P(10\le X\le 14)$를 구하시오.

(천재, 교학, 금성, 동아, 좋은책, 지학 유사)

3-2 정규분포 $N(m,\ \sigma^2)$을 따르는 확률변수 X에 대하여

x	$P(m\le X\le x)$
$m+\sigma$	0.3413
$m+2\sigma$	0.4772
$m+3\sigma$	0.4987

$P(m\le X\le x)$의 값이 위의 표와 같다. 확률변수 X가 정규분포 $N(100,\ 4^2)$을 따를 때, $P(96\le X\le 108)$을 구하시오.

정답과 해설 44쪽

유형 04 정규분포

(천재, 교학, 금성, 동아, 미래엔, 비상, 좋은책, 지학 유사)

4-1 정규분포 $N(m, \sigma^2)$을 따르는 확률변수 X에 대하여

x	$P(m \le X \le x)$
$m+\sigma$	0.3413
$m+1.5\sigma$	0.4332
$m+2\sigma$	0.4772

$P(m \le X \le x)$의 값이 위의 표와 같다. 정규분포 $N(10, 2^2)$을 따르는 확률변수 X에 대하여 $P(a \le X \le 14)=0.8185$일 때, 상수 a의 값을 구하시오.

4-2 정규분포 $N(m, \sigma^2)$을 따르는 확률변수 X에 대하여

x	$P(m \le X \le x)$
$m+\sigma$	0.3413
$m+1.5\sigma$	0.4332
$m+2\sigma$	0.4772

$P(m \le X \le x)$의 값이 위의 표와 같다. 정규분포 $N(m, 3^2)$을 따르는 확률변수 X에 대하여 $P(47 \le X \le 53)=0.6826$일 때, m의 값을 구하시오.

유형 05 정규분포

(천재, 금성, 동아, 좋은책, 지학 유사)

5-1 확률변수 X가 정규분포 $N(m, \sigma^2)$을 따르고 $P(X \le 10)=P(X \ge 20)$일 때, m의 값을 구하시오.

5-2 확률변수 X가 정규분포 $N(m, \sigma^2)$을 따르고 $P(X \le 14)=P(X \ge 10)$일 때, m의 값을 구하시오.

유형 06 정규분포의 확률밀도함수의 그래프

(천재, 교학, 금성, 동아, 미래엔, 비상, 좋은책, 지학 유사)

6-1 오른쪽 그림에서 곡선 A, B는 각각 정규분포를 따르는 두 확률변수 X, Y의 확률밀도함수의 그래프이다. X, Y의 평균을 각각 m_1, m_2라 하고, 표준편차를 각각 σ_1, σ_2라 할 때, 다음 두 수의 크기를 비교하시오.

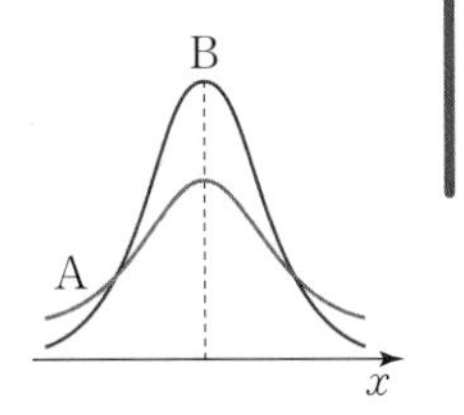

(1) m_1, m_2 (2) σ_1, σ_2

6-2 오른쪽 그림에서 곡선 A, B, C는 각각 정규분포를 따르는 세 확률변수의 확률밀도함수의 그래프이다. 이 중에서 평균이 가장 큰 것과 표준편차가 가장 큰 것을 각각 말하시오.

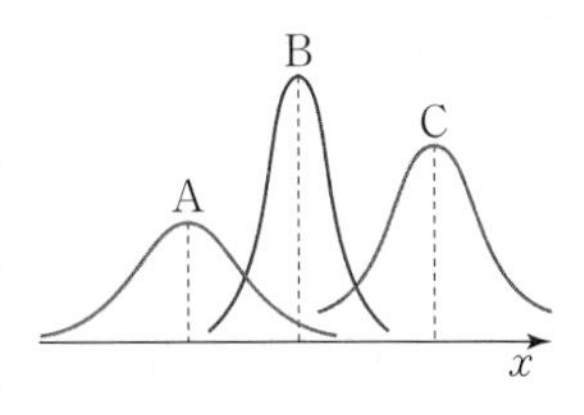

STEP 2 기출 기초 테스트

유형 07 표준정규분포

(천재, 교학, 금성, 동아, 미래엔, 비상, 좋은책, 지학 유사)

7-1 확률변수 Z가 표준정규분포 $N(0, 1)$을 따를 때, 오른쪽 표준정규분포표를 이용하여 다음을 구하시오.

z	$P(0\le Z\le z)$
1.3	0.4032
1.8	0.4641
2.4	0.4918

(1) $P(1.8\le Z\le 2.4)$

(2) $P(Z\le 1.3)$

7-2 확률변수 Z가 표준정규분포 $N(0, 1)$을 따를 때, 오른쪽 표준정규분포표를 이용하여 다음을 구하시오.

z	$P(0\le Z\le z)$
0.6	0.2257
1.4	0.4192
2.2	0.4861

(1) $P(-0.6\le Z\le 1.4)$

(2) $P(|Z|\le 2.2)$

유형 08 표준정규분포

(천재, 교학, 동아, 미래엔, 비상, 좋은책, 지학 유사)

8-1 확률변수 Z가 표준정규분포 $N(0, 1)$을 따를 때, $P(Z\ge a)=0.0322$를 만족시키는 상수 a의 값을 구하시오.

(단, $P(0\le Z\le 1.85)=0.4678$)

8-2 확률변수 Z가 표준정규분포 $N(0, 1)$을 따를 때, $P(Z\le a)=0.9222$를 만족시키는 상수 a의 값을 구하시오.

(단, $P(0\le Z\le 1.42)=0.4222$)

유형 09 정규분포의 표준화

(천재, 교학, 금성, 동아, 좋은책, 지학 유사)

9-1 확률변수 X가 정규분포 $N(5, 4^2)$을 따를 때, 오른쪽 표준정규분포표를 이용하여 $P(1\le X\le 7)$을 구하시오.

z	$P(0\le Z\le z)$
0.5	0.1915
1.0	0.3413
1.5	0.4332

9-2 확률변수 X가 정규분포 $N(30, 5^2)$을 따를 때, 오른쪽 표준정규분포표를 이용하여 다음을 구하시오.

z	$P(0\le Z\le z)$
1.0	0.3413
1.5	0.4332
2.0	0.4772

(1) $P(22.5\le X\le 37.5)$

(2) $P(X\le 25)$

유형 10 정규분포의 표준화

10-1 어느 학교 전체 학생의 시험 점수는 평균이 60점, 표준편차가 24점인 정규분포를 따른다고 한다. 이 학교 학생 중에서 임의로 택한 한 학생의 점수가 60점 이상 72점 이하일 확률을 구하시오.

(단, $\mathrm{P}(0\le Z\le 0.5)=0.1915$)

(천재, 교학, 금성, 동아, 미래엔, 비상, 좋은책, 지학 유사)

10-2 어느 제과점에서 만드는 과자 한 개의 무게는 평균이 30 g, 표준편차가 2 g인 정규분포를 따른다고 한다. 이 중에서 임의로 택한 과자 한 개의 무게가 27 g 이상일 확률을 구하시오. (단, $\mathrm{P}(0\le Z\le 1.5)=0.4332$)

유형 11 이항분포와 정규분포

11-1 확률변수 X가 이항분포 $\mathrm{B}\left(288,\ \frac{1}{3}\right)$을 따를 때, 오른쪽 표준정규분포표를 이용하여 $\mathrm{P}(80\le X\le 96)$을 구하시오.

z	$\mathrm{P}(0\le Z\le z)$
1.0	0.3413
2.0	0.4772
3.0	0.4987

(천재, 금성, 동아, 좋은책, 지학 유사)

11-2 확률변수 X가 이항분포 $\mathrm{B}\left(150,\ \frac{2}{5}\right)$를 따를 때, 오른쪽 표준정규분포표를 이용하여 $\mathrm{P}(54\le X\le 78)$을 구하시오.

z	$\mathrm{P}(0\le Z\le z)$
1.0	0.3413
2.0	0.4772
3.0	0.4987

유형 12 이항분포와 정규분포

12-1 한 개의 주사위를 450번 던질 때, 5 이상의 눈이 나오는 횟수가 140번 이상 170번 이하일 확률을 위의 표준정규분포표를 이용하여 구하시오.

z	$\mathrm{P}(0\le Z\le z)$
1.0	0.3413
2.0	0.4772
3.0	0.4987

(천재, 교학, 금성, 동아, 미래엔, 비상, 좋은책, 지학 유사)

12-2 한 개의 주사위를 400번 던질 때, 소수의 눈이 나오는 횟수가 175번 이상 215번 이하일 확률을 위의 표준정규분포표를 이용하여 구하시오.

z	$\mathrm{P}(0\le Z\le z)$
1.5	0.4332
2.0	0.4772
2.5	0.4938

교과서 기본 테스트

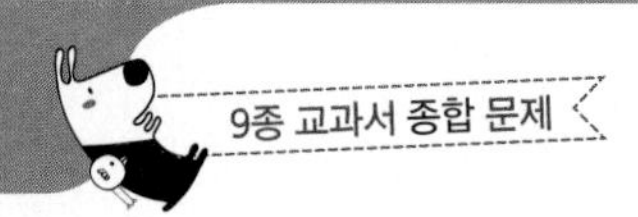

01 천재, 교학, 동아, 미래엔, 비상, 좋은책 유사 ⋙ 출제율 95%

연속확률변수 X가 가지는 값의 범위가 $0 \le X \le 4$이고, X의 확률밀도함수 $y=f(x)$의 그래프가 다음과 같을 때, $\mathrm{P}(0 \le X \le 2)$는?

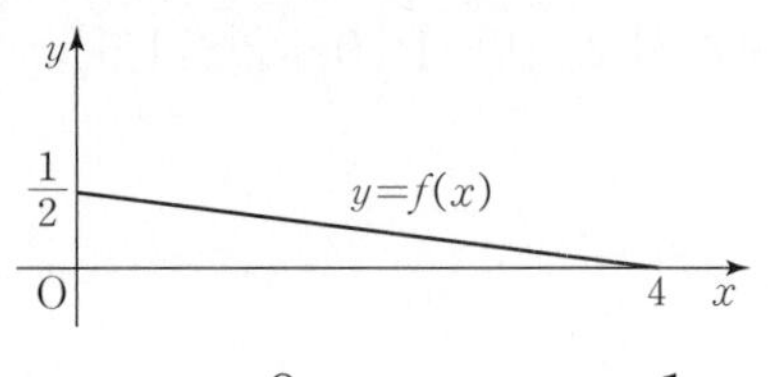

① $\frac{1}{4}$ ② $\frac{3}{8}$ ③ $\frac{1}{2}$
④ $\frac{5}{8}$ ⑤ $\frac{3}{4}$

02 천재, 동아, 미래엔, 비상, 좋은책, 지학 유사 ⋙ 출제율 95%

연속확률변수 X의 확률밀도함수가

$$f(x)=\begin{cases} \frac{1}{5}x & (0 \le x \le 2) \\ -\frac{2}{15}(x-5) & (2 \le x \le 5) \end{cases}$$

일 때, $\mathrm{P}(1 \le X \le 3)$을 구하시오.

03 천재, 교학, 미래엔, 비상, 좋은책, 지학 유사 ⋙ 출제율 80%

연속확률변수 X의 확률밀도함수가

$$f(x)=a|x| \ (-1 \le x \le 1)$$

일 때, 상수 a의 값을 구하시오.

04 천재, 교학, 미래엔, 비상, 좋은책, 지학 유사 ⋙ 출제율 95%

연속확률변수 X의 확률밀도함수가

$$f(x)=\begin{cases} kx & \left(0 \le x \le \frac{1}{2}\right) \\ k(1-x) & \left(\frac{1}{2} \le x \le 1\right) \end{cases}$$

일 때, 상수 k의 값을 구하시오.

05 천재, 금성, 동아, 좋은책, 지학 유사 ⋙ 출제율 68%

연속확률변수 X의 확률밀도함수가

$$f(x)=k(x+1) \ (0 \le x \le 1)$$

일 때, $\mathrm{P}\left(0 \le X \le \frac{1}{2}\right)$을 구하시오. (단, k는 상수)

06 천재, 미래엔, 비상, 좋은책, 지학 유사 ⋙ 출제율 95%

다음 그림은 구간 $\left[0, \frac{3}{2}\right]$에서 정의된 연속확률변수 X의 확률밀도함수 $y=f(x)$의 그래프이다.

$0 < a < \frac{3}{2}$인 상수 a에 대하여

$$4\mathrm{P}(0 \le X \le a)=\mathrm{P}\left(a \le X \le \frac{3}{2}\right)$$

일 때, a의 값을 구하시오.

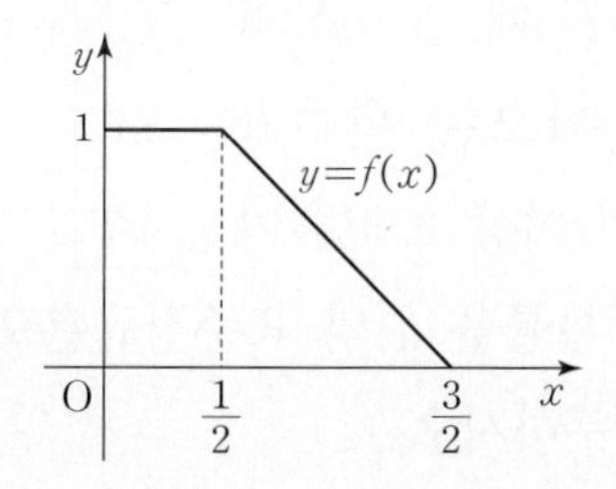

07 천재, 미래엔, 비상, 지학 유사

>>> 출제율 68%

확률변수 X_1, X_2, X_3이 각각 이항분포 $\mathrm{B}\left(100,\ \frac{1}{2}\right)$, $\mathrm{B}\left(200,\ \frac{1}{4}\right)$, $\mathrm{B}\left(400,\ \frac{1}{8}\right)$을 따를 때, X_1, X_2, X_3은 근사적으로 정규분포를 따른다고 한다. 그때의 정규분포곡선을 각각 l_1, l_2, l_3이라 하면 다음 중 각 곡선의 개형으로 알맞은 것은?

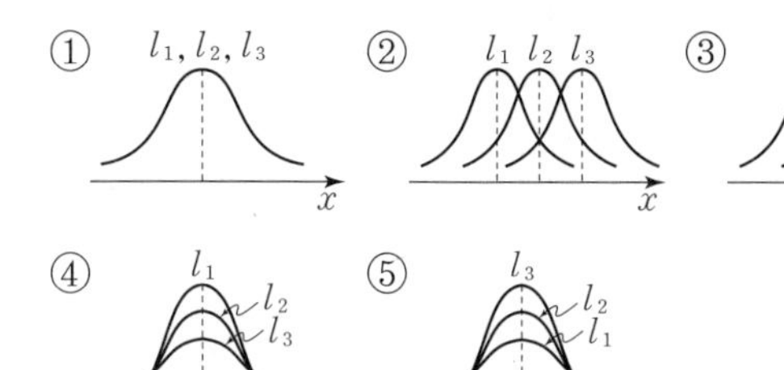

08 천재, 비상, 좋은책, 지학 유사

>>> 출제율 68%

확률변수 X가 정규분포 $\mathrm{N}(4,\ 3^2)$을 따를 때, 오른쪽 표준정규분포표를 이용하여 $\mathrm{P}(1\le X\le 10)$을 구하시오.

z	$\mathrm{P}(0\le Z\le z)$
1.0	0.3413
2.0	0.4772
3.0	0.4987

09 천재, 교학, 비상, 좋은책 유사

>>> 출제율 85%

확률변수 X가 정규분포 $\mathrm{N}(50,\ 4^2)$을 따를 때, $\mathrm{P}(42\le X\le 58)$을 구하시오.

(단, $\mathrm{P}(0\le Z\le 2)=0.4772$)

10 천재, 미래엔, 비상, 좋은책, 지학 유사

>>> 출제율 95%

확률변수 X가 정규분포 $\mathrm{N}(75,\ 5^2)$을 따를 때, $\mathrm{P}(X\ge 86)$을 구하시오.

(단, $\mathrm{P}(0\le Z\le 2.2)=0.4861$)

11 천재, 동아, 미래엔, 비상, 좋은책 유사

>>> 출제율 75%

500명의 학생의 몸무게가 정규분포 $\mathrm{N}(70,\ 2^2)$을 따를 때, 74 kg 이상인 학생의 수는?

(단, $\mathrm{P}(0\le Z\le 2)=0.48$)

① 6명 ② 8명 ③ 10명
④ 12명 ⑤ 14명

12 천재, 동아, 비상, 좋은책, 지학 유사

>>> 출제율 95%

어느 도시의 고등학교 학생 1000명의 수학 성적은 평균이 60점, 표준편차가 10점인 정규분포를 따른다고 한다. 이 1000명의 학생 중에서 수학 성적이 75점 이상인 학생의 수는? (단, $\mathrm{P}(0\le Z\le 1.5)=0.43$)

① 58명 ② 62명 ③ 66명
④ 70명 ⑤ 80명

13 천재, 미래엔, 비상, 지학 유사 >>> 출제율 68%

확률변수 X가 정규분포 $\mathrm{N}(100,\ 10^2)$을 따르고 $\mathrm{P}(k \le X \le 95) = 0.2417$일 때, 오른쪽 표준정규분포표를 이용하여 상수 k의 값을 구하시오.

z	$\mathrm{P}(0 \le Z \le z)$
0.5	0.1915
1.0	0.3413
1.5	0.4332

14 천재, 비상, 좋은책, 지학 유사 >>> 출제율 68%

정규분포 $\mathrm{N}(m,\ \sigma^2)$을 따르는 확률변수 X가 다음 조건을 만족시킬 때, $m \times \sigma^2$의 값은?

(가) $\mathrm{P}(X \le 7) = \mathrm{P}(X \ge 11)$
(나) $\mathrm{V}(3X) = 2$

① $\frac{17}{9}$　② 2　③ $\frac{19}{9}$
④ $\frac{20}{9}$　⑤ $\frac{7}{3}$

15 천재, 교학, 비상, 좋은책 유사 >>> 출제율 85%

두 확률변수 X, Y가 각각 정규분포

$\mathrm{N}(12,\ 2^2)$, $\mathrm{N}(18,\ 3^2)$

을 따르고, $\mathrm{P}(10 \le X \le 12) = \mathrm{P}(18 \le Y \le a)$일 때, 상수 a의 값을 구하시오.

16 천재, 미래엔, 비상, 좋은책, 지학 유사 >>> 출제율 95%

확률변수 X는 평균이 70이고 표준편차가 10인 정규분포를 따르고, 확률변수 Y는 평균이 45이고 표준편차가 15인 정규분포를 따른다.

$\mathrm{P}(80 \le X \le 90) = \mathrm{P}(k \le Y \le 30)$

일 때, 상수 k의 값을 구하시오.

17 천재, 동아, 미래엔, 비상, 좋은책 유사 >>> 출제율 75%

확률변수 X가 정규분포 $\mathrm{N}(10,\ 2^2)$을 따를 때, $\mathrm{P}(a \le X \le a+2)$가 최대가 되는 상수 a의 값은?

① 8　② 9　③ 10
④ 11　⑤ 12

18 천재, 동아, 비상, 좋은책, 지학 유사 >>> 출제율 95%

어느 반 학생들을 대상으로 실시한 IQ 검사 결과 학생들의 IQ는 평균 115, 표준편차 10인 정규분포를 따른다고 한다. 이때 상위 8 % 이내에 속하는 학생의 최저 IQ를 구하시오. (단, $\mathrm{P}(0 \le Z \le 1.4) = 0.42$)

정답과 해설 48쪽

19 천재, 비상, 좋은책, 지학 유사 출제율 78%

확률변수 X가 이항분포 $\mathrm{B}\left(1800, \frac{1}{3}\right)$을 따를 때, 오른쪽 표준정규분포표를 이용하여 $\mathrm{P}(576 \le X \le 628)$을 구하시오.

z	$\mathrm{P}(0 \le Z \le z)$
1.2	0.3849
1.4	0.4192
1.6	0.4452

20 천재, 금성, 동아, 좋은책, 지학 유사 출제율 80%

어느 회사의 직원을 대상으로 10년 이상 근무한 사람의 비율을 조사하였더니 전체의 20 %였다. 이 회사의 직원 중에서 임의로 400명을 뽑을 때, 10년 이상 근무한 사람의 수가 76명 이상 92명 이하일 확률을 위의 표준정규분포표를 이용하여 구하시오.

z	$\mathrm{P}(0 \le Z \le z)$
0.5	0.1915
1.0	0.3413
1.5	0.4332

21 천재, 금성, 좋은책, 지학 유사 출제율 80%

어느 고등학교에서 퍼즐 맞추기가 취미인 학생의 비율이 전체의 10 %라고 한다. 이 학교 학생 중에서 임의로 100명을 뽑을 때, 퍼즐 맞추기가 취미인 학생의 수가 13명 이하일 확률을 구하시오.

(단, $\mathrm{P}(0 \le Z \le 1) = 0.3413$)

과정을 평가하는 서술형입니다.

[22~24] 다음 문제의 풀이 과정을 자세히 쓰시오.

22 천재, 동아, 좋은책, 지학 유사 출제율 80%

확률변수 X의 확률밀도함수가

$$f(x) = \begin{cases} ax & (0 \le x \le 1) \\ -a(x-2) & (1 \le x \le 2) \end{cases}$$

일 때, $\mathrm{P}\left(\frac{1}{4} \le X \le 1\right)$을 구하고, 그 풀이 과정을 쓰시오. (단, a는 상수)

23 천재, 미래엔, 비상, 좋은책, 지학 유사 출제율 75%

어느 양계장에서 생산한 계란 1개의 무게는 평균이 52 g, 표준편차가 10 g인 정규분포를 따른다고 한다. 무게가 60 g 이상인 계란은 전체의 몇 %인지 구하고, 그 풀이 과정을 쓰시오.

(단, $\mathrm{P}(0 \le Z \le 0.8) = 0.29$)

24 천재, 교학, 미래엔, 비상 유사 출제율 65%

어느 고등학교에서 실시한 방과 후 학교 프로그램에 전체 학생의 60 %가 참여했다. 이 학교의 학생 중에서 임의로 600명을 뽑을 때, 방과 후 학교 프로그램에 참여한 학생의 수가 330명 이상일 확률을 구하고, 그 풀이 과정을 쓰시오.

(단, $\mathrm{P}(0 \le Z \le 2.5) = 0.4938$)

창의력·융합형·서술형·코딩

1

확률변수 X가 정규분포 $\mathrm{N}(m,\ \sigma^2)$을 따를 때, 표준정규분포표를 이용하면

$$\mathrm{P}(|X-m|\le\sigma)=0.6826,$$
$$\mathrm{P}(|X-m|\le2\sigma)=0.9544$$

임을 알 수 있다. 다음 물음에 답하시오.

(1) 오른쪽 표준정규분포표를 이용하여 확률변수 X의 값과 평균 m의 차가 3σ 이내에 있을 확률을 구하시오.

z	$\mathrm{P}(0\le Z\le z)$
1.0	0.3413
2.0	0.4772
3.0	0.4987

(2) 오른쪽 표준정규분포표를 이용하여

$\mathrm{P}(|X-m|\le k\sigma)$
$=0.95$

를 만족시키는 상수 k의 값을 구하시오.

z	$\mathrm{P}(0\le Z\le z)$
1.64	0.4495
1.96	0.4750
2.58	0.4951

2

세 학교 A, B, C의 수학 성적은 각각 정규분포를 따르고, 정규분포곡선은 오른쪽 그림과 같다. 다음 물음에 답하시오.

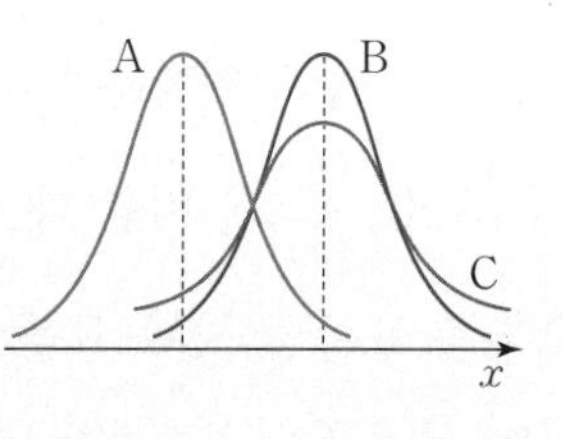

(1) 세 학교 A, B, C의 평균 성적을 각각 m_1, m_2, m_3이라 할 때, 세 수의 크기를 비교하시오.

(2) 세 학교 A, B, C의 성적의 표준편차를 각각 σ_1, σ_2, σ_3이라 할 때, 세 수의 크기를 비교하시오.

(3) 아래 네 학생 중 위의 정규분포곡선을 보고 옳게 말한 학생을 찾으시오.

3

어느 회사에서는 두 종류의 막대 모양의 과자 A, B를 생산하고 있다.

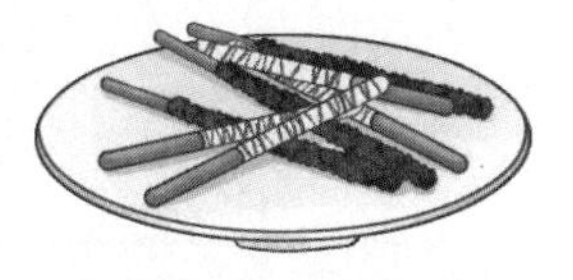

과자 A의 길이는 정규분포 $\mathrm{N}(10,\ 0.4^2)$을 따르고, 과자 B의 길이는 정규분포 $\mathrm{N}(12,\ 0.6^2)$을 따른다고 한다. 임의로 두 종류의 과자를 각각 하나씩 택할 때, 다음 물음에 답하시오.

(1) 과자 A의 길이가 d 이상일 확률을 구하시오.

(2) 과자 B의 길이가 d 이하일 확률을 구하시오.

(3) (1), (2)의 결과를 이용하여 과자 A의 길이가 d 이상일 확률과 과자 B의 길이가 d 이하일 확률이 같을 때, 상수 d의 값을 구하시오.

4

어느 회사에서 166명의 신입 사원을 선발하기 위해 입사 시험을 시행하였다. 지원자 1000명의 성적은 평균이 820점, 표준편차가 50점인 정규분포를 따른다고 한다. 다음 물음에 답하시오.

(1) 시험 성적이 850점인 지원자의 등수를 구하시오. (단, $\mathrm{P}(0 \le Z \le 0.6) = 0.226$)

(2) 합격자의 최저 점수는 상위 몇 %인지 구하시오.

(3) 합격자의 최저 점수를 구하시오.
(단, $\mathrm{P}(0 \le Z \le 0.97) = 0.334$)

통계적 추정

개념 01 모집단과 표본

(1) 통계 조사

① ❶ : 통계 조사에서 조사의 대상이 되는 집단 전체를 조사하는 것

② 표본조사: 통계 조사에서 조사의 대상 중에서 일부분만 택하여 조사하는 것

(2) 모집단과 표본

① 모집단: 통계 조사에서 조사의 대상이 되는 집단 전체

② ❷ : 모집단에서 뽑은 일부분

③ ❸ : 모집단의 각 대상이 표본에 포함될 확률이 동일하게 되도록 표본을 추출하는 방법

답 | ❶ 전수조사 ❷ 표본 ❸ 임의추출

QUIZ

다음 통계 조사 방법 중 아래 설명에 알맞은 것을 고르시오.

ㄱ. 전수조사　　ㄴ. 표본조사

❶ 자료의 특성을 정확히 알 수 있다.
❷ 자료의 특성을 근사적으로 알 수 있다.
❸ 많은 시간과 비용이 필요하다.
❹ 시간과 비용을 절약해야 하는 경우에 사용한다.

정답 |
❶ ㄱ ❷ ㄴ ❸ ㄱ ❹ ㄴ

개념 02 표본평균 $\overline{X}$의 분포

모평균이 m, 모분산이 σ^2인 모집단에서 크기가 n인 표본을 임의추출할 때, 표본평균 $\overline{X}$에 대하여 다음이 성립한다.

(1) $\mathrm{E}(\overline{X})=$ ❶ , $\mathrm{V}(\overline{X})=\dfrac{\sigma^2}{n}$, $\sigma(\overline{X})=\dfrac{\sigma}{\sqrt{n}}$

(2) 모집단이 정규분포 $\mathrm{N}(m, \sigma^2)$을 따르면 표본평균 $\overline{X}$는 정규분포 $\mathrm{N}(m,$ ❷ $)$을 따른다.

답 | ❶ m ❷ $\dfrac{\sigma^2}{n}$

QUIZ

모평균이 80, 모분산이 25인 모집단에서 크기가 100인 표본을 임의추출할 때, 다음을 구하시오.

❶ $\mathrm{E}(\overline{X})$
❷ $\mathrm{V}(\overline{X})$
❸ $\sigma(\overline{X})$

정답 |
❶ 80 ❷ $\frac{1}{4}$ ❸ $\frac{1}{2}$

개념 03 모평균의 추정과 신뢰구간

(1) ❶ : 표본평균을 이용하여 추정한 모평균의 범위

(2) 일반적으로 정규분포 $\mathrm{N}(m, \sigma^2)$을 따르는 모집단에서 크기가 n인 표본을 임의추출하여 구한 표본평균 $\overline{X}$의 값을 $\overline{x}$라 할 때, 모평균 m의 신뢰구간은 다음과 같다.

① 신뢰도 95 %인 신뢰구간

$$\overline{x}-1.96\frac{\sigma}{\sqrt{n}}\le m\le \overline{x}+1.96\frac{\sigma}{\sqrt{n}}$$

② 신뢰도 99 %인 신뢰구간

$$\overline{x}-2.58\frac{\sigma}{\sqrt{n}}\le m\le \overline{x}+\text{❷}\frac{\sigma}{\sqrt{n}}$$

참고 신뢰구간의 양 끝 차를 신뢰구간의 길이라 한다.

답 | ❶ 신뢰구간 ❷ 2.58

QUIZ

다음 □ 안에 알맞은 것을 써넣으시오.

표본에서 얻은 정보를 이용하여 모평균, 모분산, 모표준편차 등과 같은 모집단의 성질을 나타내는 값을 추측하는 방법을 ❶ 이라 한다. 예를 들어 어느 모집단의 모평균 m이 알려져 있지 않을 때, 표본조사를 통하여 얻은 모평균 m에 대한 정보로 모평균 m을 추측하는 것이 ❷ 의 추정이다.

정답 |
❶ 추정 ❷ 모평균

교과서 개념 확인 테스트

정답과 해설 51쪽

9종 교과서 예제·유제 공통 문제

개념 01 모집단과 표본

1-1 다음 조사에는 전수조사와 표본조사 중에서 어느 것이 더 적합한지 말하시오.

(1) 투표한 유권자에 대한 출구 조사

(2) 어느 고등학교 학생들의 체험 학습 참여 희망 조사

1-2 다음 조사에는 전수조사와 표본조사 중에서 어느 것이 더 적합한지 말하시오.

(1) 학급의 시험 성적 조사

(2) 대한민국 고등학생들의 평균 키에 대한 조사

개념 02 표본평균 $\overline{X}$의 분포

2-1 모평균이 2, 모분산이 16인 모집단에서 크기가 9인 표본을 임의추출할 때, 표본평균 $\overline{X}$의 평균, 분산, 표준편차를 구하시오.

2-2 모평균이 50, 모분산이 25인 모집단에서 크기가 36인 표본을 임의추출할 때, 표본평균 $\overline{X}$의 평균, 분산, 표준편차를 구하시오.

개념 03 신뢰구간

3-1 정규분포 $\mathrm{N}(m,\ 10^2)$을 따르는 모집단에서 크기가 25인 표본을 임의추출하여 구한 표본평균이 100일 때, 모평균 m의 신뢰도 95 %인 신뢰구간을 구하시오.

(단, $\mathrm{P}(|Z| \le 1.96) = 0.95$)

3-2 정규분포 $\mathrm{N}(m,\ 4^2)$을 따르는 모집단에서 크기가 4인 표본을 임의추출하여 구한 표본평균이 25일 때, 모평균 m의 신뢰도 99 %인 신뢰구간을 구하시오.

(단, $\mathrm{P}(|Z| \le 2.58) = 0.99$)

기출 기초 테스트

유형 01 모집단과 표본

(천재, 교학, 금성, 동아, 미래엔, 비상, 좋은책, 지학 유사)

1-1 우리나라 농어촌 지역 고등학교의 정보화 환경을 알아보기 위하여 농어촌 지역에서 100개의 고등학교를 임의로 뽑아 조사하였다. 이때 모집단, 표본, 표본의 크기를 말하시오.

1-2 A과수원에서 수확한 사과의 당도를 알아보기 위하여 사과 25개를 임의로 뽑아 그 당도를 조사하였다. 이때 모집단, 표본, 표본의 크기를 말하시오.

유형 02 표본평균 $\overline{X}$의 분포

(천재, 교학, 동아, 미래엔, 비상, 좋은책, 지학 유사)

2-1 정규분포 $\mathrm{N}(25,\ 4^2)$을 따르는 모집단에서 크기가 16인 표본을 임의추출할 때, 표본평균 $\overline{X}$의 평균, 표준편차를 구하시오.

2-2 정규분포 $\mathrm{N}(100,\ 10^2)$을 따르는 모집단에서 크기가 25인 표본을 임의추출할 때, 표본평균 $\overline{X}$의 평균, 표준편차를 구하시오.

유형 03 표본평균 $\overline{X}$의 분포

(천재, 교학, 금성, 동아, 좋은책, 지학 유사)

3-1 모평균이 40, 모표준편차가 3인 모집단에서 크기가 n인 표본을 임의추출할 때, 표본평균 $\overline{X}$는 근사적으로 정규분포 $\mathrm{N}\left(m,\ \frac{1}{9}\right)$을 따른다. 이때 m, n의 값을 구하시오.

3-2 모평균이 20, 모표준편차가 16인 모집단에서 크기가 n인 표본을 임의추출할 때, 표본평균 $\overline{X}$는 근사적으로 정규분포 $\mathrm{N}(m,\ 2^2)$을 따른다. 이때 m, n의 값을 구하시오.

정답과 해설 51쪽

유형 04 표본평균 $\overline{X}$의 분포

(천재, 교학, 금성, 동아, 미래엔, 비상, 좋은책, 지학 유사)

4-1 정규분포 $N(30,\ 6^2)$을 따르는 모집단에서 크기가 9인 표본을 임의추출하여 그 표본평균을 $\overline{X}$라 할 때, $P(\overline{X} \le 31)$을 구하시오.
(단, $P(0 \le Z \le 0.5)=0.1915$)

4-2 정규분포 $N(50,\ 10^2)$을 따르는 모집단에서 크기가 25인 표본을 임의추출하여 그 표본평균을 $\overline{X}$라 할 때, $P(\overline{X} \ge 52)$를 구하시오. (단, $P(0 \le Z \le 1)=0.3413$)

유형 05 신뢰구간

(천재, 금성, 동아, 좋은책, 지학 유사)

5-1 표준편차가 5인 정규분포를 따르는 모집단에서 크기가 100인 표본을 임의추출하여 구한 표본평균이 80일 때, 모평균 m의 신뢰도 95 %인 신뢰구간을 구하시오.
(단, $P(|Z| \le 1.96)=0.95$)

5-2 표준편차가 4인 정규분포를 따르는 모집단에서 크기가 25인 표본을 임의추출하여 구한 표본평균이 20일 때, 모평균 m의 신뢰도 99 %인 신뢰구간을 구하시오.
(단, $P(|Z| \le 2.58)=0.99$)

유형 06 신뢰구간의 길이

(천재, 교학, 금성, 동아, 미래엔, 비상, 좋은책, 지학 유사)

6-1 표준편차가 8인 정규분포를 따르는 모집단에서 크기가 n인 표본을 임의추출하여 모평균을 신뢰도 95 %로 추정할 때, 그 신뢰구간의 길이가 1.96 이하가 되도록 하는 n의 최솟값을 구하시오.
(단, $P(|Z| \le 1.96)=0.95$)

6-2 표준편차가 10인 정규분포를 따르는 모집단에서 크기가 n인 표본을 임의추출하여 모평균을 신뢰도 99 %로 추정할 때, 그 신뢰구간의 길이가 5.16 이하가 되도록 하는 n의 최솟값을 구하시오.
(단, $P(|Z| \le 2.58)=0.99$)

교과서 기본 테스트

01 천재, 교학, 동아, 미래엔, 비상, 좋은책 유사 ≫ 출제율 95%

다음은 어느 모집단에서 확률변수 X의 확률분포를 표로 나타낸 것이다. 이 모집단에서 크기가 4인 표본을 임의추출할 때, 표본평균 $\overline{X}$의 평균과 분산을 구하시오.

X	1	3	5	합계
$\mathrm{P}(X=x)$	$\frac{1}{5}$	$\frac{3}{5}$	$\frac{1}{5}$	1

02 천재, 동아, 미래엔, 비상, 좋은책, 지학 유사 ≫ 출제율 95%

다음 표와 같은 확률분포를 갖는 모집단에서 크기가 2인 표본을 임의추출하여 그 표본평균을 $\overline{X}$라 하자. $\mathrm{E}(\overline{X})=\frac{10}{3}$일 때, $\mathrm{V}(\overline{X})$를 구하시오.

X	a	$2a$	$3a$	합계
$\mathrm{P}(X=x)$	$\frac{1}{2}$	$\frac{1}{3}$	$\frac{1}{6}$	1

03 천재, 교학, 미래엔, 비상, 좋은책, 지학 유사 ≫ 출제율 80%

1, 2, 3, 4, 5의 숫자가 하나씩 적힌 다섯 개의 공이 들어 있는 주머니에서 세 개의 공을 복원추출하여 그 표본평균을 $\overline{X}$라 할 때, $\mathrm{V}(\overline{X})$를 구하시오.

04 천재, 미래엔, 비상, 좋은책, 지학 유사 ≫ 출제율 95%

정규분포 $\mathrm{N}(10,\ 8^2)$을 따르는 모집단에서 크기가 16인 표본을 임의추출하여 그 표본평균을 $\overline{X}$라 할 때, $\mathrm{E}(\overline{X})+\sigma(\overline{X})$의 값은?

① 6　② 8　③ 12　④ 14　⑤ 18

05 천재, 교학, 미래엔, 비상, 좋은책, 지학 유사 ≫ 출제율 95%

정규분포 $\mathrm{N}(14,\ 12^2)$을 따르는 모집단에서 크기가 n인 표본을 임의추출하여 그 표본평균을 $\overline{X}$라 할 때, $\sigma(\overline{X})=2$를 만족시키는 n의 값은?

① 20　② 24　③ 26　④ 33　⑤ 36

06 천재, 금성, 동아, 좋은책, 지학 유사 ≫ 출제율 68%

표준편차가 1인 정규분포를 이루는 모집단에서 크기가 n인 표본을 임의추출하여 그 표본평균을 $\overline{X}$라 할 때, $\sigma(\overline{X})\le\frac{1}{20}$을 만족시키는 n의 최솟값은?

① 100　② 200　③ 400　④ 625　⑤ 800

07 천재, 미래엔, 비상, 지학 유사

>>> 출제율 68%

평균이 40, 표준편차가 5인 정규분포를 따르는 모집단에서 크기가 100인 표본을 임의추출할 때, 표본평균 $\overline{X}$가 39.1 이상 41.2 이하일 확률을 구하시오. (단, $P(0 \le Z \le 1.8) = 0.46$, $P(0 \le Z \le 2.4) = 0.49$)

08 천재, 비상, 좋은책, 지학 유사

>>> 출제율 68%

정규분포 $N(60, 5^2)$을 따르는 모집단에서 크기가 n인 표본을 임의추출하여 그 표본평균을 $\overline{X}$라 할 때, 오른쪽 표준정규분포표를 이용하여 $P(\overline{X} \ge 61) \le 0.0228$을 만족시키는 n의 최솟값을 구하시오.

z	$P(0 \le Z \le z)$
1.0	0.3413
1.5	0.4332
2.0	0.4772

09 천재, 교학, 비상, 좋은책 유사

>>> 출제율 85%

어느 공장에서 생산하는 과자 한 봉지의 무게는 평균이 200 g, 표준편차가 20 g인 정규분포를 따른다고 한다. 이 공장에서 생산한 과자 중 16개를 임의추출하여 무게를 조사하였을 때, 그 표본평균을 $\overline{X}$라 하자. 이때 위의 표준정규분포표를 이용하여 $P(\overline{X} \ge 205)$를 구하시오.

z	$P(0 \le Z \le z)$
1.0	0.3413
1.5	0.4332
2.0	0.4772

10 천재, 미래엔, 비상, 좋은책, 지학 유사

>>> 출제율 95%

어느 농장에서 생산하는 배 한 개의 무게는 평균이 500 g, 표준편차가 12 g인 정규분포를 따른다고 한다. 이 농장에서 생산한 배 중 36개를 임의추출하여 무게를 조사하였을 때, 그 표본평균을 $\overline{X}$라 하자. 이때 위의 표준정규분포표를 이용하여 $P(\overline{X} \le 495)$를 구하시오.

z	$P(0 \le Z \le z)$
1.5	0.4332
2.0	0.4772
2.5	0.4938

11 천재, 동아, 미래엔, 비상, 좋은책 유사

>>> 출제율 75%

어느 음료 회사에서 생산하는 음료수 한 개의 부피는 평균이 200 mL, 표준편차가 10 mL인 정규분포를 따른다고 한다. 이 회사에서 생산한 음료수 중 100개를 임의추출할 때, 음료수 부피의 평균이 202 mL 이상일 확률은? (단, $P(0 \le Z \le 2) = 0.4772$)

① 0.0087 ② 0.0228 ③ 0.3577
④ 0.4772 ⑤ 0.4989

12 천재, 동아, 비상, 좋은책, 지학 유사

>>> 출제율 95%

어느 공장에서 생산하는 건전지 한 개의 수명은 평균이 45시간, 표준편차가 12시간인 정규분포를 따른다고 한다. 이 공장에서 생산한 건전지 중 36개를 임의추출할 때, 건전지 수명의 평균이 43시간 이상일 확률을 구하시오. (단, $P(0 \le Z \le 1) = 0.3413$)

13 천재, 미래엔, 비상, 지학 유사 ⋙ 출제율 68%

어느 회사 직원들의 일주일 동안 운동하는 시간은 평균이 65분, 표준편차가 14분인 정규분포를 따른다고 한다. 이 회사 직원 중 49명을 임의추출할 때, 일주일 동안 운동하는 시간의 평균이 68분 이상일 확률을 구하시오. (단, $\mathrm{P}(0 \leq Z \leq 1.5)=0.4332$)

14 천재, 비상, 좋은책, 지학 유사 ⋙ 출제율 68%

어느 공장에서 생산하는 컴퓨터 모니터의 수명은 평균이 15000시간, 표준편차가 500시간인 정규분포를 따른다고 한다. 이 공장에서 생산한 컴퓨터 모니터 중 25개를 임의추출할 때, 모니터 수명의 평균이 14900시간 이상 15100시간 이하일 확률을 구하시오. (단, $\mathrm{P}(0 \leq Z \leq 1)=0.3413$)

15 천재, 교학, 비상, 좋은책 유사 ⋙ 출제율 85%

표준편차가 3인 정규분포를 따르는 모집단에서 크기가 81인 표본을 임의추출하여 구한 표본평균이 45일 때, 모평균 m의 신뢰도 99 %인 신뢰구간은? (단, $\mathrm{P}(|Z| \leq 2.58)=0.99$)

① $41.02 \leq m \leq 48.98$ ② $42.42 \leq m \leq 47.58$
③ $43 \leq m \leq 47$ ④ $43.24 \leq m \leq 46.76$
⑤ $44.14 \leq m \leq 45.86$

16 천재, 미래엔, 비상, 좋은책, 지학 유사 ⋙ 출제율 95%

어느 학교 학생들의 키는 표준편차가 8 cm인 정규분포를 따른다고 한다. 이 학교 학생들 중 64명을 임의추출하여 조사한 키의 평균이 157.2 cm이었다. 이 학교 학생들의 전체 평균 키 m의 신뢰도 95 %인 신뢰구간을 구하시오.

(단, $\mathrm{P}(|Z| \leq 1.96)=0.95$)

17 천재, 동아, 미래엔, 비상, 좋은책 유사 ⋙ 출제율 75%

어느 회사에서 생산하는 A자동차의 연비는 정규분포를 따른다고 한다. 이 회사에서 생산한 A자동차 900대를 임의추출하여 조사한 연비의 평균이 12 km/L, 표준편차가 3 km/L이었다. 이때 A자동차의 평균 연비 m의 신뢰도 95 %인 신뢰구간은? (단, $\mathrm{P}(|Z| \leq 1.96)=0.95$)

① $10.04 \leq m \leq 13.96$ ② $11.348 \leq m \leq 12.652$
③ $11.51 \leq m \leq 12.49$ ④ $11.804 \leq m \leq 12.196$
⑤ $11.986 \leq m \leq 12.014$

18 천재, 동아, 비상, 좋은책, 지학 유사 ⋙ 출제율 95%

어느 양식장에서 키우는 물고기의 길이는 표준편차가 3 cm인 정규분포를 따른다고 한다. 이 양식장에서 키우는 물고기 n마리를 임의추출하여 조사한 평균 길이 m의 신뢰도 99 %인 신뢰구간이 $30.71 \leq m \leq 33.29$이었다. 이때 n의 값을 구하시오. (단, $\mathrm{P}(|Z| \leq 2.58)=0.99$)

정답과 해설 54쪽

19 천재, 비상, 좋은책, 지학 유사 ⋙ 출제율 78%

어느 회사에서 생산하는 배드민턴 라켓의 무게는 표준편차가 σ g인 정규분포를 따른다고 한다. 이 회사에서 생산한 배드민턴 라켓 중 49개를 임의추출하여 평균 무게 m을 신뢰도 95 %로 추정할 때, 그 신뢰구간의 길이가 1.12 g이었다. 이때 σ의 값을 구하시오. (단, $\mathrm{P}(|Z| \le 1.96)=0.95$)

20 천재, 금성, 동아, 좋은책, 지학 유사 ⋙ 출제율 80%

어느 공장에서 생산하는 제품의 무게는 표준편차가 0.5 g인 정규분포를 따른다고 한다. 이 공장에서 생산한 제품 중 표본을 임의추출하여 제품 무게의 평균 m을 신뢰도 95 %로 추정할 때, 그 신뢰구간의 길이가 0.2 g 이하가 되도록 하는 표본의 크기의 최솟값을 구하시오. (단, $\mathrm{P}(|Z| \le 1.96)=0.95$)

21 천재, 금성, 좋은책, 지학 유사 ⋙ 출제율 80%

어느 모집단에서 크기가 64인 표본을 임의추출하여 모평균을 신뢰도 99 %로 추정한 신뢰구간의 길이를 h라 하자. 같은 신뢰도로 모평균을 추정할 때, 신뢰구간의 길이를 $\frac{1}{4}h$로 하려면 표본의 크기를 얼마로 해야 하는가? (단, $\mathrm{P}(|Z| \le 2.58)=0.99$)

① 128 ② 256 ③ 512
④ 1024 ⑤ 4096

과정을 평가하는 서술형입니다.

[22~24] 다음 문제의 풀이 과정을 자세히 쓰시오.

22 천재, 동아, 좋은책, 지학 유사 ⋙ 출제율 80%

모평균이 20, 모표준편차가 8인 모집단에서 크기가 n인 표본을 임의추출할 때, 표본평균 $\overline{X}$에 대하여 $\mathrm{E}(\overline{X})+\mathrm{V}(\overline{X})=24$이다. 이때 n의 값을 구하고, 그 풀이 과정을 쓰시오.

23 천재, 미래엔, 비상, 좋은책, 지학 유사 ⋙ 출제율 75%

어느 농장에서 생산하는 호박 한 개의 무게는 평균이 460 g, 표준편차가 25 g인 정규분포를 따른다고 한다. 이 농장에서 생산한 호박 중 100개를 임의추출하여 무게를 검사할 때, 13개 이상이 무게가 492 g 이상일 확률을 구하고, 그 풀이 과정을 쓰시오.
(단, $\mathrm{P}(0 \le Z \le 1)=0.34$, $\mathrm{P}(0 \le Z \le 1.28)=0.4$)

24 천재, 교학, 미래엔, 비상 유사 ⋙ 출제율 65%

표준편차가 σ인 정규분포를 따르는 모집단에서 크기가 n인 표본을 임의추출하여 얻은 모평균 m의 신뢰도 95 %인 신뢰구간이 $56.08 \le m \le 63.92$이었다. 같은 표본을 이용하여 얻은 모평균 m의 신뢰도 99 %인 신뢰구간을 구하고, 그 풀이 과정을 쓰시오.
(단, $\mathrm{P}(|Z| \le 1.96)=0.95$, $\mathrm{P}(|Z| \le 2.58)=0.99$)

창의력·융합형·서술형·코딩

1

모평균이 10, 모표준편차가 12인 모집단에서 크기가 $n=9$, $n=36$인 표본을 각각 임의추출할 때, 다음 물음에 답하시오.

(1) $n=9$, $n=36$일 때, 표본평균 $\overline{X}$의 평균과 표준편차를 각각 구하시오.

(2) $n=9$일 때, 오른쪽 표준정규분포표를 이용하여 $P(9\le\overline{X}\le11)$, $P(13\le\overline{X}\le15)$를 구하시오.

z	$P(0\le Z\le z)$
0.25	0.0987
0.75	0.2734
1.25	0.3944

(3) $n=36$일 때, 오른쪽 표준정규분포표를 이용하여 $P(9\le\overline{X}\le11)$, $P(13\le\overline{X}\le15)$를 구하시오.

z	$P(0\le Z\le z)$
0.5	0.1915
1.5	0.4332
2.5	0.4938

(4) 위의 (2), (3)을 이용하여 다음 표를 완성하고, 확률이 표본의 크기에 따라 어떻게 달라지는지 설명하시오.

	$P(9\le\overline{X}\le11)$	$P(13\le\overline{X}\le15)$
$n=9$		
$n=36$		

2

어느 고등학교 2학년 학생들의 오래 매달리기 기록은 표준편차가 3초인 정규분포를 따른다고 한다. 이 고등학교 2학년 학생 중에서 36명을 임의추출하여 기록을 측정하였더니 평균이 8초이었다. 다음 물음에 답하시오.

(1) 표본평균 $\overline{X}$의 분포를 구하시오.

(2) 이 고등학교 2학년 전체 학생의 평균 기록 m초의 신뢰도 95 %인 신뢰구간을 구하시오.
(단, $P(|Z|\le1.96)=0.95$)

(3) 이 고등학교 2학년 전체 학생의 평균 기록 m초의 신뢰도 99 %인 신뢰구간을 구하시오.
(단, $P(|Z|\le2.58)=0.99$)

3

모평균을 추정하여 자료를 분석할 때, 신뢰도는 높을수록, 신뢰구간의 길이는 짧을수록 자료 분석에 유용하다. 다음 물음에 답하시오.

(1) 표본의 크기가 일정할 때, 신뢰도가 높아질수록 신뢰구간의 길이는 어떻게 변하는지 설명하시오.

(2) 신뢰도가 일정할 때, 신뢰구간의 길이를 짧게 하려면 어떻게 해야 하는지 설명하시오.

4

어느 공장에서 생산하는 빵의 무게는 평균이 200 g, 표준편차가 12 g인 정규분포를 따른다고 한다. 이 공장에서는 생산한 빵 중에서 크기가 n인 표본을 임의추출하여 구한 표본평균 $\overline{X}$가 a 이하이면 생산 시스템에 이상이 있는 것으로 판단한다. 이 공장에서 생산 시스템에 이상이 있다고 판단될 확률이 0.01이라 할 때, 다음 물음에 답하시오.

(1) $n=16$일 때, 오른쪽 표준정규분포표를 이용하여 a의 값을 구하시오.

z	$P(0\leq Z\leq z)$
1.88	0.47
2.05	0.48
2.33	0.49

(2) $n=900$일 때, 위의 표준정규분포표를 이용하여 a의 값을 구하시오.

(3) 위의 (1), (2)를 참고하여 n과 a의 관계를 설명하시오.

하고 싶은 것을 하라

Success follows doing what you want to do.
There is no other way to be successful.
- Malcolm Forbes

성공은 당신이 하고자 하는 일을 할 때 따라온다.
성공의 다른 길은 없다.
– 맬컴 포브스

부록

표준정규분포표 120

표준정규분포표

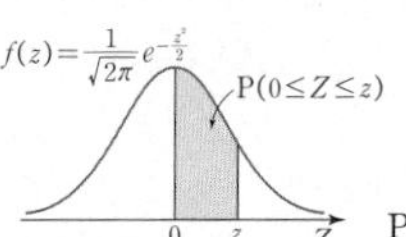

$P(0\leq Z\leq z)$는 왼쪽 그림에서 색칠한 부분의 넓이이다.

z	0.00	0.01	0.02	0.03	0.04	0.05	0.06	0.07	0.08	0.09
0.0	**.0000**	**.0040**	**.0080**	**.0120**	**.0160**	**.0199**	**.0239**	**.0279**	**.0319**	**.0359**
0.1	.0398	.0438	.0478	.0517	.0557	.0596	.0636	.0675	.0714	.0753
0.2	.0793	.0832	.0871	.0910	.0948	.0987	.1026	.1064	.1103	.1141
0.3	.1179	.1217	.1255	.1293	.1331	.1368	.1406	.1443	.1480	.1517
0.4	.1554	.1591	.1628	.1664	.1700	.1736	.1772	.1808	.1844	.1879
0.5	**.1915**	**.1950**	**.1985**	**.2019**	**.2054**	**.2088**	**.2123**	**.2157**	**.2190**	**.2224**
0.6	.2257	.2291	.2324	.2357	.2389	.2422	.2454	.2486	.2517	.2549
0.7	.2580	.2611	.2642	.2673	.2704	.2734	.2764	.2794	.2823	.2852
0.8	.2881	.2910	.2939	.2967	.2995	.3023	.3051	.3078	.3106	.3133
0.9	.3159	.3186	.3212	.3238	.3264	.3289	.3315	.3340	.3365	.3389
1.0	**.3413**	**.3438**	**.3461**	**.3485**	**.3508**	**.3531**	**.3554**	**.3577**	**.3599**	**.3621**
1.1	.3643	.3665	.3686	.3708	.3729	.3749	.3770	.3790	.3810	.3830
1.2	.3849	.3869	.3888	.3907	.3925	.3944	.3962	.3980	.3997	.4015
1.3	.4032	.4049	.4066	.4082	.4099	.4115	.4131	.4147	.4162	.4177
1.4	.4192	.4207	.4222	.4236	.4251	.4265	.4279	.4292	.4306	.4319
1.5	**.4332**	**.4345**	**.4357**	**.4370**	**.4382**	**.4394**	**.4406**	**.4418**	**.4429**	**.4441**
1.6	.4452	.4463	.4474	.4484	.4495	.4505	.4515	.4525	.4535	.4545
1.7	.4554	.4564	.4573	.4582	.4591	.4599	.4608	.4616	.4625	.4633
1.8	.4641	.4649	.4656	.4664	.4671	.4678	.4686	.4693	.4699	.4706
1.9	.4713	.4719	.4726	.4732	.4738	.4744	.4750	.4756	.4761	.4767
2.0	**.4772**	**.4778**	**.4783**	**.4788**	**.4793**	**.4798**	**.4803**	**.4808**	**.4812**	**.4817**
2.1	.4821	.4826	.4830	.4834	.4838	.4842	.4846	.4850	.4854	.4857
2.2	.4861	.4864	.4868	.4871	.4875	.4878	.4881	.4884	.4887	.4890
2.3	.4893	.4896	.4898	.4901	.4904	.4906	.4909	.4911	.4913	.4916
2.4	.4918	.4920	.4922	.4925	.4927	.4929	.4931	.4932	.4934	.4936
2.5	**.4938**	**.4940**	**.4941**	**.4943**	**.4945**	**.4946**	**.4948**	**.4949**	**.4951**	**.4952**
2.6	.4953	.4955	.4956	.4957	.4959	.4960	.4961	.4962	.4963	.4964
2.7	.4965	.4966	.4967	.4968	.4969	.4970	.4971	.4972	.4973	.4974
2.8	.4974	.4975	.4976	.4977	.4977	.4978	.4979	.4979	.4980	.4981
2.9	.4981	.4982	.4982	.4983	.4984	.4984	.4985	.4985	.4986	.4986
3.0	**.4987**	**.4987**	**.4987**	**.4988**	**.4988**	**.4989**	**.4989**	**.4989**	**.4990**	**.4990**
3.1	.4990	.4991	.4991	.4991	.4992	.4992	.4992	.4992	.4993	.4993
3.2	.4993	.4993	.4994	.4994	.4994	.4994	.4994	.4995	.4995	.4995
3.3	.4995	.4995	.4995	.4996	.4996	.4996	.4996	.4996	.4996	.4997
3.4	.4997	.4997	.4997	.4997	.4997	.4997	.4997	.4997	.4997	.4998

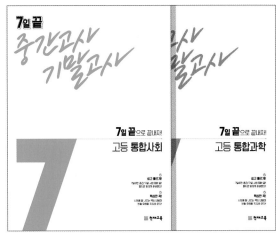

교과서 다품

천재교육

교과서 다품

정답과 해설

너 ♥
잘할거야

확률과 통계

교과서 다:품

정답과 해설

I 경우의 수

01 여러 가지 순열

STEP 1 교과서 개념 확인 테스트 | 본문 10~11쪽

1-1 [접시 1]과 [접시 3]	1-2 ㄱ과 ㄹ, ㄴ과 ㄷ
2-1 120	2-2 (1) 6 (2) 720
3-1 64	3-2 (1) 9 (2) 120
4-1 (1) 210 (2) 180	4-2 560
5-1 60	5-2 120
6-1 (1) 70 (2) 30	6-2 (1) 40 (2) 86

1-1 [접시 3]을 회전시키면 다음 그림과 같이 [접시 1]과 칠해진 색의 순서가 서로 같다.
따라서 서로 같은 접시는 [접시 1]과 [접시 3]이다.

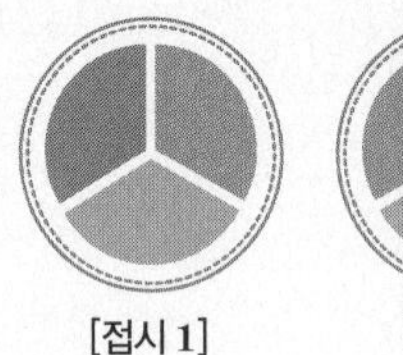
[접시 1]

[접시 2]

[접시 3]

1-2 네 개의 문자 A, B, C, D를 다음 그림과 같이 원형으로 배열할 때, ㄱ의 배열을 회전시키면 ㄹ의 배열과 일치하고, ㄴ의 배열을 회전시키면 ㄷ의 배열과 일치한다.

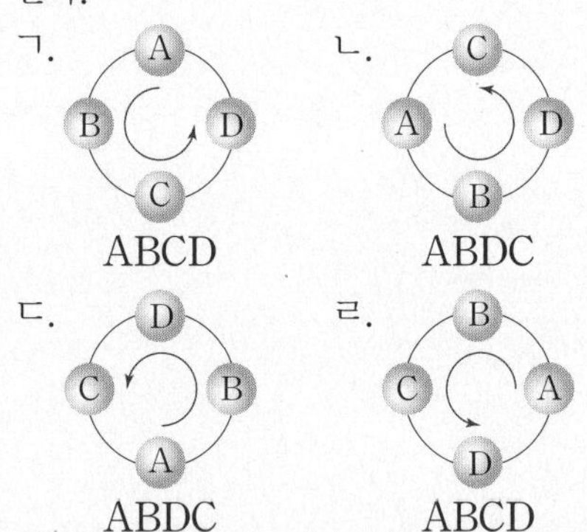

따라서 서로 같은 것은 ㄱ과 ㄹ, ㄴ과 ㄷ이다.

2-1 $(6-1)!=5!=120$

2-2 (1) $(4-1)!=3!=6$
(2) $(7-1)!=6!=720$

3-1 백의 자리, 십의 자리, 일의 자리에는 각각 1, 2, 3, 4가 중복하여 올 수 있으므로 그 경우의 수는
$_4\Pi_3=4^3=64$

3-2 (1) 십의 자리, 일의 자리에는 각각 5, 6, 7이 중복하여 올 수 있으므로 그 경우의 수는
$_3\Pi_2=3^2=9$
(2) 중복을 허용하여 세 개의 숫자 5, 6, 7로 만들 수 있는
(i) 한 자리 자연수의 개수
$_3\Pi_1=3^1=3$
(ii) 두 자리 자연수의 개수
$_3\Pi_2=3^2=9$
(iii) 세 자리 자연수의 개수
$_3\Pi_3=3^3=27$
(iv) 네 자리 자연수의 개수
$_3\Pi_4=3^4=81$
(i)~(iv)에서 구하는 경우의 수는
$3+9+27+81=120$

4-1 (1) $\frac{7!}{4!}=210$
(2) $\frac{6!}{2!2!}=180$

4-2 $\frac{8!}{2!3!3!}=560$

5-1 a, b의 순서가 정해져 있으므로 a, b를 모두 A로 생각하여 다섯 개의 문자 c, d, e, A, A를 일렬로 나열한 후, 첫 번째 A는 a, 두 번째 A는 b로 바꾸면 된다.
따라서 구하는 경우의 수는 $\frac{5!}{2!}=60$

5-2 1, 3, 5의 순서가 정해져 있으므로 1, 3, 5를 모두 A로 생각하여 여섯 개의 숫자 2, 4, 6, A, A, A를 일렬로 나열한 후, 첫 번째 A는 1, 두 번째 A는 3, 세 번째 A는 5로 바꾸면 된다. 따라서 구하는 경우의 수는
$\frac{6!}{3!}=120$

6-1 (1) A지점에서 B지점까지 최단 거리로 가려면 오른쪽으로 4칸, 위쪽으로 4칸 이동해야 한다. 오른쪽으로 한 칸 이동하는 것을 a, 위쪽으로 한 칸 이동하는 것을 b라 하면 A지점에서 B지점까지 최단 거리로 가는 경우의 수는 a, a, a, a, b, b, b, b를 일렬로 나열하는 경우의 수와 같다. 따라서 구하는 경우의 수는 $\frac{8!}{4!4!}=70$
(2) A지점에서 P지점까지 최단 거리로 가는 경우의 수는 $\frac{5!}{3!2!}=10$
P지점에서 B지점까지 최단 거리로 가는 경우의 수는 $\frac{3!}{2!}=3$

따라서 구하는 경우의 수는

$10\times3=30$

6-2 (1) A지점에서 P지점까지 최단 거리로 가는 경우의 수는 $\frac{4!}{3!}=4$

P지점에서 B지점까지 최단 거리로 가는 경우의 수는 $\frac{5!}{2!3!}=10$

따라서 구하는 경우의 수는

$4\times10=40$

(2) A지점에서 B지점까지 최단 거리로 가는 경우의 수는 $\frac{9!}{5!4!}=126$

A지점에서 P지점을 거쳐 B지점까지 최단 거리로 가는 경우의 수는 $\frac{4!}{3!}\times\frac{5!}{2!3!}=4\times10=40$

따라서 구하는 경우의 수는

$126-40=86$

참고 오른쪽 그림과 같은 도로망에서 A지점에서 P지점을 거치지 않고 B지점까지 최단 거리로 가는 경우의 수는 다음과 같이 구할 수 있다.

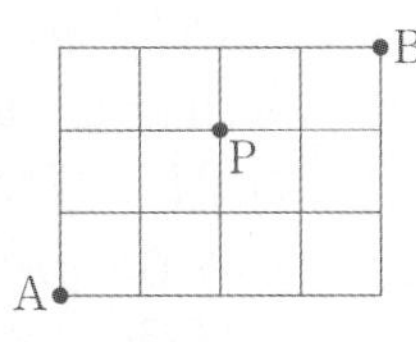

(A지점에서 B지점까지 최단 거리로 가는 경우의 수)

−(A지점에서 P지점을 거쳐 B지점까지 최단 거리로 가는 경우의 수)

STEP 2 기출 기초 테스트 | 본문 12~15쪽

1-1 24	**1-2** 720
2-1 48	**2-2** 720
3-1 12	**3-2** 72
4-1 1440	**4-2** 86400
5-1 24	**5-2** 720
6-1 30	**6-2** 840
7-1 (1) 27 (2) 48	**7-2** 162
8-1 81	**8-2** (1) 64 (2) 256
9-1 (1) 16 (2) 48	**9-2** (1) 100 (2) 50
10-1 (1) 90 (2) 420	**10-2** (1) 30 (2) 1680
11-1 15	**11-2** 210
12-1 120	**12-2** 9

1-1 5명이 원탁에 둘러앉는 경우의 수는

$(5-1)!=4!=24$

1-2 7명이 원탁에 둘러앉는 경우의 수는

$(7-1)!=6!=720$

2-1 중국인 2명을 한 명으로 생각하여 5명이 원탁에 둘러앉는 경우의 수는 $(5-1)!=4!=24$

중국인 2명이 자리를 바꾸어 앉는 경우의 수는

$2!=2$

따라서 구하는 경우의 수는 $24\times2=48$

2-2 안경을 쓴 학생 3명을 한 명으로 생각하여 6명이 원탁에 둘러앉는 경우의 수는 $(6-1)!=5!=120$

안경을 쓴 학생 3명이 자리를 바꾸어 앉는 경우의 수는 $3!=6$

따라서 구하는 경우의 수는 $120\times6=720$

3-1 이웃해도 되는 남학생 3명이 원탁에 둘러앉는 경우의 수는

$(3-1)!=2!=2$

이때 여학생은 남학생 사이사이에 한 명씩 앉아야 한다. 즉 3곳의 자리 중 2곳을 택하여 앉으면 되므로

${}_3P_2=6$

따라서 구하는 경우의 수는 $2\times6=12$

3-2 이웃해도 되는 자녀 4명이 원탁에 둘러앉는 경우의 수는

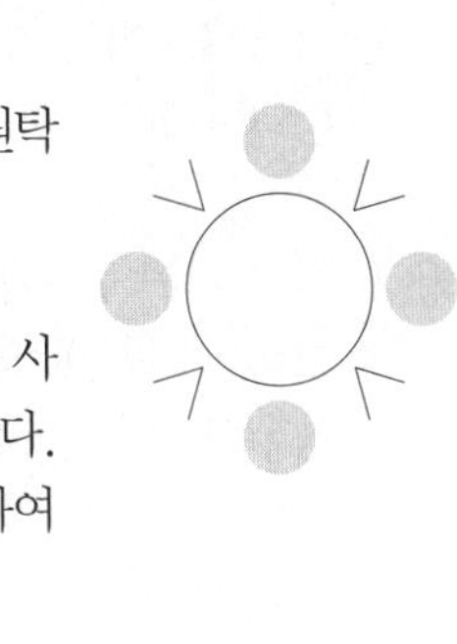

$(4-1)!=3!=6$

이때 아버지와 어머니는 자녀 사이사이에 한 명씩 앉아야 한다. 즉 4곳의 자리 중 2곳을 택하여 앉으면 되므로

${}_4P_2=12$

따라서 구하는 경우의 수는 $6\times12=72$

4-1 이웃해도 되는 남학생 5명이 원탁에 둘러앉는 경우의 수는

$(5-1)!=4!=24$

이때 여학생은 남학생 사이사이에 한 명씩 앉아야 한다. 즉 5곳의 자리 중 3곳을 택하여 앉으면 되므로

${}_5P_3=60$

따라서 구하는 경우의 수는 $24\times60=1440$

4-2 이웃해도 되는 여학생 6명이 원탁에 둘러앉는 경우의 수는

$(6-1)!=5!=120$

이때 남학생은 여학생 사이사이에 한 명씩 앉아야 한다. 즉 6곳의 자리 중 6곳을 택하여 앉으면 되므로

${}_6P_6=6!=720$

따라서 구하는 경우의 수는

$120\times720=86400$

5-1 아버지의 자리가 결정되면 어머니의 자리는 아버지와 마주 보는 자리로 고정되므로 부모가 마주 보고 앉는 경우의 수는 5명이 원탁에 둘러앉는 경우의 수와 같다. 따라서 구하는 경우의 수는
$(5-1)!=4!=24$

5-2 남편의 자리가 결정되면 아내의 자리는 남편과 마주 보는 자리로 고정되므로 부부가 마주 보고 앉는 경우의 수는 7명이 원탁에 둘러앉는 경우의 수와 같다.
따라서 구하는 경우의 수는
$(7-1)!=6!=720$

6-1 서로 다른 5가지 색으로 오른쪽 그림의 가운데 영역 ①을 칠하는 경우의 수는 5이다.
나머지 영역인 ②, ③, ④, ⑤를 칠하는 경우의 수는 가운데 영역 ①에 칠한 색을 제외한 나머지 4가지 색을 원형으로 배열하는 원순열의 수와 같으므로
$(4-1)!=3!=6$
따라서 구하는 경우의 수는
$5\times6=30$

6-2 서로 다른 7가지 색으로 오른쪽 그림의 가운데 영역 ①을 칠하는 경우의 수는 7이다.
나머지 영역인 ②, ③, ④, ⑤, ⑥, ⑦을 칠하는 경우의 수는 가운데 영역 ①에 칠한 색을 제외한 나머지 6가지 색을 원형으로 배열하는 원순열의 수와 같으므로
$(6-1)!=5!=120$
따라서 구하는 경우의 수는
$7\times120=840$

7-1 (1) 백의 자리, 십의 자리, 일의 자리에는 각각 1, 3, 5가 중복하여 올 수 있으므로 그 경우의 수는
$_3\Pi_3=3^3=27$
(2) 백의 자리에는 0을 제외한 1, 2, 3이 올 수 있으므로 그 경우의 수는 3이다.
십의 자리, 일의 자리에는 각각 0, 1, 2, 3이 중복하여 올 수 있으므로 그 경우의 수는
$_4\Pi_2=4^2=16$
따라서 구하는 경우의 수는
$3\times16=48$

7-2 만의 자리에는 0을 제외한 1, 2가 올 수 있으므로 그 경우의 수는 2이다.
천의 자리, 백의 자리, 십의 자리, 일의 자리에는 각각 0, 1, 2가 중복하여 올 수 있으므로 그 경우의 수는
$_3\Pi_4=3^4=81$
따라서 구하는 경우의 수는
$2\times81=162$

8-1 집합 X에서 집합 Y로의 함수 f의 개수는 집합 Y의 원소 a, b, c의 3개에서 중복을 허용하여 4개를 택하는 중복순열의 수와 같다.
따라서 구하는 함수 f의 개수는
$_3\Pi_4=3^4=81$

참고 두 집합 X, Y에 대하여 $n(X)=r$, $n(Y)=n$일 때, 집합 X에서 집합 Y로의 함수의 개수는 다음과 같이 구할 수 있다.
➡ $_n\Pi_r=n^r$ (← 정의역의 원소의 개수, ↑ 공역의 원소의 개수)
(X → f → Y: 원소 r개, 원소 n개)

8-2 (1) 집합 X에서 집합 Y로의 함수 f의 개수는 집합 Y의 원소 a, b, c, d의 4개에서 중복을 허용하여 3개를 택하는 중복순열의 수와 같다.
따라서 구하는 함수 f의 개수는
$_4\Pi_3=4^3=64$
(2) 집합 Y에서 집합 Y로의 함수 g의 개수는 집합 Y의 원소 a, b, c, d의 4개에서 중복을 허용하여 4개를 택하는 중복순열의 수와 같다.
따라서 구하는 함수 g의 개수는
$_4\Pi_4=4^4=256$

9-1 (1) $f(1)$과 $f(3)$의 값이 될 수 있는 수는 1, 3의 2개, $f(2)$와 $f(4)$의 값이 될 수 있는 수는 2, 4의 2개이다.
따라서 구하는 함수 f의 개수는
$_2\Pi_2\times{}_2\Pi_2=2^2\times2^2=16$
(2) $f(1)=1$이고, $f(2)$의 값이 될 수 있는 수는 1, 3, 4의 3개, $f(3)$과 $f(4)$의 값이 될 수 있는 수는 1, 2, 3, 4의 4개이다.
따라서 구하는 함수 f의 개수는
$3\times{}_4\Pi_2=3\times4^2=48$

9-2 (1) $f(1)$의 값이 될 수 있는 수는 3, 4, 5, 6의 4개, $f(2)$와 $f(3)$의 값이 될 수 있는 수는 2, 3, 4, 5, 6의 5개이다. 따라서 구하는 함수 f의 개수는
$4\times{}_5\Pi_2=4\times5^2=100$
(2) $f(1)$과 $f(3)$의 값이 될 수 있는 수는 2, 3, 4, 5, 6의 5개, $f(2)$의 값이 될 수 있는 수는 3, 5의 2개이다. 따라서 구하는 함수 f의 개수는
$_5\Pi_2\times2=5^2\times2=50$

10-1 (1) $\frac{6!}{2!2!2!}=90$

(2) $\frac{7!}{3!2!}=420$

10-2 (1) $\frac{5!}{2!2!}=30$

(2) $\frac{8!}{2!3!2!}=1680$

11-1 $\frac{6!}{2!4!}=15$

11-2 $\frac{7!}{2!3!2!}=210$

12-1 A지점에서 P지점까지 최단 거리로 가는 경우의 수는 $\frac{4!}{2!2!}=6$

P지점에서 Q지점까지 최단 거리로 가는 경우의 수는

$\frac{5!}{3!2!}=10$

Q지점에서 B지점까지 최단 거리로 가는 경우의 수는

$2!=2$

따라서 구하는 경우의 수는

$6\times10\times2=120$

12-2 다음 그림과 같이 두 점 P, Q를 놓으면 A지점에서 B지점까지 최단 거리로 가는 방법은 A지점에서 출발하여 선분 PQ를 거쳐 B지점으로 가는 것이다.

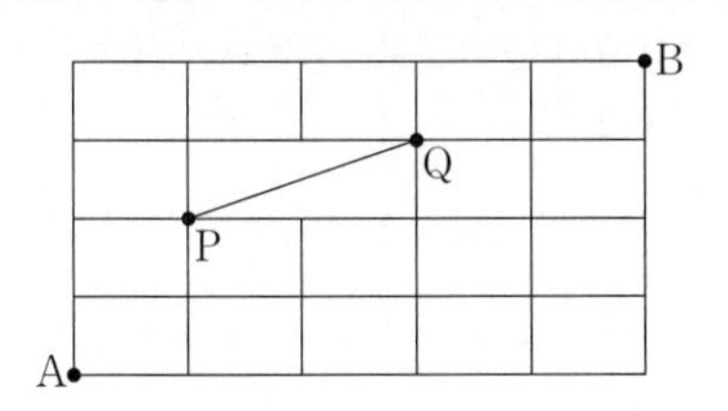

A지점에서 P지점까지 최단 거리로 가는 경우의 수는

$\frac{3!}{2!}=3$

P지점에서 Q지점까지 최단 거리로 가는 경우의 수는

1

Q지점에서 B지점까지 최단 거리로 가는 경우의 수는

$\frac{3!}{2!}=3$

따라서 구하는 경우의 수는

$3\times1\times3=9$

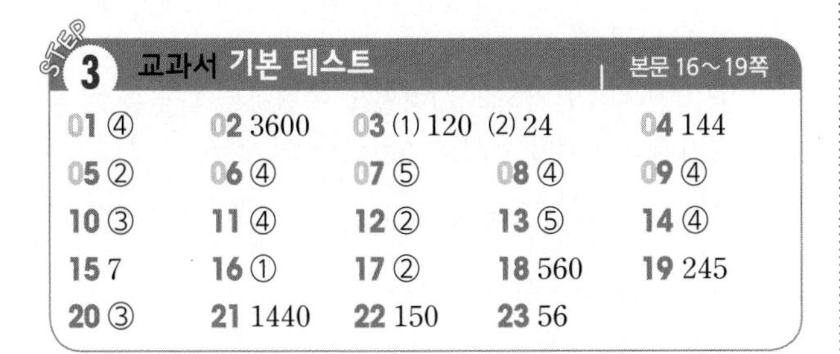

STEP 3 교과서 기본 테스트 | 본문 16~19쪽

01 ④	02 3600	03 (1) 120 (2) 24		04 144
05 ②	06 ④	07 ⑤	08 ④	09 ④
10 ③	11 ④	12 ②	13 ⑤	14 ④
15 7	16 ①	17 ②	18 560	19 245
20 ③	21 1440	22 150	23 56	

01 여학생 3명을 한 명으로 생각하여 5명이 원탁에 둘러앉는 경우의 수는 $(5-1)!=4!=24$

여학생 3명이 자리를 바꾸어 앉는 경우의 수는 $3!=6$

따라서 구하는 경우의 수는

$24\times6=144$

02 이웃해도 되는 여학생 6명이 원탁에 둘러앉는 경우의 수는

$(6-1)!=5!=120$

이때 남학생은 여학생 사이사이에 한 명씩 앉아야 한다. 즉 6곳의 자리 중 2곳을 택하여 앉으면 되므로

${}_6P_2=30$

따라서 구하는 경우의 수는

$120\times30=3600$

03 (1) $(6-1)!=5!=120$

(2) 보라색 의자가 놓이는 자리가 결정되면 노란색 의자가 놓이는 자리는 보라색 의자와 마주 보는 자리로 고정되므로 보라색 의자와 노란색 의자를 마주 보게 배열하는 경우의 수는 5개의 의자를 원형으로 배열하는 경우의 수와 같다.

따라서 구하는 경우의 수는

$(5-1)!=4!=24$

04 남학생과 여학생이 번갈아 앉는 경우는 오른쪽 그림과 같은 경우이다. 남학생 4명이 먼저 원탁에 둘러앉는 경우의 수는

$(4-1)!=3!=6$

이때 여학생은 남학생 사이사이에 한 명씩 앉아야 한다. 즉 4곳의 자리 중 4곳을 택하여 앉으면 되므로 ${}_4P_4=4!=24$

따라서 구하는 경우의 수는

$6\times24=144$

05 10명이 원형으로 둘러앉는 경우의 수는

$(10-1)!=9!$

그런데 직사각형 모양의 탁자에 둘러앉는 경우는 원형으로 둘러앉은 한 가지 경우에 대하여 다음 그림과 같이 5가지의 서로 다른 경우가 존재한다.

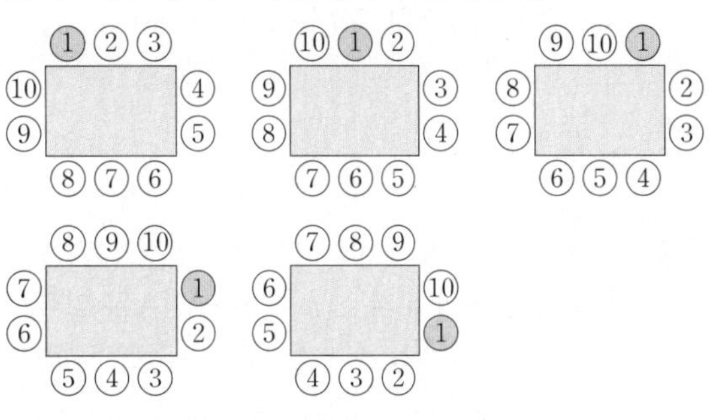

따라서 구하는 경우의 수는 $9!\times5$

06 9명이 원형으로 둘러앉는 경우의 수는 $(9-1)!=8!$
그런데 정삼각형 모양의 탁자에 둘러앉는 경우는 원형으로 둘러앉은 한 가지 경우에 대하여 다음 그림과 같이 3가지의 서로 다른 경우가 존재한다.

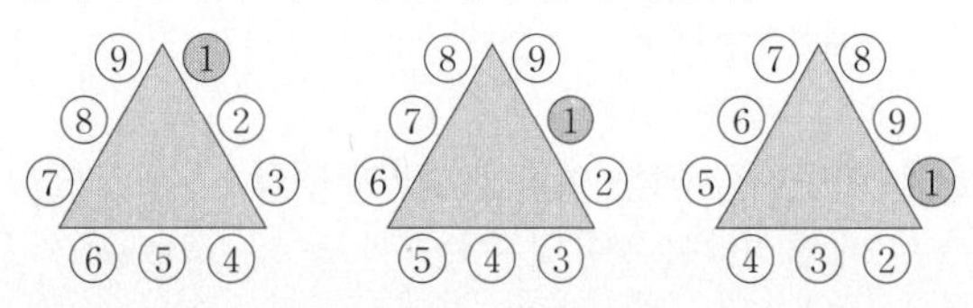

따라서 구하는 경우의 수는 $8!\times3$

07 백의 자리에는 0을 제외한 1, 2, 3, 4가 올 수 있으므로 그 경우의 수는 4이다. 십의 자리, 일의 자리에는 각각 0, 1, 2, 3, 4가 중복하여 올 수 있으므로 그 경우의 수는 ${}_5\Pi_2=5^2=25$
따라서 구하는 자연수의 개수는 $4\times25=100$

08 천의 자리에는 0을 제외한 1, 2, 3, 4, 5가 올 수 있으므로 그 경우의 수는 5이다. 백의 자리, 십의 자리에는 각각 0, 1, 2, 3, 4, 5가 중복하여 올 수 있으므로 그 경우의 수는 ${}_6\Pi_2=6^2=36$이다. 일의 자리에는 0, 2, 4가 올 수 있으므로 그 경우의 수는 3이다.
따라서 구하는 짝수의 개수는 $5\times36\times3=540$

09 (i) 33□□, 34□□, 35□□ 꼴인 자연수의 개수
다섯 개의 숫자 1, 2, 3, 4, 5에서 2개를 중복하여 택하는 중복순열의 수와 같으므로
$3\times{}_5\Pi_2=3\times5^2=75$
(ii) 4□□□, 5□□□ 꼴인 자연수의 개수
다섯 개의 숫자 1, 2, 3, 4, 5에서 3개를 중복하여 택하는 중복순열의 수와 같으므로
$2\times{}_5\Pi_3=2\times5^3=250$
(i), (ii)에서 구하는 자연수의 개수는 $75+250=325$

10 ${}_3\Pi_5=3^5=243$

11 집합 X에서 집합 Y로의 함수 f의 개수는 집합 Y의 원소 a, b의 2개에서 중복을 허용하여 5개를 택하는 중복순열의 수와 같다. 즉 집합 X에서 집합 Y로의 함수 f의 개수는 ${}_2\Pi_5=2^5=32$
이때 치역이 $\{a\}$인 함수 f의 개수는 1이고, 치역이 $\{b\}$인 함수 f의 개수는 1이다. 따라서 공역과 치역이 서로 같은 함수 f의 개수는 $32-2=30$

12 $\frac{7!}{3!2!}=420$

13 e, f의 순서가 정해져 있으므로 e, f를 모두 A로 생각하여 여섯 개의 문자 a, b, c, d, A, A를 일렬로 나열한 후, 첫 번째 A는 e, 두 번째 A는 f로 바꾸면 된다.
따라서 구하는 경우의 수는 $\frac{6!}{2!}=360$

14 다섯 개의 문자 F, L, O, O, R를 일렬로 나열하는 경우의 수는 $\frac{5!}{2!}=60$　　$\therefore a=60$
또 F, L, R의 순서가 정해져 있으므로 F, L, R를 모두 x로 생각하여 다섯 개의 문자 O, O, x, x, x를 일렬로 나열한 후, 첫 번째 x는 F, 두 번째 x는 L, 세 번째 x는 R로 바꾸면 된다. 따라서 구하는 경우의 수는
$\frac{5!}{2!3!}=10$　　$\therefore b=10$
$\therefore a-b=60-10=50$

15 2개의 기호 '·', '−' 중에서 중복을 허용하여 n개를 택하여 만들 수 있는 전신 부호의 개수는
${}_2\Pi_n=2^n$
이때 100개 이상의 전신 부호를 만들려면 $2^n\ge100$이어야 한다. 즉 $n\ge7$
따라서 이를 만족시키는 자연수 n의 최솟값은 7

16 A지점에서 B지점까지 최단 거리로 가는 경우의 수는
$\frac{10!}{5!5!}=252$
A지점에서 P지점을 거쳐 B지점까지 최단 거리로 가는 경우의 수는
$\frac{4!}{2!2!}\times\frac{6!}{3!3!}=6\times20=120$
A지점에서 Q지점을 거쳐 B지점까지 최단 거리로 가는 경우의 수는
$\frac{8!}{4!4!}\times2!=70\times2=140$
A지점에서 P지점과 Q지점을 모두 거쳐 B지점까지 최단 거리로 가는 경우의 수는
$\frac{4!}{2!2!}\times\frac{4!}{2!2!}\times2!=6\times6\times2=72$
따라서 구하는 경우의 수는
$252-(120+140-72)=64$

17 다음 그림과 같이 지나갈 수 없는 길을 연결하고 두 지점을 각각 P, Q라 하자.

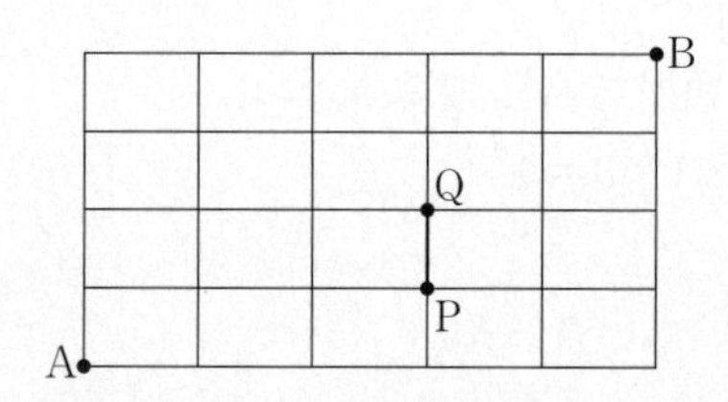

A지점에서 B지점까지 최단 거리로 가는 경우의 수는
$\frac{9!}{5!4!}=126$
A지점에서 P지점과 Q지점을 연결하는 도로를 거쳐 B지점까지 최단 거리로 가는 경우의 수는
$\frac{4!}{3!}\times1\times\frac{4!}{2!2!}=4\times1\times6=24$
따라서 구하는 경우의 수는
$126-24=102$

18 $\dfrac{8!}{3!2!3!}=560$

19 점 P는 원점에서 점 $(3, 2)$까지 가기 위해 오른쪽으로 3칸, 위쪽으로 2칸 움직여야 한다. 움직이는 방향을 화살표로 나타내면 →, →, →, ↑, ↑를 일렬로 나열하면 된다. 그런데 모두 7번 움직여야 하므로 나머지 두 번은 제자리로 오는 경우, 즉 위쪽으로 1칸, 아래쪽으로 1칸 또는 왼쪽으로 1칸, 오른쪽으로 1칸 움직여야 한다.

(i) →, →, →, ↑, ↑, ↑, ↓를 일렬로 나열하는 경우의 수

$\dfrac{7!}{3!3!}=140$

(ii) →, →, →, ↑, ↑, ←, →를 일렬로 나열하는 경우의 수

$\dfrac{7!}{4!2!}=105$

(i), (ii)에서 구하는 경우의 수는 $140+105=245$

20 서로 다른 9가지 색으로 가운데 정사각형의 내부를 칠하는 경우의 수는 9이다. 나머지 영역인 바깥쪽 8개의 정사각형의 내부에 색을 칠하는 경우의 수는 가운데 영역에 칠한 색을 제외한 나머지 8개의 색을 원형으로 배열하는 원순열의 수와 같으므로

$(8-1)!=7!$

그런데 정사각형 모양으로 배열된 바깥쪽 8개의 정사각형의 영역에 색을 칠하는 경우는 원형으로 배열한 한 가지 경우에 대하여 다음 그림과 같이 2가지의 서로 다른 경우가 존재한다.

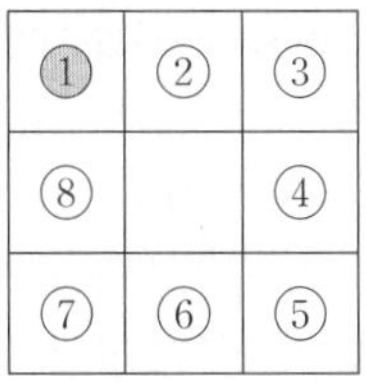

①	②	③
⑧		④
⑦	⑥	⑤

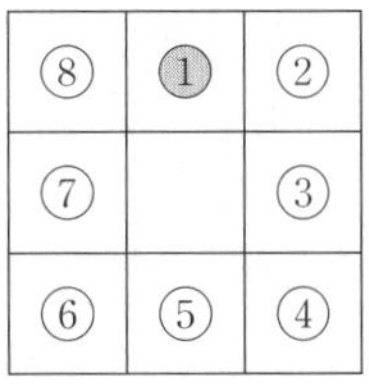

⑧	①	②
⑦		③
⑥	⑤	④

따라서 구하는 경우의 수는

$9\times7!\times2=7!\times18$

21 (부회장, 회장, 부회장)을 한 묶음으로 생각하여 7명이 원탁에 둘러앉는 경우의 수는

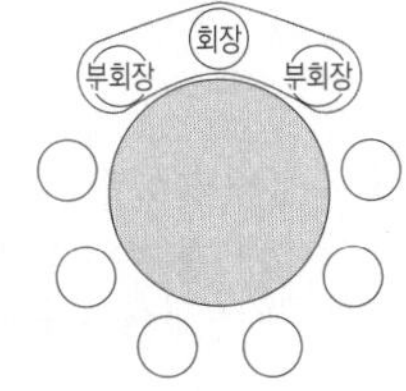

$(7-1)!=6!=720$

묶음 속의 부회장 2명이 서로 자리를 바꾸는 경우의 수는 $2!=2$

따라서 구하는 경우의 수는

$720\times2=1440$

22 함수 $f: X \longrightarrow Y$의 개수는 집합 Y의 원소 1, 2, 3의 3개에서 중복을 허용하여 5개를 택하는 중복순열의 수와 같다. 즉 함수 f의 개수는 ${}_3\Pi_5=3^5=243$

이때 치역이 $\{1\}$, $\{2\}$, $\{3\}$인 함수 f의 개수는

$3\times1=3$

또 치역이 $\{1, 2\}$, $\{2, 3\}$, $\{1, 3\}$인 함수 f의 개수는 집합 Y의 원소 중 2개에서 중복을 허용하여 5개를 택하는 중복순열의 수에서 치역이 $\{1\}$, $\{2\}$, $\{3\}$인 함수의 개수를 뺀 값과 같으므로

$3\times({}_2\Pi_5-2)=3\times(2^5-2)=3\times30=90$

따라서 구하는 함수 f의 개수는

$243-3-90=150$

23 1단을 올라가는 횟수를 x, 2단을 올라가는 횟수를 y라 하면

$x+y=8$ ...... ㉠

$x+2y=11$ ...... ㉡

㉠, ㉡을 연립하여 풀면 $x=5, y=3$

따라서 구하는 방법의 수는 x, x, x, x, x, y, y, y를 일렬로 나열하는 경우의 수와 같으므로

$\dfrac{8!}{5!3!}=56$

창의력 · 융합형 · 서술형 · 코딩

본문 20~21쪽

1 (1) 720 (2) 240 (3) 480
2 (1) 1000 (2) 100 (3) 500
3 (1) 1024 (2) 270 (3) 180
4 (1) 252 (2) 60 (3) 132

1 (1) $(7-1)!=6!=720$

(2) (지우, 혜수)를 한 묶음으로 생각하여 6명이 원형으로 회전 그네를 타는 경우의 수는

$(6-1)!=5!=120$

묶음 속의 지우와 혜수가 서로 자리를 바꾸는 경우의 수는 $2!=2$

따라서 지우와 혜수가 이웃하게 회전 그네를 타는 경우의 수는 $120\times2=240$

(3) 지우와 혜수가 이웃하지 않게 회전 그네를 타는 경우의 수는 $720-240=480$

2 (1) 0부터 9까지의 열 개의 숫자 중에서 3개를 중복하여 택하는 중복순열의 수와 같으므로

${}_{10}\Pi_3=10^3=1000$

(2) 수연이가 정한 비밀번호는 '□□0' 꼴이다. 앞 두 자리의 숫자는 0부터 9까지의 열 개의 숫자 중에서 2개를 중복하여 택하는 중복순열의 수와 같으므로

${}_{10}\Pi_2=10^2=100$

따라서 수연이가 정한 비밀번호가 될 수 있는 것의 개수는 100

(3) 두 수의 합이 짝수인 경우는 두 수가 모두 짝수이거나 모두 홀수일 때이다.

(i) 지호가 정한 비밀번호가 '짝짝□' 꼴인 경우
짝수 0, 2, 4, 6, 8의 다섯 개의 숫자 중에서 2개를 중복하여 택하는 중복순열의 수와 같으므로
${}_5\Pi_2=5^2=25$
따라서 지호가 정한 비밀번호가 '짝짝□' 꼴인 경우의 수는 $25\times10=250$

(ii) 지호가 정한 비밀번호가 '홀홀□' 꼴인 경우
홀수 1, 3, 5, 7, 9의 다섯 개의 숫자 중에서 2개를 중복하여 택하는 중복순열의 수와 같으므로
${}_5\Pi_2=5^2=25$
따라서 지호가 정한 비밀번호가 '홀홀□' 꼴인 경우의 수는 $25\times10=250$

(i), (ii)에서 지호가 정한 비밀번호가 될 수 있는 것의 개수는 $250+250=500$

3 (1) 4가지의 음식 중에서 5개를 중복하여 택하는 중복순열의 수와 같으므로 ${}_4\Pi_5=4^5=1024$

(2) 5명 중에서 만두를 주문한 2명을 선택하는 경우의 수는 ${}_5C_2=10$
나머지 3명이 만두를 제외한 음식 3가지 중에서 한 가지씩 주문하는 경우의 수는 ${}_3\Pi_3=3^3=27$
따라서 만두를 주문한 사람이 2명인 경우의 수는
$10\times27=270$

(3) 4가지의 음식 중에서 2가지를 선택하는 경우의 수는 ${}_4C_2=6$
5명이 선택된 2가지 음식 중에서 한 가지씩 주문하는 경우의 수는 ${}_2\Pi_5=2^5=32$
이때 2가지 음식 중에서 모두 같은 것을 고르는 경우의 수는 $2!=2$
따라서 5명이 주문한 음식이 2가지인 경우의 수는
$6\times(32-2)=6\times30=180$

4 (1) A지점에서 B지점까지 최단 거리로 가는 경우의 수는
$\frac{10!}{5!5!}=252$

(2) A지점에서 P지점까지 최단 거리로 가는 경우의 수는
$\frac{6!}{2!4!}=15$
P지점에서 B지점까지 최단 거리로 가는 경우의 수는
$\frac{4!}{3!}=4$
따라서 구하는 경우의 수는
$15\times4=60$

(3) A지점에서 Q지점을 거쳐 B지점까지 최단 거리로 가는 경우의 수는 $\frac{4!}{2!2!}\times\frac{6!}{3!3!}=6\times20=120$
따라서 구하는 경우의 수는
$252-120=132$

02 중복조합

STEP 1 교과서 개념 확인 테스트

본문 23쪽

1-1 35	1-2 36
2-1 28	2-2 20
3-1 (1) 45 (2) 21	3-2 (1) 84 (2) 10

1-1 서로 다른 5개에서 3개를 택하는 중복조합의 수와 같으므로
${}_5H_3={}_{5+3-1}C_3={}_7C_3=35$

1-2 서로 다른 3개에서 7개를 택하는 중복조합의 수와 같으므로
${}_3H_7={}_{3+7-1}C_7={}_9C_7={}_9C_2=36$

2-1 3개의 문자 a, b, c 중에서 중복을 허용하여 6개를 택하여 곱하면 주어진 다항식을 전개할 때 생기는 항이 하나씩 만들어진다. 따라서 3개의 문자 a, b, c 중에서 6개를 택하는 중복조합의 수와 같으므로
${}_3H_6={}_{3+6-1}C_6={}_8C_6={}_8C_2=28$

2-2 4개의 문자 a, b, c, d 중에서 중복을 허용하여 3개를 택하여 곱하면 주어진 다항식을 전개할 때 생기는 항이 하나씩 만들어진다. 따라서 4개의 문자 a, b, c, d 중에서 3개를 택하는 중복조합의 수와 같으므로
${}_4H_3={}_{4+3-1}C_3={}_6C_3=20$

3-1 (1) 방정식 $x+y+z=8$의 음이 아닌 정수해의 개수는 3개의 문자 x, y, z 중에서 8개를 택하는 중복조합의 수와 같으므로
${}_3H_8={}_{3+8-1}C_8={}_{10}C_8={}_{10}C_2=45$

(2) $x=a+1, y=b+1, z=c+1$로 놓으면
$a+b+c=5$ (단, a, b, c는 음이 아닌 정수)
따라서 구하는 양의 정수해의 개수는 방정식 $a+b+c=5$의 음이 아닌 정수해의 개수와 같으므로
${}_3H_5={}_{3+5-1}C_5={}_7C_5={}_7C_2=21$

3-2 (1) 방정식 $x+y+z+w=6$의 음이 아닌 정수해의 개수는 4개의 문자 x, y, z, w 중에서 6개를 택하는 중복조합의 수와 같으므로
${}_4H_6={}_{4+6-1}C_6={}_9C_6={}_9C_3=84$

(2) $x=a+1, y=b+1, z=c+1, w=d+1$로 놓으면
$a+b+c+d=2$ (단, a, b, c, d는 음이 아닌 정수)
따라서 구하는 양의 정수해의 개수는 방정식 $a+b+c+d=2$의 음이 아닌 정수해의 개수와 같으므로
${}_4H_2={}_{4+2-1}C_2={}_5C_2=10$

STEP 2 기출 기초 테스트 | 본문 24~25쪽

1-1 (1) 6 (2) 35	**1-2** (1) 45 (2) 15
2-1 21	**2-2** 120
3-1 35	**3-2** 126
4-1 15	**4-2** 56
5-1 (1) 21 (2) 6	**5-2** (1) 286 (2) 84
6-1 10	**6-2** 6

1-1 (1) ${}_2H_5={}_{2+5-1}C_5={}_6C_5={}_6C_1=6$
(2) ${}_4H_4={}_{4+4-1}C_4={}_7C_4={}_7C_3=35$

1-2 (1) ${}_3H_8={}_{3+8-1}C_8={}_{10}C_8={}_{10}C_2=45$
(2) ${}_5H_2={}_{5+2-1}C_2={}_6C_2=15$

2-1 서로 다른 3개에서 5개를 택하는 중복조합의 수와 같으므로
${}_3H_5={}_{3+5-1}C_5={}_7C_5={}_7C_2=21$

2-2 서로 다른 4개에서 7개를 택하는 중복조합의 수와 같으므로
${}_4H_7={}_{4+7-1}C_7={}_{10}C_7={}_{10}C_3=120$

3-1 주어진 조건에서 $f(1)\le f(2)\le f(3)$
즉 집합 Y의 원소 1, 2, 3, 4, 5 중에서 중복을 허용하여 3개를 택한 후 작은 수부터 차례로 집합 X의 원소 1, 2, 3에 대응시키면 된다. 따라서 구하는 함수 f의 개수는 집합 Y의 원소 5개 중에서 3개를 택하는 중복조합의 수와 같으므로
${}_5H_3={}_{5+3-1}C_3={}_7C_3=35$

3-2 주어진 조건에서 $f(1)\le f(2)\le f(3)\le f(4)\le f(5)$
즉 집합 X의 원소 1, 2, 3, 4, 5 중에서 중복을 허용하여 5개를 택한 후 작은 수부터 차례로 집합 X의 원소 1, 2, 3, 4, 5에 대응시키면 된다. 따라서 구하는 함수 f의 개수는 집합 X의 원소 5개 중에서 5개를 택하는 중복조합의 수와 같으므로
${}_5H_5={}_{5+5-1}C_5={}_9C_5={}_9C_4=126$

4-1 3개의 문자 a, b, c 중에서 중복을 허용하여 4개를 택하여 곱하면 주어진 다항식을 전개할 때 생기는 항이 하나씩 만들어진다. 따라서 3개의 문자 a, b, c 중에서 4개를 택하는 중복조합의 수와 같으므로
${}_3H_4={}_{3+4-1}C_4={}_6C_4={}_6C_2=15$

4-2 4개의 문자 a, b, c, d 중에서 중복을 허용하여 5개를 택하여 곱하면 주어진 다항식을 전개할 때 생기는 항이 하나씩 만들어진다. 따라서 4개의 문자 a, b, c, d 중에서 5개를 택하는 중복조합의 수와 같으므로
${}_4H_5={}_{4+5-1}C_5={}_8C_5={}_8C_3=56$

5-1 (1) 방정식 $x+y+z=5$의 음이 아닌 정수해의 개수는 3개의 문자 x, y, z 중에서 5개를 택하는 중복조합의 수와 같으므로
${}_3H_5={}_{3+5-1}C_5={}_7C_5={}_7C_2=21$
(2) $x=a+1, y=b+1, z=c+1$로 놓으면
$a+b+c=2$ (단, a, b, c는 음이 아닌 정수)
따라서 구하는 양의 정수해의 개수는 방정식 $a+b+c=2$의 음이 아닌 정수해의 개수와 같으므로
${}_3H_2={}_{3+2-1}C_2={}_4C_2=6$

5-2 (1) 방정식 $x+y+z+w=10$의 음이 아닌 정수해의 개수는 4개의 문자 x, y, z, w 중에서 10개를 택하는 중복조합의 수와 같으므로
${}_4H_{10}={}_{4+10-1}C_{10}={}_{13}C_{10}={}_{13}C_3=286$
(2) $x=a+1, y=b+1, z=c+1, w=d+1$로 놓으면
$a+b+c+d=6$ (단, a, b, c, d는 음이 아닌 정수)
따라서 구하는 양의 정수해의 개수는 방정식 $a+b+c+d=6$의 음이 아닌 정수해의 개수와 같으므로
${}_4H_6={}_{4+6-1}C_6={}_9C_6={}_9C_3=84$

6-1 $x=a+1, y=b+2, z=c+3$으로 놓으면
$a+b+c=3$ (단, a, b, c는 음이 아닌 정수)
따라서 구하는 정수해의 개수는 방정식 $a+b+c=3$의 음이 아닌 정수해의 개수와 같으므로
${}_3H_3={}_{3+3-1}C_3={}_5C_3={}_5C_2=10$

6-2 $x=a+3, y=b+1, z=c+1$로 놓으면
$a+b+c=2$ (단, a, b, c는 음이 아닌 정수)
따라서 구하는 정수해의 개수는 방정식 $a+b+c=2$의 음이 아닌 정수해의 개수와 같으므로
${}_3H_2={}_{3+2-1}C_2={}_4C_2=6$

STEP 3 교과서 기본 테스트 | 본문 26~27쪽

01 (1) 5 (2) 12		**02** ③	**03** 45	**04** ②
05 36	**06** ①	**07** 70	**08** 15	**09** ③
10 66	**11** 49			

01 (1) ${}_4H_2={}_{4+2-1}C_2={}_5C_2$
이때 ${}_4H_2={}_nC_2$이므로 $n=5$
(2) ${}_5H_8={}_{5+8-1}C_8={}_{12}C_8={}_{12}C_4$
이때 ${}_5H_8={}_nC_4$이므로 $n=12$

02 서로 다른 4개에서 7개를 택하는 중복조합의 수와 같으므로

$_4H_7={}_{4+7-1}C_7={}_{10}C_7={}_{10}C_3=120$

03 서로 다른 3개에서 8개를 택하는 중복조합의 수와 같으므로

$_3H_8={}_{3+8-1}C_8={}_{10}C_8={}_{10}C_2=45$

04 서로 다른 4개에서 6개를 택하는 중복조합의 수와 같으므로

$_4H_6={}_{4+6-1}C_6={}_9C_6={}_9C_3=84$

05 먼저 서로 다른 3개의 필통에 각각 1자루의 연필을 넣은 후 3개의 필통 중에서 중복을 허용하여 나머지 7자루의 연필을 넣으면 된다.
따라서 구하는 경우의 수는 서로 다른 3개에서 7개를 택하는 중복조합의 수와 같으므로

$_3H_7={}_{3+7-1}C_7={}_9C_7={}_9C_2=36$

06 먼저 3개의 바구니 A, B, C에 각각 3개의 공을 넣은 후 3개의 바구니 A, B, C 중에서 중복을 허용하여 나머지 6개의 공을 넣으면 된다.
따라서 구하는 경우의 수는 서로 다른 3개에서 6개를 택하는 중복조합의 수와 같으므로

$_3H_6={}_{3+6-1}C_6={}_8C_6={}_8C_2=28$

07 주어진 조건에서 $f(1)\le f(2)\le f(3)\le f(4)$
즉 집합 Y의 원소 1, 2, 3, 4, 5 중에서 중복을 허용하여 4개를 택한 후 작은 수부터 차례로 집합 X의 원소 1, 2, 3, 4에 대응시키면 된다.
따라서 구하는 함수 f의 개수는 집합 Y의 원소 5개 중에서 4개를 택하는 중복조합의 수와 같으므로

$_5H_4={}_{5+4-1}C_4={}_8C_4=70$

08 $x=2a+1,\ y=2b+1,\ z=2c+1$로 놓으면

$(2a+1)+(2b+1)+(2c+1)=11$

$2a+2b+2c=8$

$\therefore a+b+c=4$ (단, a, b, c는 음이 아닌 정수)

따라서 구하는 정수해의 개수는 방정식 $a+b+c=4$의 음이 아닌 정수해의 개수와 같으므로

$_3H_4={}_{3+4-1}C_4={}_6C_4={}_6C_2=15$

09 $x=2a,\ y=2b+1,\ z=2c,\ w=2d+1$로 놓으면

$2a+(2b+1)+2c+(2d+1)=12$

$2a+2b+2c+2d=10$

$\therefore a+b+c+d=5$ (단, a, b, c, d는 음이 아닌 정수)

따라서 구하는 해의 개수는 방정식 $a+b+c+d=5$의 음이 아닌 정수해의 개수와 같으므로

$_4H_5={}_{4+5-1}C_5={}_8C_5={}_8C_3=56$

10 조건 (가)를 만족시키는 $f(2)$와 $f(3)$의 값은
$f(2)=1, f(3)=6$ 또는 $f(2)=2, f(3)=3$
또는 $f(2)=3, f(3)=2$ 또는 $f(2)=6, f(3)=1$
이 중에서 조건 (나)를 만족시키는 $f(2)$와 $f(3)$의 값은
$f(2)=1, f(3)=6$ 또는 $f(2)=2, f(3)=3$

(i) $f(2)=1, f(3)=6$일 때
조건 (나)에서 $f(1)\le f(2)$이므로 $f(1)=1$
또 $f(3)\le f(4)\le f(5)$이어야 하므로 집합 Y의 원소 6, 7, 8, 9 중에서 중복을 허용하여 2개를 택한 후 작은 수부터 차례로 $f(4), f(5)$에 대응시키면 된다.
따라서 함수 f의 개수는 집합 Y의 원소 4개 중에서 2개를 택하는 중복조합의 수와 같으므로

$_4H_2={}_{4+2-1}C_2={}_5C_2=10$

(ii) $f(2)=2, f(3)=3$일 때
조건 (나)에서 $f(1)\le f(2)$이므로
$f(1)=1$ 또는 $f(1)=2$
또 $f(3)\le f(4)\le f(5)$이어야 하므로 집합 Y의 원소 3, 4, 5, 6, 7, 8, 9 중에서 중복을 허용하여 2개를 택한 후 작은 수부터 차례로 $f(4), f(5)$에 대응시키면 된다.
따라서 함수 f의 개수는 $f(1)$의 값이 될 수 있는 경우의 수 2와 집합 Y의 원소 7개 중에서 2개를 택하는 중복조합의 수를 곱한 값과 같으므로

$2\times{}_7H_2=2\times{}_{7+2-1}C_2=2\times{}_8C_2=56$

(i), (ii)에 의하여 구하는 함수 f의 개수는
$10+56=66$

11 $x=a+1,\ y=b+1,\ z=c+1$로 놓으면
조건 (가)에서
$a+b+c=9$ (단, a, b, c는 음이 아닌 정수)
따라서 조건 (가)를 만족시키는 세 자연수의 순서쌍 (x, y, z)의 개수는 방정식 $a+b+c=9$의 음이 아닌 정수해의 개수와 같으므로

$_3H_9={}_{3+9-1}C_9={}_{11}C_9={}_{11}C_2=55$

조건 (나)에서

(i) $x=8$일 때
$y+z=4$에서 $b+c=2$이므로 음이 아닌 정수 b, c의 순서쌍 (b, c)의 개수는
$_2H_2={}_{2+2-1}C_2={}_3C_2=3$

(ii) $x=9$일 때
$y+z=3$에서 $b+c=1$이므로 음이 아닌 정수 b, c의 순서쌍 (b, c)의 개수는
$_2H_1={}_{2+1-1}C_1={}_2C_1=2$

(iii) $x=10$일 때
$y+z=2$에서 $b+c=0$이므로 음이 아닌 정수 b, c의 순서쌍 (b, c)의 개수는
$_2H_0={}_{2+0-1}C_0={}_1C_0=1$

(i), (ii), (iii)에 의하여 구하는 순서쌍의 개수는
$55-3-2-1=49$

창의력 · 융합형 · 서술형 · 코딩

본문 28~29쪽

1 (1) $a+b+c+d=8$ (단, a, b, c, d는 자연수) (2) 35
2 (1) $a+b+c+d=10$ (단, a, b, c, d는 음이 아닌 정수)
(2) 165 (3) 84
3 (1) 승빈 (2) 풀이 참조
4 (1) $a+b+c=30$ (단, a, b, c는 음이 아닌 정수)
(2) 496 (3) 3^{30} (4) 풀이 참조

1 (1) 빨간색, 노란색, 초록색, 파란색을 모두 사용하여 색을 칠해야 하므로 네 가지 색이 칠해진 칸의 수를 합하면 8이 되어야 한다.
따라서 구하는 식은
$a+b+c+d=8$ (단, a, b, c, d는 자연수)

(2) 각각의 색이 한 칸 이상씩 칠해져야 하므로
$a=a'+1, b=b'+1, c=c'+1, d=d'+1$
로 놓으면
$a'+b'+c'+d'=4$
(단, a', b', c', d'는 음이 아닌 정수)
따라서 구하는 경우의 수는 방정식
$a'+b'+c'+d'=4$의 음이 아닌 정수해의 개수와 같으므로
${}_4H_4={}_{4+4-1}C_4={}_7C_4={}_7C_3=35$

2 (1) 과일 바구니에 담은 사과, 오렌지, 배, 감의 개수의 합이 10이 되어야 한다.
따라서 구하는 식은
$a+b+c+d=10$ (단, a, b, c, d는 음이 아닌 정수)

(2) 먼저 과일 바구니에 사과 2개를 담은 후 사과, 오렌지, 배, 감 중에서 중복을 허용하여 나머지 8개를 담으면 된다.
따라서 구하는 경우의 수는 서로 다른 4개에서 8개를 택하는 중복조합의 수와 같으므로
${}_4H_8={}_{4+8-1}C_8={}_{11}C_8={}_{11}C_3=165$

(3) 먼저 과일 바구니에 각 종류의 과일을 1개씩 담은 후 사과, 오렌지, 배, 감 중에서 중복을 허용하여 나머지 6개를 담으면 된다.
따라서 구하는 경우의 수는 서로 다른 4개에서 6개를 택하는 중복조합의 수와 같으므로
${}_4H_6={}_{4+6-1}C_6={}_9C_6={}_9C_3=84$

3 (1) 다항식 $(x^2+x+1)^3$의 전개식에서 서로 다른 항의 개수를 잘못 구한 학생은 승빈이다.

(2) x^4은 x^2을 두 번, 1을 한 번 택하거나 x^2을 한 번, x를 두 번 택하여 만들 수 있는 것처럼 x^2, x, 1 중에서 중복을 허용하여 3개를 택하여 곱하면 동류항이 생기게 된다.
따라서 다항식 $(x^2+x+1)^3$의 전개식에서 서로 다른 항의 개수는 중복조합으로 구할 수 없다.

4 (1) 세 명의 후보가 얻은 표의 수의 합이 30이 되어야 한다. 따라서 구하는 식은
$a+b+c=30$ (단, a, b, c는 음이 아닌 정수)

(2) 무기명으로 투표를 하는 것은 어느 유권자가 어느 후보를 뽑았는지 알 수 없으므로 서로 다른 3개에서 30개를 택하는 중복조합의 수와 같다. 따라서 구하는 경우의 수는
${}_3H_{30}={}_{3+30-1}C_{30}={}_{32}C_{30}={}_{32}C_2=496$

(3) 기명으로 투표를 하는 것은 어느 유권자가 어느 후보를 뽑았는지 알 수 있으므로 서로 다른 3개에서 30개를 택하는 중복순열의 수와 같다. 따라서 구하는 경우의 수는
${}_3\Pi_{30}=3^{30}$

(4) 무기명으로 투표를 할 때의 경우의 수는 중복조합을 이용하여 구하고, 기명으로 투표를 할 때의 경우의 수는 중복순열을 이용하여 구한다.

03 이항정리

STEP 1 교과서 개념 확인 테스트 본문 32~33쪽

1-1 (1) $a^3+3a^2b+3ab^2+b^3$
(2) $x^4-4x^3y+6x^2y^2-4xy^3+y^4$

1-2 (1) $a^3-3a^2b+3ab^2-b^3$
(2) $x^5+5x^4y+10x^3y^2+10x^2y^3+5xy^4+y^5$

2-1 (1) $16a^4+32a^3b+24a^2b^2+8ab^3+b^4$
(2) $x^3-9x^2y+27xy^2-27y^3$

2-2 (1) $a^4-8a^3b+24a^2b^2-32ab^3+16b^4$
(2) $x^5+10x^4y+40x^3y^2+80x^2y^3+80xy^4+32y^5$

3-1 192　　3-2 84

4-1 (1) $a^7+7a^6b+21a^5b^2+35a^4b^3+35a^3b^4+21a^2b^5+7ab^6+b^7$
(2) $a^6+6a^5+15a^4+20a^3+15a^2+6a+1$

4-2 (1) $a^4+12a^3+54a^2+108a+81$
(2) $32a^5+80a^4+80a^3+40a^2+10a+1$

5-1 55　　5-2 209

6-1 (1) 64 (2) 1024　　6-2 (1) 128 (2) 0

1-1 (1) $(a+b)^3={}_3C_0a^3+{}_3C_1a^2b+{}_3C_2ab^2+{}_3C_3b^3$
$=a^3+3a^2b+3ab^2+b^3$

(2) $(x-y)^4$
$={}_4C_0x^4+{}_4C_1x^3(-y)+{}_4C_2x^2(-y)^2+{}_4C_3x(-y)^3+{}_4C_4(-y)^4$
$=x^4-4x^3y+6x^2y^2-4xy^3+y^4$

1-2 (1) $(a-b)^3$
$={}_3C_0a^3+{}_3C_1a^2(-b)+{}_3C_2a(-b)^2+{}_3C_3(-b)^3$
$=a^3-3a^2b+3ab^2-b^3$

(2) $(x+y)^5$
$={}_5C_0x^5+{}_5C_1x^4y+{}_5C_2x^3y^2+{}_5C_3x^2y^3+{}_5C_4xy^4+{}_5C_5y^5$
$=x^5+5x^4y+10x^3y^2+10x^2y^3+5xy^4+y^5$

2-1 (1) $(2a+b)^4$
$={}_4C_0(2a)^4+{}_4C_1(2a)^3b+{}_4C_2(2a)^2b^2+{}_4C_32ab^3+{}_4C_4b^4$
$=1\times16a^4+4\times(8a^3)b+6\times(4a^2)b^2+4\times2ab^3+1\times b^4$
$=16a^4+32a^3b+24a^2b^2+8ab^3+b^4$

(2) $(x-3y)^3$
$={}_3C_0x^3+{}_3C_1x^2(-3y)+{}_3C_2x(-3y)^2+{}_3C_3(-3y)^3$
$=1\times x^3+3\times x^2(-3y)+3\times x(9y^2)+1\times(-27y^3)$
$=x^3-9x^2y+27xy^2-27y^3$

2-2 (1) $(a-2b)^4$
$={}_4C_0a^4+{}_4C_1a^3(-2b)+{}_4C_2a^2(-2b)^2+{}_4C_3a(-2b)^3+{}_4C_4(-2b)^4$
$=1\times a^4+4\times a^3(-2b)+6\times a^2(4b^2)+4\times a(-8b^3)+1\times16b^4$
$=a^4-8a^3b+24a^2b^2-32ab^3+16b^4$

(2) $(x+2y)^5$
$={}_5C_0x^5+{}_5C_1x^4(2y)+{}_5C_2x^3(2y)^2+{}_5C_3x^2(2y)^3+{}_5C_4x(2y)^4+{}_5C_5(2y)^5$
$=1\times x^5+5\times x^4(2y)+10\times x^3(4y^2)+10\times x^2(8y^3)+5\times x(16y^4)+1\times32y^5$
$=x^5+10x^4y+40x^3y^2+80x^2y^3+80xy^4+32y^5$

3-1 $\left(2x+\dfrac{1}{x}\right)^6$의 전개식의 일반항은
${}_6C_r(2x)^{6-r}\left(\dfrac{1}{x}\right)^r={}_6C_r\times2^{6-r}\times\dfrac{x^{6-r}}{x^r}$
이때 x^4인 항은 $6-r-r=4$인 경우이므로
$6-2r=4$에서 $-2r=-2$　　$\therefore r=1$
따라서 x^4의 계수는
${}_6C_1\times2^{6-1}=6\times2^5=192$

3-2 $\left(x+\dfrac{2}{x}\right)^7$의 전개식의 일반항은
${}_7C_rx^{7-r}\left(\dfrac{2}{x}\right)^r={}_7C_r\times2^r\times\dfrac{x^{7-r}}{x^r}$
이때 x^3인 항은 $7-r-r=3$인 경우이므로
$7-2r=3$에서 $-2r=-4$　　$\therefore r=2$
따라서 x^3의 계수는
${}_7C_2\times2^2=21\times2^2=84$

4-1 (1) $(a+b)^7$
$=1\times a^7+7\times a^6b+21\times a^5b^2+35\times a^4b^3+35\times a^3b^4+21\times a^2b^5+7\times ab^6+1\times b^7$
$=a^7+7a^6b+21a^5b^2+35a^4b^3+35a^3b^4+21a^2b^5+7ab^6+b^7$

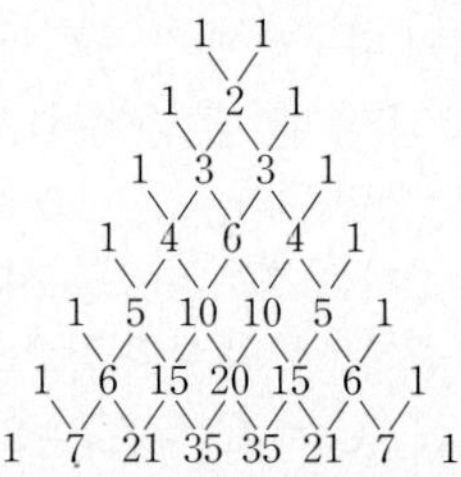

(2) $(a+1)^6$
$=1\times a^6+6\times a^5+15\times a^4+20\times a^3+15\times a^2+6\times a+1$
$=a^6+6a^5+15a^4+20a^3+15a^2+6a+1$

1 1
1 2 1
1 3 3 1
1 4 6 4 1
1 5 10 10 5 1
1 6 15 20 15 6 1

4-2 (1) $(a+3)^4$

$=1\times a^4+4\times a^3\times 3+6\times a^2\times 3^2+4\times a\times 3^3+1\times 3^4$

$=a^4+12a^3+54a^2+108a+81$

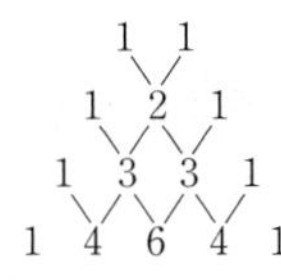

(2) $(2a+1)^5$

$=1\times(2a)^5+5\times(2a)^4+10\times(2a)^3+10\times(2a)^2+5\times 2a+1$

$=32a^5+80a^4+80a^3+40a^2+10a+1$

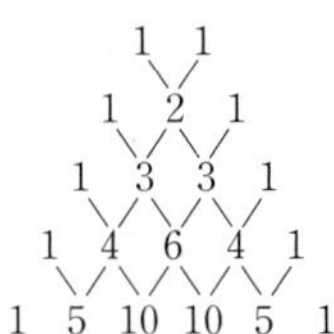

5-1 ${}_1C_0+{}_2C_1+{}_3C_2+\cdots+{}_{10}C_9$

$={}_2C_0+{}_2C_1+{}_3C_2+\cdots+{}_{10}C_9$ ($\because {}_1C_0={}_2C_0$)

$={}_3C_1+{}_3C_2+\cdots+{}_{10}C_9$

$={}_4C_2+\cdots+{}_{10}C_9$

⋮

$={}_{10}C_8+{}_{10}C_9$

$={}_{11}C_9$

$={}_{11}C_2$

$=55$

참고 자연수 n, $r(1\le r<n)$에 대하여
${}_nC_0=1$, ${}_{n-1}C_{r-1}+{}_{n-1}C_r={}_nC_r$, ${}_nC_r={}_nC_{n-r}$

5-2 ${}_4C_3+{}_5C_3+{}_6C_3+\cdots+{}_9C_3$

$=(-1+{}_4C_4)+{}_4C_3+{}_5C_3+{}_6C_3+\cdots+{}_9C_3$ ($\because {}_4C_4=1$)

$=-1+{}_5C_4+{}_5C_3+{}_6C_3+\cdots+{}_9C_3$

$=-1+{}_6C_4+{}_6C_3+\cdots+{}_9C_3$

$=-1+{}_7C_4+\cdots+{}_9C_3$

⋮

$=-1+{}_9C_4+{}_9C_3$

$=-1+{}_{10}C_4$

$=-1+210=209$

참고 자연수 n에 대하여 ${}_nC_n=1$

6-1 (1) ${}_nC_0+{}_nC_1+{}_nC_2+\cdots+{}_nC_n=2^n$이므로

${}_6C_0+{}_6C_1+{}_6C_2+{}_6C_3+{}_6C_4+{}_6C_5+{}_6C_6$

$=2^6=64$

(2) ${}_nC_1+{}_nC_3+{}_nC_5+\cdots+{}_nC_n=2^{n-1}$ (단, n은 1보다 큰 홀수)이므로

${}_{11}C_1+{}_{11}C_3+{}_{11}C_5+{}_{11}C_7+{}_{11}C_9+{}_{11}C_{11}$

$=2^{11-1}=2^{10}=1024$

6-2 (1) ${}_nC_0+{}_nC_2+{}_nC_4+\cdots+{}_nC_n=2^{n-1}$ (단, n은 짝수)이므로

${}_8C_0+{}_8C_2+{}_8C_4+{}_8C_6+{}_8C_8$

$=2^{8-1}=2^7=128$

(2) ${}_nC_0-{}_nC_1+{}_nC_2-\cdots+(-1)^n{}_nC_n=0$이므로

${}_9C_0-{}_9C_1+{}_9C_2-\cdots+{}_9C_8-{}_9C_9=0$

STEP 2 기출 기초 테스트

본문 34~35쪽

1-1 (1) $a^4-12a^3+54a^2-108a+81$
(2) $x^5-10x^4y+40x^3y^2-80x^2y^3+80xy^4-32y^5$

1-2 (1) $8a^3+36a^2b+54ab^2+27b^3$
(2) $16x^4-32x^3y+24x^2y^2-8xy^3+y^4$

2-1 280	**2-2** −80
3-1 216	**3-2** 240
4-1 344	**4-2** −17
5-1 ④	**5-2** ③
6-1 12	**6-2** 5

1-1 (1) $(a-3)^4$

$={}_4C_0a^4+{}_4C_1a^3\times(-3)+{}_4C_2a^2\times(-3)^2+{}_4C_3a\times(-3)^3+{}_4C_4(-3)^4$

$=a^4-12a^3+54a^2-108a+81$

(2) $(x-2y)^5$

$={}_5C_0x^5+{}_5C_1x^4(-2y)+{}_5C_2x^3(-2y)^2+{}_5C_3x^2(-2y)^3+{}_5C_4x(-2y)^4+{}_5C_5(-2y)^5$

$=x^5-10x^4y+40x^3y^2-80x^2y^3+80xy^4-32y^5$

1-2 (1) $(2a+3b)^3$

$={}_3C_0(2a)^3+{}_3C_1(2a)^2(3b)+{}_3C_2 2a(3b)^2+{}_3C_3(3b)^3$

$=8a^3+36a^2b+54ab^2+27b^3$

(2) $(2x-y)^4$

$={}_4C_0(2x)^4+{}_4C_1(2x)^3(-y)+{}_4C_2(2x)^2(-y)^2+{}_4C_3 2x(-y)^3+{}_4C_4(-y)^4$

$=16x^4-32x^3y+24x^2y^2-8xy^3+y^4$

2-1 $\left(2x^2+\frac{1}{x}\right)^7$의 전개식의 일반항은

${}_7C_r(2x^2)^{7-r}\left(\frac{1}{x}\right)^r={}_7C_r\times 2^{7-r}\times\frac{x^{14-2r}}{x^r}$

이때 x^2인 항은 $14-2r-r=2$인 경우이므로

$14-3r=2$에서 $-3r=-12$ $\therefore r=4$

따라서 x^2의 계수는

${}_7C_4\times 2^{7-4}=35\times 2^3=280$

2-2 $\left(x^2-\frac{2}{x}\right)^5$의 전개식의 일반항은

$_5C_r(x^2)^{5-r}\left(-\frac{2}{x}\right)^r={}_5C_r\times(-2)^r\times\frac{x^{10-2r}}{x^r}$

이때 x인 항은 $10-2r-r=1$인 경우이므로

$10-3r=1$에서 $-3r=-9\quad\therefore r=3$

따라서 x의 계수는

$_5C_3\times(-2)^3=10\times(-2)^3=-80$

3-1 $\left(3x+\frac{2}{x}\right)^4$의 전개식의 일반항은

$_4C_r(3x)^{4-r}\left(\frac{2}{x}\right)^r={}_4C_r\times3^{4-r}\times2^r\times\frac{x^{4-r}}{x^r}$

이때 상수항은 $4-r-r=0$인 경우이므로

$4-2r=0$에서 $-2r=-4\quad\therefore r=2$

따라서 상수항은

$_4C_2\times3^{4-2}\times2^2=6\times3^2\times2^2=216$

3-2 $\left(2x-\frac{1}{x^2}\right)^6$의 전개식의 일반항은

$_6C_r(2x)^{6-r}\left(-\frac{1}{x^2}\right)^r={}_6C_r\times2^{6-r}\times(-1)^r\times\frac{x^{6-r}}{x^{2r}}$

이때 상수항은 $6-r-2r=0$인 경우이므로

$6-3r=0$에서 $-3r=-6\quad\therefore r=2$

따라서 상수항은

$_6C_2\times2^{6-2}\times(-1)^2=15\times2^4=240$

4-1 $(1+x)^5$의 전개식의 일반항은

$_5C_r1^{5-r}x^r={}_5C_rx^r$ …… ㉠

$(2+x)^4$의 전개식의 일반항은

$_4C_s2^{4-s}x^s$ …… ㉡

따라서 $(1+x)^5(2+x)^4$의 전개식에서 x^2항은

(㉠의 x^2항)×(㉡의 상수항)

+(㉠의 x항)×(㉡의 x항)

+(㉠의 상수항)×(㉡의 x^2항)

이므로

$_5C_2x^2\times{}_4C_02^{4-0}x^0+{}_5C_1x^1\times{}_4C_12^{4-1}x^1$

$+{}_5C_0x^0\times{}_4C_22^{4-2}x^2$

$=160x^2+160x^2+24x^2$

$=344x^2$

따라서 x^2의 계수는 344이다.

4-2 $(1-x)^3$의 전개식의 일반항은

$_3C_r1^{3-r}(-x)^r={}_3C_r(-1)^rx^r$ …… ㉠

$(1+2x)^4$의 전개식의 일반항은

$_4C_s1^{4-s}(2x)^s={}_4C_s2^sx^s$ …… ㉡

따라서 $(1-x)^3(1+2x)^4$의 전개식에서 x^3항은

(㉠의 x^3항)×(㉡의 상수항)

+(㉠의 x^2항)×(㉡의 x항)

+(㉠의 x항)×(㉡의 x^2항)

+(㉠의 상수항)×(㉡의 x^3항)

이므로

$_3C_3(-1)^3x^3\times{}_4C_02^0x^0+{}_3C_2(-1)^2x^2\times{}_4C_12^1x^1$

$+{}_3C_1(-1)^1x^1\times{}_4C_22^2x^2+{}_3C_0(-1)^0x^0\times{}_4C_32^3x^3$

$=-x^3+24x^3-72x^3+32x^3$

$=-17x^3$

따라서 x^3의 계수는 -17이다.

5-1 $_3C_0+{}_4C_1+{}_5C_2+\cdots+{}_{20}C_{17}$

$={}_4C_0+{}_4C_1+{}_5C_2+\cdots+{}_{20}C_{17}$ ($\because {}_3C_0={}_4C_0$)

$={}_5C_1+{}_5C_2+\cdots+{}_{20}C_{17}$

$={}_6C_2+\cdots+{}_{20}C_{17}$

$\vdots$

$={}_{20}C_{16}+{}_{20}C_{17}$

$={}_{21}C_{17}$

5-2 $1+{}_3C_2+{}_4C_2+{}_5C_2+\cdots+{}_{10}C_2$

$={}_3C_3+{}_3C_2+{}_4C_2+{}_5C_2+\cdots+{}_{10}C_2$ ($\because {}_3C_3=1$)

$={}_4C_3+{}_4C_2+{}_5C_2+\cdots+{}_{10}C_2$

$={}_5C_3+{}_5C_2+\cdots+{}_{10}C_2$

$={}_6C_3+\cdots+{}_{10}C_2$

$\vdots$

$={}_{10}C_3+{}_{10}C_2$

$={}_{11}C_3$

6-1 $_nC_1+{}_nC_3+{}_nC_5+\cdots+{}_nC_{n-1}=2^{n-1}$이므로

$2^{n-1}=2048=2^{11}$

즉 $n-1=11$이므로 $n=12$

6-2 $_{2n}C_0+{}_{2n}C_2+{}_{2n}C_4+\cdots+{}_{2n}C_{2n}=2^{2n-1}$이므로

$2^{2n-1}=512=2^9$

즉 $2n-1=9$이므로 $n=5$

STEP 3 교과서 기본 테스트 | 본문 36~37쪽

01 ⑤	02 ④	03 ②	04 ①	05 ①
06 ②	07 ⑤	08 ④	09 ③	10 2
11 6	12 9			

01 $(x^2-2)^5$의 전개식의 일반항은

$_5C_r(x^2)^{5-r}(-2)^r={}_5C_r\times(-2)^r\times x^{10-2r}$

이때 x^2인 항은 $10-2r=2$인 경우이므로

$-2r=-8$에서 $r=4$

따라서 x^2의 계수는

$_5C_4\times(-2)^4=5\times2^4=80$

02 $\left(x^2-\frac{2}{x}\right)^7$의 전개식의 일반항은

${}_7C_r(x^2)^{7-r}\left(-\frac{2}{x}\right)^r={}_7C_r\times(-2)^r\times\frac{x^{14-2r}}{x^r}$

이때 $\frac{1}{x^4}$인 항은 $14-2r-r=-4$인 경우이므로

$14-3r=-4$에서 $-3r=-18$ $\therefore r=6$

따라서 $\frac{1}{x^4}$의 계수는

${}_7C_6\times(-2)^6=7\times2^6=448$

03 $(ax+2)^8$의 전개식의 일반항은

${}_8C_r(ax)^{8-r}2^r={}_8C_r\times2^r\times a^{8-r}\times x^{8-r}$

x^3인 항은 $8-r=3$인 경우이므로

$-r=-5$에서 $r=5$

이때 x^3의 계수는 28이므로

${}_8C_5\times2^5\times a^{8-5}=28$

$56\times32\times a^3=28$, $a^3=\frac{1}{64}$

$\therefore a=\frac{1}{4}$

04 $(x+a)^6$의 전개식의 일반항은

${}_6C_rx^{6-r}a^r={}_6C_r\times a^r\times x^{6-r}$

x^4인 항은 $6-r=4$인 경우이므로

$-r=-2$에서 $r=2$

즉 x^4의 계수는 ${}_6C_2\times a^2=15a^2$

또 x^5인 항은 $6-r=5$인 경우이므로

$-r=-1$에서 $r=1$

즉 x^5의 계수는 ${}_6C_1\times a^1=6a$

이때 x^4의 계수가 x^5의 계수의 10배이므로

$15a^2=10\times6a$, $a^2=4a$, $a(a-4)=0$

$\therefore a=4$ ($\because a>0$)

05 $(ax+by)^4$의 전개식의 일반항은

${}_4C_r(ax)^{4-r}(by)^r={}_4C_r\times a^{4-r}\times b^r\times x^{4-r}\times y^r$

x^3y인 항은 $4-r=3$인 경우이므로

$-r=-1$에서 $r=1$

이때 x^3y의 계수는 216이므로

${}_4C_1\times a^{4-1}\times b^1=216$

$\therefore a^3b=54$ ······ ㉠

또 xy^3인 항은 $4-r=1$인 경우이므로

$-r=-3$에서 $r=3$

이때 xy^3의 계수는 96이므로

${}_4C_3\times a^{4-3}\times b^3=96$

$\therefore ab^3=24$ ······ ㉡

㉠÷㉡에서 $\frac{a^3b}{ab^3}=\frac{54}{24}$

$\frac{a^2}{b^2}=\frac{9}{4}$, $\left(\frac{a}{b}\right)^2=\left(\frac{3}{2}\right)^2$

$\therefore a=3, b=2$

따라서 $a+b=3+2=5$

06 ㄱ. ${}_nC_0+{}_nC_1+{}_nC_2+\cdots+{}_nC_n=2^n$이므로

${}_7C_0+{}_7C_1+{}_7C_2+\cdots+{}_7C_7=2^7=128$

ㄴ. ${}_nC_0-{}_nC_1+{}_nC_2-\cdots+(-1)^n{}_nC_n=0$이므로

${}_5C_0-{}_5C_1+{}_5C_2-{}_5C_3+{}_5C_4-{}_5C_5=0$

ㄷ. ${}_nC_1+{}_nC_3+{}_nC_5+\cdots+{}_nC_{n-1}=2^{n-1}$ (단, n은 짝수)이므로

${}_{10}C_1+{}_{10}C_3+{}_{10}C_5+{}_{10}C_7+{}_{10}C_9=2^{10-1}=2^9=512$

ㄹ. ${}_nC_0+{}_nC_2+{}_nC_4+\cdots+{}_nC_{n-1}=2^{n-1}$ (단, n은 1보다 큰 홀수)이므로

${}_{11}C_0+{}_{11}C_2+{}_{11}C_4+{}_{11}C_6+{}_{11}C_8+{}_{11}C_{10}$

$=2^{11-1}=2^{10}=1024$

$\therefore {}_{11}C_2+{}_{11}C_4+{}_{11}C_6+{}_{11}C_8+{}_{11}C_{10}$

$=1024-{}_{11}C_0=1024-1=1023$

따라서 옳은 것은 ㄱ, ㄷ이다.

07 a_2는 주어진 등식의 좌변의 전개식에서 x^2의 계수이다.

$(1+x)^n$의 전개식의 일반항은 ${}_nC_r1^{n-r}x^r={}_nC_rx^r$이므로

$(1+x)^2$의 전개식에서 x^2의 계수는 ${}_2C_2$

$(1+x)^3$의 전개식에서 x^2의 계수는 ${}_3C_2$

$(1+x)^4$의 전개식에서 x^2의 계수는 ${}_4C_2$

⋮

$(1+x)^{10}$의 전개식에서 x^2의 계수는 ${}_{10}C_2$

따라서 x^2의 계수 a_2의 값은

$a_2={}_2C_2+{}_3C_2+{}_4C_2+\cdots+{}_{10}C_2$

$={}_3C_3+{}_3C_2+{}_4C_2+\cdots+{}_{10}C_2$ ($\because {}_2C_2={}_3C_3$)

$={}_4C_3+{}_4C_2+\cdots+{}_{10}C_2$

$={}_5C_3+\cdots+{}_{10}C_2$

⋮

$={}_{10}C_3+{}_{10}C_2$

$={}_{11}C_3$

$=165$

08 $(1+x)^{10}={}_{10}C_0+{}_{10}C_1x+{}_{10}C_2x^2+{}_{10}C_3x^3+\cdots+{}_{10}C_{10}x^{10}$

이므로 양변에 $x=2$를 대입하면

$(1+2)^{10}={}_{10}C_0+2{}_{10}C_1+2^2{}_{10}C_2+2^3{}_{10}C_3+\cdots+2^{10}{}_{10}C_{10}$

따라서

$2{}_{10}C_1+2^2{}_{10}C_2+2^3{}_{10}C_3+\cdots+2^{10}{}_{10}C_{10}$

$=3^{10}-{}_{10}C_0$

$=3^{10}-1$

09 ${}_nC_r+{}_nC_{r+1}={}_{n+1}C_{r+1}$이므로

${}_{n+1}C_{r+1}={}_8C_4$에서

$n+1=8$, $r+1=4$

$\therefore n=7, r=3$

따라서 $n+r=7+3=10$

10 $\left(x-\frac{a}{x}\right)^4$의 전개식의 일반항은

$_4C_r x^{4-r}\left(-\frac{a}{x}\right)^r = {_4C_r} \times (-a)^r \times \frac{x^{4-r}}{x^r}$

상수항은 $4-r-r=0$인 경우이므로

$4-2r=0$에서 $-2r=-4$ $\quad \therefore r=2$

이때 상수항은 24이므로

$_4C_2 \times (-a)^2 = 24$에서 $6a^2=24$, $a^2=4$

$\therefore a=2\ (\because a>0)$

11 $(1+x)^4$의 전개식의 일반항은

$_4C_r 1^{4-r} x^r = {_4C_r} x^r$ $\quad \cdots\cdots$ ㉠

$(1+x^2)^n$의 전개식의 일반항은

$_nC_s 1^{n-s} (x^2)^s = {_nC_s} x^{2s}$ $\quad \cdots\cdots$ ㉡

따라서 $(1+x)^4(1+x^2)^n$의 전개식에서 x^2항은

(㉠의 x^2항)$\times$(㉡의 상수항)
$\quad$+(㉠의 x항)$\times$(㉡의 x항)
$\quad$+(㉠의 상수항)$\times$(㉡의 x^2항)

그런데 ㉡에서 x항은 없으므로 x^2항은

(㉠의 x^2항)$\times$(㉡의 상수항)
$\quad$+(㉠의 상수항)$\times$(㉡의 x^2항)

이다. 즉

$_4C_2 x^2 \times {_nC_0} x^0 + {_4C_0} x^0 \times {_nC_1} x^2 = 6x^2 + nx^2$
$\quad = (6+n)x^2$

이때 x^2의 계수는 12이므로

$6+n=12$에서 $n=6$

12 $_nC_0 + {_nC_1} + {_nC_2} + \cdots + {_nC_n} = 2^n$이므로

$_nC_1 + {_nC_2} + \cdots + {_nC_n} = 2^n - {_nC_0}$
$\quad = 2^n - 1$

따라서 주어진 부등식은

$400 < 2^n - 1 < 800$, $401 < 2^n < 801$

이때 $2^8=256$, $2^9=512$, $2^{10}=1024$이므로

$n=9$

창의력 · 융합형 · 서술형 · 코딩 | 본문 38~39쪽

1 (1) 2개 (2) 6 (3) 6 (4) 풀이 참조
2 (1) 252 (2) 252 (3) 풀이 참조
3 (1) ① $_3C_3 + {_4C_3} + {_5C_3} = {_6C_4}$
② $_6C_0 + {_7C_1} + {_8C_2} + {_9C_3} = {_{10}C_3}$
(2) ① $_7C_3$ ② $_{11}C_6$
4 (1) 풀이 참조 (2) 1024

1 (1) 4개의 주머니에서 공을 한 개씩 꺼낼 때, 꺼낸 공들 중에서 a가 적힌 공이 2개이면 b가 적힌 공은 $4-2=2$(개)이다.

(2) a가 적힌 공 2개와 b가 적힌 공 2개를 꺼내는 경우의 수는 4개의 주머니에서 a가 꺼내어지는 주머니 2개를 택하는 경우의 수와 같다. 따라서 구하는 경우의 수는 $_4C_2=6$

(3) $(a+b)^4$의 전개식의 일반항은 $_4C_r a^{4-r} b^r$

이때 a^2b^2인 항은 $4-r=2$인 경우이므로

$-r=-2$에서 $r=2$

따라서 a^2b^2의 계수는 $_4C_2=6$

(4) a가 적힌 공과 b가 적힌 공이 각각 한 개씩 들어 있는 서로 다른 4개의 주머니에서 공을 한 개씩 꺼낼 때 a가 적힌 공 2개와 b가 적힌 공 2개를 꺼내는 경우의 수와 $(a+b)^4$의 전개식에서 a^2b^2의 계수는 서로 같다.

2 (1) $_{10}C_5=252$

(2) 회장이 뽑히는 경우의 수는 $_9C_4$

회장이 뽑히지 않는 경우의 수는 $_9C_5$

이때 두 사건이 동시에 일어나지 않으므로 구하는 경우의 수는 $_9C_4 + {_9C_5} = 126+126=252$

(3) n명 중에서 r명을 뽑는 경우의 수는 $_nC_r$이다.

한편 특정인 한 명이 뽑히는 경우의 수는 $_{n-1}C_{r-1}$이고, 뽑히지 않는 경우의 수는 $_{n-1}C_r$이다. 이때 두 사건이 동시에 일어나지 않으므로 구하는 경우의 수는 $_{n-1}C_{r-1} + {_{n-1}C_r}$이다.

따라서 $_nC_r = {_{n-1}C_{r-1}} + {_{n-1}C_r}$이다.

3 (1) ① $1+4+10=15$

$\Rightarrow {_3C_3} + {_4C_3} + {_5C_3} = {_6C_4}$

② $1+7+28+84=120$

$\Rightarrow {_6C_0} + {_7C_1} + {_8C_2} + {_9C_3} = {_{10}C_3}$

(2) ① $_2C_2 + {_3C_2} + {_4C_2} + {_5C_2} + {_6C_2} = {_7C_3}$

1 1
1 2 1
1 3 3 1
1 4 6 4 1
1 5 10 10 5 1
1 6 15 20 15 6 1
1 7 21 35 35 21 7 1
1 8 28 56 70 56 28 8 1
1 9 36 84 126 126 84 36 9 1
1 10 45 120 210 252 210 120 45 10 1

② $_4C_0 + {_5C_1} + {_6C_2} + \cdots + {_{10}C_6} = {_{11}C_6}$

1 1
1 2 1
1 3 3 1
1 4 6 4 1
1 5 10 10 5 1
1 6 15 20 15 6 1
1 7 21 35 35 21 7 1
1 8 28 56 70 56 28 8 1
1 9 36 84 126 126 84 36 9 1
1 10 45 120 210 252 210 120 45 10 1
1 11 55 165 330 462 462 330 165 55 11 1

4 (1) 이항정리를 이용하여 $(1+x)^n$을 전개하면
$(1+x)^n={}_nC_0+{}_nC_1x+{}_nC_2x^2+\cdots+{}_nC_nx^n$
위의 식의 양변에 $x=1$을 대입하면
$(1+1)^n={}_nC_0+{}_nC_1+{}_nC_2+\cdots+{}_nC_n$
$\therefore {}_nC_0+{}_nC_1+{}_nC_2+\cdots+{}_nC_n=2^n$
이때 파스칼의 삼각형을 이항계수로 나타내면 다음과 같다. 즉 ${}_nC_0+{}_nC_1+{}_nC_2+\cdots+{}_nC_n=2^n$이므로

$$
\begin{array}{ccccccccccccc}
 & & & & {}_1C_0 & & {}_1C_1 & & & & & & \Rightarrow 2^1 \\
 & & & {}_2C_0 & & {}_2C_1 & & {}_2C_2 & & & & & \Rightarrow 2^2 \\
 & & {}_3C_0 & & {}_3C_1 & & {}_3C_2 & & {}_3C_3 & & & & \Rightarrow 2^3 \\
 & {}_4C_0 & & {}_4C_1 & & {}_4C_2 & & {}_4C_3 & & {}_4C_4 & & & \Rightarrow 2^4 \\
{}_5C_0 & & {}_5C_1 & & {}_5C_2 & & {}_5C_3 & & {}_5C_4 & & {}_5C_5 & & \Rightarrow 2^5 \\
 & & & & & \vdots & & & & & & & \vdots \\
{}_nC_0 & {}_nC_1 & {}_nC_2 & {}_nC_3 & & \cdots & & & {}_nC_n & & & & \Rightarrow 2^n
\end{array}
$$

따라서 파스칼의 삼각형에서 제n행에 배열된 수를 모두 더한 값은 2^n이다.
(2) ${}_{10}C_0+{}_{10}C_1+{}_{10}C_2+\cdots+{}_{10}C_{10}=2^{10}=1024$

Ⅱ 확률

04 확률

STEP 1 교과서 개념 확인 테스트

본문 44~45쪽

1-1 (1) A와 B (2) $\{2, 4\}$	1-2 (1) B와 C (2) $\{2, 3, 4, 6\}$
2-1 $\frac{1}{6}$	2-2 (1) $\frac{1}{12}$ (2) $\frac{1}{6}$
3-1 $\frac{83}{100}$	3-2 $\frac{23}{30}$
4-1 (1) $\frac{1}{3}$ (2) 1 (3) 0	4-2 (1) 1 (2) 0
5-1 $\frac{1}{4}$	5-2 $\frac{11}{45}$
6-1 $\frac{19}{20}$	6-2 $\frac{7}{8}$

1-1 표본공간을 S라 하면 $S=\{1, 2, 3, 4\}$
(1) $A=\{1, 3\}$, $B=\{2, 4\}$, $C=\{2, 3\}$이므로
$A\cap B=\varnothing$, $B\cap C=\{2\}$, $A\cap C=\{3\}$
따라서 서로 배반인 두 사건은 A와 B이다.
(2) $A=\{1, 3\}$이므로 사건 A의 여사건은
$A^C=\{2, 4\}$

1-2 표본공간을 S라 하면 $S=\{1, 2, 3, 4, 5, 6\}$
(1) $A=\{1, 3, 5\}$, $B=\{3, 6\}$, $C=\{1, 5\}$이므로
$A\cap B=\{3\}$, $B\cap C=\varnothing$, $A\cap C=\{1, 5\}$
따라서 서로 배반인 두 사건은 B와 C이다.
(2) $C=\{1, 5\}$이므로 사건 C의 여사건은
$C^C=\{2, 3, 4, 6\}$

2-1 표본공간을 S라 하면 $n(S)=6\times6=36$
나오는 두 눈의 수의 합이 7인 사건을 A라 하면
$A=\{(1, 6), (2, 5), (3, 4), (4, 3), (5, 2), (6, 1)\}$
이므로 $n(A)=6$
따라서 구하는 확률은 $\mathrm{P}(A)=\frac{n(A)}{n(S)}=\frac{1}{6}$

2-2 표본공간을 S라 하면 $n(S)=6\times6=36$
(1) 나오는 두 눈의 수의 합이 4인 사건을 A라 하면
$A=\{(1, 3), (2, 2), (3, 1)\}$이므로 $n(A)=3$
따라서 구하는 확률은 $\mathrm{P}(A)=\frac{n(A)}{n(S)}=\frac{1}{12}$
(2) 나오는 두 눈의 수의 차가 3인 사건을 B라 하면
$B=\{(1, 4), (2, 5), (3, 6), (4, 1), (5, 2), (6, 3)\}$
이므로 $n(B)=6$
따라서 구하는 확률은 $\mathrm{P}(B)=\frac{n(B)}{n(S)}=\frac{1}{6}$

3-1 전체 달걀의 개수는 100이고, 병아리가 나온 달걀의 개수가 83이므로 구하는 확률은 $\frac{83}{100}$

3-2 어느 사격 선수가 전체 30발을 쏘아 10점 과녁을 23번 맞혔으므로 구하는 확률은 $\frac{23}{30}$

4-1 표본공간을 S라 하면 $n(S)=6$

(1) 3의 배수의 눈이 나오는 사건을 A라 하면 $A=\{3, 6\}$이므로 $n(A)=2$

따라서 구하는 확률은 $\mathrm{P}(A)=\frac{n(A)}{n(S)}=\frac{1}{3}$

(2) 자연수의 눈이 나오는 사건은 반드시 일어나는 사건이므로 그 확률은 1이다.

(3) 6보다 큰 수의 눈이 나오는 사건은 절대로 일어나지 않는 사건이므로 그 확률은 0이다.

4-2 (1) 흰 공이 1개 이상 나오는 사건은 반드시 일어나는 사건이므로 그 확률은 1이다.

(2) 파란 공이 3개 나오는 사건은 절대로 일어나지 않는 사건이므로 그 확률은 0이다.

5-1 서로 다른 두 개의 주사위를 동시에 던질 때 나오는 모든 경우의 수는 $6\times6=36$

나오는 두 눈의 수의 합이 5인 사건을 A, 나오는 두 눈의 수의 합이 8인 사건을 B라 하면

$A=\{(1, 4), (2, 3), (3, 2), (4, 1)\}$,

$B=\{(2, 6), (3, 5), (4, 4), (5, 3), (6, 2)\}$이므로

$\mathrm{P}(A)=\frac{4}{36}, \mathrm{P}(B)=\frac{5}{36}$

이때 두 사건 A, B는 서로 배반사건이므로 구하는 확률은

$\mathrm{P}(A\cup B)=\mathrm{P}(A)+\mathrm{P}(B)=\frac{4}{36}+\frac{5}{36}=\frac{1}{4}$

5-2 1부터 10까지의 자연수가 하나씩 적힌 10장의 카드 중에서 2장을 동시에 뽑는 경우의 수는 ${}_{10}\mathrm{C}_2=45$

카드에 적힌 두 수가 모두 홀수인 사건을 A, 카드에 적힌 두 수가 모두 4의 배수인 사건을 B라 하면

$\mathrm{P}(A)=\frac{{}_5\mathrm{C}_2}{{}_{10}\mathrm{C}_2}=\frac{10}{45}, \mathrm{P}(B)=\frac{{}_2\mathrm{C}_2}{{}_{10}\mathrm{C}_2}=\frac{1}{45}$

이때 두 사건 A, B는 서로 배반사건이므로 구하는 확률은

$\mathrm{P}(A\cup B)=\mathrm{P}(A)+\mathrm{P}(B)=\frac{10}{45}+\frac{1}{45}=\frac{11}{45}$

6-1 6개의 공 중에서 3개를 동시에 꺼내는 경우의 수는 ${}_6\mathrm{C}_3=20$

적어도 파란 공이 1개 이상 나오는 사건을 A라 하면 파란 공이 하나도 나오지 않는 사건, 즉 흰 공이 3개 나오는 사건은 A^C이므로

$\mathrm{P}(A^C)=\frac{{}_3\mathrm{C}_3}{{}_6\mathrm{C}_3}=\frac{1}{20}$

따라서 구하는 확률은

$\mathrm{P}(A)=1-\mathrm{P}(A^C)=1-\frac{1}{20}=\frac{19}{20}$

6-2 서로 다른 세 개의 주사위를 동시에 던질 때 나오는 모든 경우의 수는 $6\times6\times6=216$

나오는 세 눈의 수의 곱이 짝수인 사건을 A라 하면 나오는 세 눈의 수의 곱이 홀수인 사건, 즉 나오는 세 눈의 수가 모두 홀수인 사건은 A^C이므로

$\mathrm{P}(A^C)=\frac{27}{216}=\frac{1}{8}$

따라서 구하는 확률은

$\mathrm{P}(A)=1-\mathrm{P}(A^C)=1-\frac{1}{8}=\frac{7}{8}$

STEP 2 기출 기초 테스트

본문 46~49쪽

1-1 (1) $\{(\mathrm{H}, \mathrm{H}), (\mathrm{H}, \mathrm{T}), (\mathrm{T}, \mathrm{H}), (\mathrm{T}, \mathrm{T})\}$
(2) $\{(\mathrm{H}, \mathrm{H}), (\mathrm{T}, \mathrm{T})\}$

1-2 (1) $\{1, 2, 3, 4, 5, 6\}$ (2) $\{2, 3, 5\}$

2-1 (1) $\varnothing$ (2) $\{1, 2, 4, 5, 7, 10, 14, 20\}$

2-2 (1) $\varnothing$ (2) $\{1, 3, 5, 9, 10\}$

3-1 (1) $\{1, 4, 6\}$ (2) $\{3, 5, 6\}$

3-2 (1) $\{(\mathrm{T}, \mathrm{T})\}$ (2) $\{(\mathrm{H}, \mathrm{H}), (\mathrm{H}, \mathrm{T}), (\mathrm{T}, \mathrm{H})\}$

4-1 (1) $\frac{1}{4}$ (2) $\frac{1}{6}$ **4-2** (1) $\frac{3}{8}$ (2) $\frac{7}{8}$

5-1 $\frac{3}{5}$ **5-2** $\frac{5}{9}$

6-1 $\frac{78}{125}$ **6-2** $\frac{7}{25}$

7-1 (1) $\frac{1}{3}$ (2) 1 **7-2** (1) $\frac{1}{3}$ (2) 0

8-1 $\frac{2}{5}$ **8-2** $\frac{67}{100}$

9-1 $\frac{17}{30}$ **9-2** $\frac{2}{15}$

10-1 $\frac{3}{100}$ **10-2** $\frac{13}{25}$

11-1 $\frac{13}{28}$ **11-2** $\frac{7}{10}$

12-1 $\frac{5}{6}$ **12-2** $\frac{3}{5}$

1-1 (1) 표본공간을 S라 하면
$S=\{(\mathrm{H}, \mathrm{H}), (\mathrm{H}, \mathrm{T}), (\mathrm{T}, \mathrm{H}), (\mathrm{T}, \mathrm{T})\}$

(2) 서로 같은 면이 나오는 사건을 A라 하면
$A=\{(\mathrm{H}, \mathrm{H}), (\mathrm{T}, \mathrm{T})\}$

1-1 (1) 표본공간을 S라 하면 $S=\{1, 2, 3, 4, 5, 6\}$

(2) 소수의 눈이 나오는 사건을 A라 하면
$A=\{2, 3, 5\}$

2-1 $A=\{1, 2, 4, 5, 10, 20\}$, $B=\{7, 14\}$이므로

(1) $A\cap B=\varnothing$

(2) $A\cup B=\{1, 2, 4, 5, 7, 10, 14, 20\}$

2-2 $A=\{1, 3, 9\}$, $B=\{5, 10\}$이므로

(1) $A\cap B=\varnothing$

(2) $A\cup B=\{1, 3, 5, 9, 10\}$

3-1 표본공간을 S라 하면 $S=\{1, 2, 3, 4, 5, 6\}$

(1) $A=\{2, 3, 5\}$이므로 $A^C=\{1, 4, 6\}$

(2) $B=\{1, 2, 4\}$이므로 $B^C=\{3, 5, 6\}$

3-2 표본공간을 S라 하면

$S=\{(\mathrm{H}, \mathrm{H}), (\mathrm{H}, \mathrm{T}), (\mathrm{T}, \mathrm{H}), (\mathrm{T}, \mathrm{T})\}$

(1) $A=\{(\mathrm{H}, \mathrm{H}), (\mathrm{H}, \mathrm{T}), (\mathrm{T}, \mathrm{H})\}$이므로

$A^C=\{(\mathrm{T}, \mathrm{T})\}$

(2) $B=\{(\mathrm{T}, \mathrm{T})\}$이므로

$B^C=\{(\mathrm{H}, \mathrm{H}), (\mathrm{H}, \mathrm{T}), (\mathrm{T}, \mathrm{H})\}$

4-1 표본공간을 S라 하면 $n(S)=2\times6=12$

(1) 앞면과 소수의 눈이 나오는 사건을 A라 하고 앞면을 H로 나타내면 $A=\{(\mathrm{H}, 2), (\mathrm{H}, 3), (\mathrm{H}, 5)\}$이므로 구하는 확률은

$\mathrm{P}(A)=\frac{3}{12}=\frac{1}{4}$

(2) 뒷면과 3의 배수의 눈이 나오는 사건을 B라 하고 뒷면을 T로 나타내면 $B=\{(\mathrm{T}, 3), (\mathrm{T}, 6)\}$이므로 구하는 확률은 $\mathrm{P}(B)=\frac{2}{12}=\frac{1}{6}$

4-2 표본공간을 S라 하면 $n(S)=2\times2\times2=8$

(1) 앞면이 2개 나오는 사건을 A라 하고 앞면을 H, 뒷면을 T로 나타내면

$A=\{(\mathrm{H}, \mathrm{H}, \mathrm{T}), (\mathrm{H}, \mathrm{T}, \mathrm{H}), (\mathrm{T}, \mathrm{H}, \mathrm{H})\}$이므로 구하는 확률은 $\mathrm{P}(A)=\frac{3}{8}$

(2) 뒷면이 적어도 1개 이상 나오는 사건을 B라 하면 모두 앞면이 나오는 사건은 B^C이다.

$B^C=\{(\mathrm{H}, \mathrm{H}, \mathrm{H})\}$이므로 $\mathrm{P}(B^C)=\frac{1}{8}$

따라서 구하는 확률은

$\mathrm{P}(B)=1-\mathrm{P}(B^C)=1-\frac{1}{8}=\frac{7}{8}$

5-1 6명 중에서 2명의 대표를 뽑는 경우의 수는 ${}_6\mathrm{C}_2=15$

남학생 1명, 여학생 1명을 대표로 뽑는 경우의 수는

${}_3\mathrm{C}_1\times{}_3\mathrm{C}_1=9$

따라서 구하는 확률은 $\frac{9}{15}=\frac{3}{5}$

5-2 10개의 공 중에서 2개를 동시에 꺼내는 경우의 수는

${}_{10}\mathrm{C}_2=45$

짝수와 홀수가 적힌 공을 1개씩 꺼내는 경우의 수는

${}_5\mathrm{C}_1\times{}_5\mathrm{C}_1=25$

따라서 구하는 확률은 $\frac{25}{45}=\frac{5}{9}$

6-1 전체 1000개의 씨앗 중에서 싹이 나온 씨앗이 624개이므로 구하는 확률은 $\frac{624}{1000}=\frac{78}{125}$

6-2 어느 야구 선수가 200타석 중에 안타를 56개 쳤으므로 구하는 확률은 $\frac{56}{200}=\frac{7}{25}$

7-1 세 개의 숫자 1, 2, 3을 한 번씩 사용하여 만들 수 있는 세 자리 자연수의 개수는 $3!=6$

(1) 만들어진 세 자리 자연수가 짝수이려면 일의 자리의 숫자가 2, 즉 □□2 꼴이어야 하므로 만들 수 있는 짝수의 개수는 $2!=2$

따라서 구하는 확률은 $\frac{2}{6}=\frac{1}{3}$

(2) 세 개의 숫자 1, 2, 3을 한 번씩 사용하여 만들 수 있는 세 자리 자연수 중에서 가장 작은 수는 123이므로 만들 수 있는 모든 수가 120보다 크다.

따라서 구하는 확률은 1

7-2 중복을 허용하여 세 개의 숫자 4, 5, 6으로 만들 수 있는 네 자리 자연수의 개수는 ${}_3\Pi_4=3^4=81$

(1) 만들어진 네 자리 자연수가 홀수이려면 일의 자리 숫자가 5, 즉 □□□5 꼴이어야 하므로 홀수의 개수는 ${}_3\Pi_3=3^3=27$

따라서 구하는 확률은 $\frac{27}{81}=\frac{1}{3}$

(2) 중복을 허용하여 세 개의 숫자 4, 5, 6으로 만들 수 있는 네 자리 자연수 중에서 가장 큰 수는 6666이므로 6666보다 큰 수는 없다.

따라서 구하는 확률은 0

8-1 4의 배수가 나오는 사건을 A, 5의 배수가 나오는 사건을 B라 하면 $A\cap B$는 4와 5의 최소공배수인 20의 배수가 나오는 사건이므로

$\mathrm{P}(A)=\frac{5}{20}$, $\mathrm{P}(B)=\frac{4}{20}$, $\mathrm{P}(A\cap B)=\frac{1}{20}$

따라서 구하는 확률은

$$\begin{aligned}\mathrm{P}(A\cup B)&=\mathrm{P}(A)+\mathrm{P}(B)-\mathrm{P}(A\cap B)\\&=\frac{5}{20}+\frac{4}{20}-\frac{1}{20}\\&=\frac{8}{20}=\frac{2}{5}\end{aligned}$$

8-2 2의 배수가 나오는 사건을 A, 3의 배수가 나오는 사건을 B라 하면 $A\cap B$는 2와 3의 최소공배수인 6의 배수가 나오는 사건이므로

$\mathrm{P}(A)=\frac{50}{100}$, $\mathrm{P}(B)=\frac{33}{100}$, $\mathrm{P}(A\cap B)=\frac{16}{100}$

따라서 구하는 확률은

$$\begin{aligned}\mathrm{P}(A\cup B)&=\mathrm{P}(A)+\mathrm{P}(B)-\mathrm{P}(A\cap B)\\&=\frac{50}{100}+\frac{33}{100}-\frac{16}{100}\\&=\frac{67}{100}\end{aligned}$$

9-1 $P(B^C)=\frac{3}{5}$에서 $P(B^C)=1-P(B)=\frac{3}{5}$

즉 $P(B)=\frac{2}{5}$

$\therefore P(A\cup B)=P(A)+P(B)-P(A\cap B)$

$=\frac{1}{2}+\frac{2}{5}-\frac{1}{3}$

$=\frac{17}{30}$

9-2 $P(A\cup B)=P(A)+P(B)-P(A\cap B)$이므로

$\frac{8}{15}=\frac{1}{3}+\frac{2}{5}-P(A\cap B)$에서 $P(A\cap B)=\frac{3}{15}$

$\therefore P(A\cap B^C)=P(A-B)$

$=P(A)-P(A\cap B)$

$=\frac{1}{3}-\frac{3}{15}=\frac{2}{15}$

10-1 10개의 공 중에서 한 개를 꺼내 공에 적힌 수를 확인하고 다시 넣는 시행을 2번 했을 때 나오는 모든 경우의 수는 $10\times 10=100$

나온 두 수의 합이 19인 사건을 A, 나온 두 수의 합이 20인 사건을 B라 하면

$A=\{(9, 10), (10, 9)\}$, $B=\{(10, 10)\}$

이므로 $P(A)=\frac{2}{100}$, $P(B)=\frac{1}{100}$

이때 두 사건 A, B는 서로 배반사건이므로 구하는 확률은

$P(A\cup B)=P(A)+P(B)=\frac{2}{100}+\frac{1}{100}=\frac{3}{100}$

10-2 5개의 공 중에서 한 개를 꺼내 공에 적힌 수를 확인하고 다시 넣는 시행을 2번 했을 때 나오는 모든 경우의 수는 $5\times 5=25$

나온 두 수의 차가 0인 사건을 A, 나온 두 수의 차가 1인 사건을 B라 하면

$A=\{(1, 1), (2, 2), (3, 3), (4, 4), (5, 5)\}$,

$B=\{(1, 2), (2, 1), (2, 3), (3, 2), (3, 4), (4, 3), (4, 5), (5, 4)\}$

이므로 $P(A)=\frac{5}{25}$, $P(B)=\frac{8}{25}$

이때 두 사건 A, B는 서로 배반사건이므로 구하는 확률은

$P(A\cup B)=P(A)+P(B)=\frac{5}{25}+\frac{8}{25}=\frac{13}{25}$

11-1 8명 중에서 2명을 뽑는 경우의 수는 ${}_8C_2=28$

승헌이와 민서 중에서 적어도 한 명이 뽑히는 사건을 A라 하면 승헌이와 민서 모두 뽑히지 않는 사건은 A^C이다. 승헌이와 민서 모두 뽑히지 않는 경우의 수는 ${}_6C_2=15$이므로 $P(A^C)=\frac{15}{28}$

따라서 구하는 확률은

$P(A)=1-P(A^C)=1-\frac{15}{28}=\frac{13}{28}$

11-2 5개의 깃발을 일렬로 나열하는 경우의 수는

$\frac{5!}{2!3!}=10$

적어도 한쪽 끝에 흰 깃발이 놓이는 사건을 A라 하면 양쪽 끝에 검은 깃발이 놓이는 사건은 A^C이다. 양쪽 끝에 검은 깃발을 놓고 나머지 깃발을 일렬로 나열하는 경우의 수는 $\frac{3!}{2!}=3$이므로 $P(A^C)=\frac{3}{10}$

따라서 구하는 확률은

$P(A)=1-P(A^C)=1-\frac{3}{10}=\frac{7}{10}$

12-1 9송이의 꽃 중에서 3송이를 택하는 경우의 수는

${}_9C_3=84$

3송이 모두 장미를 택하는 사건을 A, 3송이 모두 튤립을 택하는 사건을 B라 하면 서로 다른 종류의 꽃을 섞어 3송이를 택하는 사건은 $(A\cup B)^C$이다.

$P(A)=\frac{{}_5C_3}{{}_9C_3}=\frac{10}{84}$, $P(B)=\frac{{}_4C_3}{{}_9C_3}=\frac{4}{84}$

이때 두 사건 A, B는 서로 배반사건이므로

$P(A\cup B)=P(A)+P(B)=\frac{10}{84}+\frac{4}{84}=\frac{1}{6}$

따라서 구하는 확률은

$P((A\cup B)^C)=1-P(A\cup B)=1-\frac{1}{6}=\frac{5}{6}$

12-2 5명의 발표 순서를 정하는 경우의 수는 $5!=120$

남학생의 발표 순서가 연달아 있지 않은 사건을 A라 하면 남학생의 발표 순서가 연달아 있는 사건은 A^C이다. 남학생 2명을 묶어 1명으로 생각하여 발표 순서를 정하는 경우의 수는 $4!=24$

그 각각의 경우에서 남학생 2명이 순서를 바꾸는 경우의 수는 2

따라서 $P(A^C)=\frac{24\times 2}{120}=\frac{2}{5}$이므로 구하는 확률은

$P(A)=1-P(A^C)=1-\frac{2}{5}=\frac{3}{5}$

STEP 3 교과서 기본 테스트

본문 50~53쪽

01 ③	02 $\frac{5}{12}$	03 $\frac{12}{35}$	04 ②	05 $\frac{1}{5}$
06 $\frac{61}{125}$	07 ④	08 ⑤	09 $\frac{3}{10}$	10 $\frac{7}{8}$
11 $\frac{9}{20}$	12 $\frac{3}{5}$	13 ②	14 ⑤	15 $\frac{2}{3}$
16 ⑤	17 $\frac{53}{100}$	18 $\frac{14}{15}$	19 2	20 ③
21 $\frac{3}{7}$	22 $\frac{1}{5}$	23 $\frac{12}{17}$	24 $\frac{11}{36}$	

01 표본공간을 S라 하면 $S=\{1, 2, 3, \cdots, 11, 12\}$,
$A=\{3, 6, 9, 12\}$, $B=\{2, 3, 5, 7, 11\}$,
$C=\{1, 2, 4, 8\}$
ㄱ. $A\cap C=\varnothing$이므로 A와 C는 서로 배반사건이다.
ㄴ. $A\cap B=\{3\}$, $B\cap C=\{2\}$에서
$(A\cap B)\cap(B\cap C)=\varnothing$이므로 $A\cap B$와 $B\cap C$는 서로 배반사건이다.
ㄷ. $A\cup B=\{2, 3, 5, 6, 7, 9, 11, 12\}$,
$B^C=\{1, 4, 6, 8, 9, 10, 12\}$에서
$(A\cup B)\cap B^C=\{6, 9, 12\}$이므로 $A\cup B$와 B^C는 서로 배반사건이 아니다.
따라서 서로 배반사건인 것은 ㄱ, ㄴ이다.

02 한 개의 주사위를 차례로 두 번 던질 때 나오는 모든 경우의 수는 $6\times6=36$
두 번째 나온 눈의 수가 첫 번째 나온 눈의 수보다 큰 경우는 $(1, 2)$, $(1, 3)$, $(1, 4)$, $(1, 5)$, $(1, 6)$, $(2, 3)$, $(2, 4)$, $(2, 5)$, $(2, 6)$, $(3, 4)$, $(3, 5)$, $(3, 6)$, $(4, 5)$, $(4, 6)$, $(5, 6)$의 15가지
따라서 구하는 확률은 $\frac{15}{36}=\frac{5}{12}$

03 7개의 공 중에서 3개를 동시에 꺼내는 경우의 수는
${}_7C_3=35$
이때 흰 공 2개와 검은 공 1개를 꺼내는 경우의 수는
${}_3C_2\times{}_4C_1=3\times4=12$
따라서 구하는 확률은 $\frac{12}{35}$

04 여섯 개의 문자 C, H, A, N, C, E를 일렬로 나열하는 경우의 수는 $\frac{6!}{2!}=360$
양 끝에 모음 A와 E를 나열하고 나머지 C, H, N, C를 일렬로 나열하는 경우의 수는 $\frac{4!}{2!}=12$
그 각각의 경우에서 A와 E의 자리를 바꾸는 경우의 수는 2
따라서 구하는 확률은 $\frac{12\times2}{360}=\frac{1}{15}$

05 6장의 카드를 일렬로 나열하는 경우의 수는 $6!=720$
a, b, c가 각각 적힌 3개의 카드를 묶어 하나로 생각하여 나열하는 경우의 수는 $4!=24$
그 각각의 경우에서 a, b, c 카드를 나열하는 경우의 수는 $3!=6$
따라서 구하는 확률은 $\frac{24\times6}{720}=\frac{1}{5}$

06 올해 태어난 신생아 수는 1000명이고, 그중에서 여자 아이의 수는 488명이므로 구하는 확률은
$\frac{488}{1000}=\frac{61}{125}$

07 2의 배수의 눈이 나오는 사건을 A, 3의 배수의 눈이 나오는 사건을 B라 하면 $A\cap B$는 2와 3의 최소공배수인 6의 배수의 눈이 나오는 사건이므로
$\mathrm{P}(A)=\frac{3}{6}$, $\mathrm{P}(B)=\frac{2}{6}$, $\mathrm{P}(A\cap B)=\frac{1}{6}$
따라서 구하는 확률은
$$\begin{aligned}\mathrm{P}(A\cup B)&=\mathrm{P}(A)+\mathrm{P}(B)-\mathrm{P}(A\cap B)\\&=\frac{3}{6}+\frac{2}{6}-\frac{1}{6}\\&=\frac{4}{6}=\frac{2}{3}\end{aligned}$$

08 소수가 적힌 카드가 나오는 사건을 A, 5의 배수가 적힌 카드가 나오는 사건을 B라 하면 $A\cap B$는 소수이면서 5의 배수인 5의 눈이 나오는 사건이므로
$\mathrm{P}(A)=\frac{4}{10}$, $\mathrm{P}(B)=\frac{2}{10}$, $\mathrm{P}(A\cap B)=\frac{1}{10}$
따라서 구하는 확률은
$$\begin{aligned}\mathrm{P}(A\cup B)&=\mathrm{P}(A)+\mathrm{P}(B)-\mathrm{P}(A\cap B)\\&=\frac{4}{10}+\frac{2}{10}-\frac{1}{10}\\&=\frac{5}{10}=\frac{1}{2}\end{aligned}$$

09 표본공간을 S라 하면 $S=\{1, 2, 3, \cdots, 100\}$,
$A=\{4, 8, 12, \cdots, 100\}$, $B=\{10, 20, 30, \cdots, 100\}$,
$A\cap B=\{20, 40, 60, 80, 100\}$이므로
$\mathrm{P}(A)=\frac{25}{100}$, $\mathrm{P}(B)=\frac{10}{100}$, $\mathrm{P}(A\cap B)=\frac{5}{100}$
따라서 구하는 확률은
$$\begin{aligned}\mathrm{P}(A\cup B)&=\mathrm{P}(A)+\mathrm{P}(B)-\mathrm{P}(A\cap B)\\&=\frac{25}{100}+\frac{10}{100}-\frac{5}{100}\\&=\frac{30}{100}=\frac{3}{10}\end{aligned}$$

10 버스를 이용하는 학생을 뽑는 사건을 A, 지하철을 이용하는 학생을 뽑는 사건을 B라 하면 $A\cap B$는 버스와 지하철을 모두 이용하는 학생을 뽑는 사건이므로
$\mathrm{P}(A)=\frac{20}{32}$, $\mathrm{P}(B)=\frac{13}{32}$, $\mathrm{P}(A\cap B)=\frac{5}{32}$
따라서 구하는 확률은
$$\begin{aligned}\mathrm{P}(A\cup B)&=\mathrm{P}(A)+\mathrm{P}(B)-\mathrm{P}(A\cap B)\\&=\frac{20}{32}+\frac{13}{32}-\frac{5}{32}\\&=\frac{28}{32}=\frac{7}{8}\end{aligned}$$

11 A영화를 본 학생을 뽑는 사건을 A, B영화를 본 학생을 뽑는 사건을 B라 하면 $A\cap B$는 A영화와 B영화를 모두 본 학생을 뽑는 사건이므로
$\mathrm{P}(A)=\frac{25}{100}$, $\mathrm{P}(B)=\frac{30}{100}$, $\mathrm{P}(A\cap B)=\frac{10}{100}$

따라서 구하는 확률은

$$\begin{aligned}P(A\cup B)&=P(A)+P(B)-P(A\cap B)\\&=\frac{25}{100}+\frac{30}{100}-\frac{10}{100}\\&=\frac{45}{100}=\frac{9}{20}\end{aligned}$$

12 혈액형이 A형인 학생을 뽑는 사건을 A, 혈액형이 O형인 학생을 뽑는 사건을 B라 하면

$P(A)=\frac{11}{35}$, $P(B)=\frac{10}{35}$

이때 두 사건 A, B는 서로 배반사건이므로 구하는 확률은

$$\begin{aligned}P(A\cup B)&=P(A)+P(B)\\&=\frac{11}{35}+\frac{10}{35}\\&=\frac{21}{35}=\frac{3}{5}\end{aligned}$$

13 8개의 사탕 중에서 4개를 동시에 꺼내는 경우의 수는

${}_8C_4=70$

오렌지 맛 사탕이 3개 나오는 사건을 A, 오렌지 맛 사탕이 4개 나오는 사건을 B, 딸기 맛 사탕이 4개 나오는 사건을 C라 하면

$P(A)=\frac{{}_4C_3\times{}_4C_1}{{}_8C_4}=\frac{16}{70}$, $P(B)=\frac{{}_4C_4}{{}_8C_4}=\frac{1}{70}$,

$P(C)=\frac{{}_4C_4}{{}_8C_4}=\frac{1}{70}$

이때 세 사건 A, B, C는 서로 배반사건이므로 구하는 확률은

$$\begin{aligned}P(A\cup B\cup C)&=P(A)+P(B)+P(C)\\&=\frac{16}{70}+\frac{1}{70}+\frac{1}{70}\\&=\frac{18}{70}=\frac{9}{35}\end{aligned}$$

14 $P(A^C\cap B^C)=\frac{1}{10}$에서

$$\begin{aligned}P(A^C\cap B^C)&=P((A\cup B)^C)\\&=1-P(A\cup B)=\frac{1}{10}\end{aligned}$$

즉 $P(A\cup B)=\frac{9}{10}$이므로

$P(A\cup B)=P(A)+P(B)-P(A\cap B)$에서

$\frac{9}{10}=\frac{1}{2}+P(B)-\frac{1}{5}$

$\therefore P(B)=\frac{3}{5}$

15 $P(A^C\cup B^C)=\frac{5}{6}$에서

$$\begin{aligned}P(A^C\cup B^C)&=P((A\cap B)^C)\\&=1-P(A\cap B)=\frac{5}{6}\end{aligned}$$

즉 $P(A\cap B)=\frac{1}{6}$이므로

$P(A\cup B)=P(A)+P(B)-P(A\cap B)$에서

$\frac{1}{2}=P(A)+P(B)-\frac{1}{6}$

$\therefore P(A)+P(B)=\frac{2}{3}$

16 서로 다른 두 개의 주사위를 동시에 던질 때 나오는 모든 경우의 수는 $6\times6=36$

두 눈의 수가 서로 다른 사건을 A라 하면 두 눈의 수가 서로 같은 사건은 A^C이다.

$A^C=\{(1, 1), (2, 2), (3, 3), (4, 4), (5, 5), (6, 6)\}$

이므로

$P(A^C)=\frac{6}{36}=\frac{1}{6}$

따라서 구하는 확률은

$P(A)=1-P(A^C)=1-\frac{1}{6}=\frac{5}{6}$

17 $45=3^2\times5$이므로 45와 서로소가 되려면 3과 5를 약수로 갖지 않아야 한다. 3의 배수를 택하는 사건을 A, 5의 배수를 택하는 사건을 B라 하면 $A\cap B$는 3과 5의 최소공배수인 15의 배수를 택하는 사건이다. 즉

$P(A)=\frac{33}{100}$, $P(B)=\frac{20}{100}$, $P(A\cap B)=\frac{6}{100}$

이므로

$$\begin{aligned}P(A\cup B)&=P(A)+P(B)-P(A\cap B)\\&=\frac{33}{100}+\frac{20}{100}-\frac{6}{100}\\&=\frac{47}{100}\end{aligned}$$

따라서 구하는 확률은

$$\begin{aligned}P((A\cup B)^C)&=1-P(A\cup B)\\&=1-\frac{47}{100}\\&=\frac{53}{100}\end{aligned}$$

18 10개의 제품 중에서 3개를 동시에 택하는 경우의 수는

${}_{10}C_3=120$

택한 3개의 제품 중에서 불량품이 1개 이하인 사건을 A라 하면 불량품이 2개인 사건은 A^C이므로

$P(A^C)=\frac{{}_8C_1\times{}_2C_2}{{}_{10}C_3}=\frac{1}{15}$

따라서 구하는 확률은

$P(A)=1-P(A^C)=1-\frac{1}{15}=\frac{14}{15}$

19 $(n+3)$개의 볼펜 중에서 2개를 꺼내는 경우의 수는

${}_{n+3}C_2=\frac{(n+3)(n+2)}{2}$

적어도 한 개는 파란 볼펜이 나오는 사건을 A라 하면 2개 모두 빨간 볼펜이 나오는 사건은 A^C이므로

$P(A^C)=\frac{{}_3C_2}{{}_{n+3}C_2}=\frac{6}{(n+3)(n+2)}$

이때

$P(A)=1-P(A^C)=1-\frac{6}{(n+3)(n+2)}=\frac{7}{10}$

이므로

$\frac{6}{(n+3)(n+2)}=\frac{3}{10}$, $(n+3)(n+2)=20$

$n^2+5n-14=0$, $(n-2)(n+7)=0$

$\therefore n=2$

20 20장의 카드 중에서 2장을 동시에 뽑는 경우의 수는 ${}_{20}C_2=190$

카드에 적힌 두 수의 최댓값이 11 이상인 사건을 A라 하면 카드에 적힌 두 수의 최댓값이 10 이하인 사건은 A^C이므로

$P(A^C)=\frac{{}_{10}C_2}{{}_{20}C_2}=\frac{9}{38}$

따라서 구하는 확률은

$P(A)=1-P(A^C)=1-\frac{9}{38}=\frac{29}{38}$

21 8개의 점 중에서 3개를 택하는 경우의 수는 ${}_8C_3=56$

오른쪽 그림과 같이 원의 중심 O를 지나는 지름에서 만들 수 있는 직각삼각형은 6개이고, 지름은 4개이므로 만들 수 있는 직각삼각형의 개수는 모두 24이다. 따라서 구하는 확률은

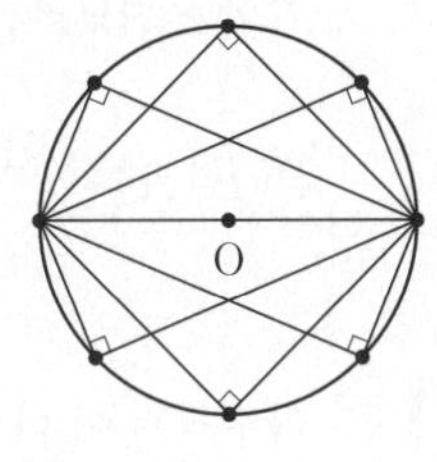

$\frac{24}{56}=\frac{3}{7}$

22 10개의 공 중에서 3개를 동시에 꺼내는 경우의 수는 ${}_{10}C_3=120$

3개 모두 흰 공인 사건을 A, 3개 모두 빨간 공인 사건을 B라 하면

$P(A)=\frac{{}_4C_3}{{}_{10}C_3}=\frac{4}{120}$, $P(B)=\frac{{}_6C_3}{{}_{10}C_3}=\frac{20}{120}$

이때 두 사건 A, B는 서로 배반사건이므로 구하는 확률은

$$P(A\cup B)=P(A)+P(B)=\frac{4}{120}+\frac{20}{120}=\frac{24}{120}=\frac{1}{5}$$

23 18명 중에서 2명을 동시에 뽑는 경우의 수는 ${}_{18}C_2=153$

18명 중에서 두 명을 뽑을 때, 적어도 한 명의 남학생이 뽑히는 사건을 A라 하면 두 명 모두 여학생이 뽑히는 사건은 A^C이므로

$P(A^C)=\frac{{}_{10}C_2}{{}_{18}C_2}=\frac{5}{17}$

따라서 구하는 확률은

$P(A)=1-P(A^C)=1-\frac{5}{17}=\frac{12}{17}$

24 한 개의 주사위를 세 번 던져서 나오는 모든 경우의 수는 $6\times6\times6=216$

이때 $(a-b)(b-c)=0$이 되려면 $a=b$ 또는 $b=c$이어야 한다.

(i) $a=b$인 경우
$(1, 1, 1), (1, 1, 2), (1, 1, 3), \cdots, (6, 6, 5), (6, 6, 6)$의 36가지

(ii) $b=c$인 경우
$(1, 1, 1), (2, 1, 1), (3, 1, 1), \cdots, (5, 6, 6), (6, 6, 6)$의 36가지

(iii) $a=b=c$인 경우
$(1, 1, 1), (2, 2, 2), (3, 3, 3), (4, 4, 4), (5, 5, 5), (6, 6, 6)$의 6가지

따라서 구하는 확률은

$\frac{36}{216}+\frac{36}{216}-\frac{6}{216}=\frac{11}{36}$

창의력 · 융합형 · 서술형 · 코딩

본문 54~55쪽

1 (1) 앞면, 뒷면 (2) 2 (3) $\frac{1}{2}$
2 (1) $\frac{5}{12}$ (2) $\frac{1}{6}$ (3) $\frac{5}{27}$
3 (1) 0.29 (2) 0.71
4 (1) 40320 (2) 7200 (3) $\frac{5}{28}$

1 (1) 한 개의 동전을 던져서 나올 수 있는 모든 경우는 앞면, 뒷면이다.

(2) A팀이 동전의 앞면, B팀이 동전의 뒷면을 선택하는 경우와 A팀이 동전의 뒷면, B팀이 동전의 앞면을 선택하는 경우가 있다. 따라서 A팀, B팀이 동전의 앞면, 뒷면을 선택하는 경우의 수는 2이다.

(3) 한 개의 동전을 던져 나올 수 있는 경우는 2가지이고, A팀이 동전의 앞면, 뒷면을 선택하는 경우는 2가지이므로 모든 경우의 수는 $2\times2=4$

A팀이 먼저 공격하는 경우는 A팀이 동전의 앞면을 선택하고 동전의 앞면이 나오는 경우와 A팀이 동전의 뒷면을 선택하고 동전의 뒷면이 나오는 경우가 있으므로 경우의 수는 2

따라서 A팀이 먼저 공격할 확률은 $\frac{2}{4}=\frac{1}{2}$

2 (1) 동준이가 주사위를 던져서 나온 눈의 수를 a, 혜미가 주사위를 던져서 나온 눈의 수를 b, 연수가 주사위를 던져서 나온 눈의 수를 c라 하자.

동준이와 혜미가 한 개의 주사위를 한 번씩 던져서 나올 수 있는 모든 경우의 수는 $6\times6=36$

혜미의 말이 동준이의 말보다 앞에 놓이는 경우는 $1\le a<b\le6$인 경우이므로

$(1, 2), (1, 3), (1, 4), \cdots, (4, 6), (5, 6)$의 15가지

따라서 구하는 확률은 $\frac{15}{36}=\frac{5}{12}$

(2) 혜미와 연수가 한 개의 주사위를 한 번씩 던져서 나올 수 있는 모든 경우의 수는 $6\times6=36$

연수의 말이 혜미의 말과 같은 곳에 놓이는 경우는 $1\le b=c\le6$인 경우이므로

$(1, 1), (2, 2), (3, 3), (4, 4), (5, 5), (6, 6)$의 6가지

따라서 구하는 확률은 $\frac{6}{36}=\frac{1}{6}$

(3) 세 명이 한 개의 주사위를 한 번씩 던져서 나올 수 있는 모든 경우의 수는 $6\times6\times6=216$

동준이의 말이 혜미의 말과 연수의 말 사이에 있는 경우는 $1\le b<a<c\le6$ 또는 $1\le c<a<b\le6$이므로 경우의 수는 $2\times{}_6C_3=40$

따라서 구하는 확률은 $\frac{40}{216}=\frac{5}{27}$

3 (1) 1년을 365일로 생각하므로 전체 경우의 수는 ${}_{365}\Pi_{30}$

이때 30명 학생의 생일이 모두 다른 경우의 수는 365일 중에서 서로 다른 30일을 택하는 순열의 수와 같으므로 ${}_{365}P_{30}$

30명 학생의 생일이 모두 다른 사건을 A라 하면

$P(A)=\frac{{}_{365}P_{30}}{{}_{365}\Pi_{30}}=\frac{2.17\times10^{76}}{7.39\times10^{76}}=0.2936\cdots$

따라서 구하는 확률은 0.29

(2) 이 반에서 생일이 같은 학생이 있는 사건은 30명 학생의 생일이 모두 다른 사건의 여사건이므로

$P(A^C)=1-P(A)$
$=1-0.29$
$=0.71$

따라서 구하는 확률은 0.71

4 (1) 8명의 친구가 좌석에 앉는 경우의 수는 8명을 일렬로 나열하는 경우의 수와 같으므로 $8!=40320$

(2) 현석이와 하리가 G열에서 이웃하게 앉는 경우의 수는 $2!\times6!=1440$

현석이와 하리가 H열에서 이웃하게 앉는 경우는 (H5, H6), (H6, H7)이므로 경우의 수는

$2!\times2\times6!=2880$

현석이와 하리가 I열에서 이웃하게 앉는 경우는 (I5, I6), (I6, I7)이므로 경우의 수는

$2!\times2\times6!=2880$

따라서 구하는 경우의 수는

$1440+2880+2880=7200$

(3) 현석이와 하리가 서로 이웃하게 앉을 확률은

$\frac{7200}{40320}=\frac{5}{28}$

05 여러 가지 확률

STEP 1 교과서 개념 확인 테스트 | 본문 58~59쪽

1-1 $\frac{2}{3}$	1-2 $\frac{1}{3}$
2-1 $\frac{1}{2}$	2-2 $\frac{2}{9}$
3-1 독립	3-2 종속
4-1 독립	4-2 종속
5-1 (1) $\frac{3}{4}$ (2) $\frac{3}{8}$	5-2 (1) $\frac{2}{3}$ (2) $\frac{5}{6}$
6-1 $\frac{112}{243}$	6-2 (1) $\frac{5}{324}$ (2) $\frac{19}{144}$

1-1 홀수의 눈이 나오는 사건을 A, 소수의 눈이 나오는 사건을 B라 하면

$A=\{1, 3, 5\}, B=\{2, 3, 5\}$

이때 $A\cap B=\{3, 5\}$이므로

$P(A)=\frac{1}{2}, P(A\cap B)=\frac{1}{3}$

따라서 구하는 확률은 사건 A가 일어났을 때의 사건 B의 조건부확률이므로

$$P(B|A)=\frac{P(A\cap B)}{P(A)}=\frac{\frac{1}{3}}{\frac{1}{2}}=\frac{2}{3}$$

1-2 짝수의 눈이 나오는 사건을 A, 3의 배수의 눈이 나오는 사건을 B라 하면

$A=\{2, 4, 6\}, B=\{3, 6\}$

이때 $A\cap B=\{6\}$이므로

$P(A)=\frac{1}{2}, P(A\cap B)=\frac{1}{6}$

따라서 구하는 확률은 사건 A가 일어났을 때의 사건 B의 조건부확률이므로

$$P(B|A)=\frac{P(A\cap B)}{P(A)}=\frac{\frac{1}{6}}{\frac{1}{2}}=\frac{1}{3}$$

2-1 $P(A\cap B)=P(A)P(B|A)=\frac{2}{3}\times\frac{3}{4}=\frac{1}{2}$

2-2 $P(A\cap B)=P(B)\,P(A|B)=\frac{1}{3}\times\frac{2}{3}=\frac{2}{9}$

3-1 $P(A\cap B)=\frac{1}{5}, P(A)P(B)=\frac{1}{4}\times\frac{4}{5}=\frac{1}{5}$이므로

$P(A\cap B)=P(A)P(B)$

따라서 두 사건 A, B는 서로 독립이다.

3-2 $P(A\cap B)=\frac{5}{8}, P(A)P(B)=\frac{2}{3}\times\frac{3}{5}=\frac{2}{5}$이므로

$P(A\cap B)\ne P(A)P(B)$

따라서 두 사건 A, B는 서로 종속이다.

4-1 $A=\{3, 6\}$, $B=\{1, 3, 5\}$이므로

$P(A)=\frac{1}{3}$, $P(B)=\frac{1}{2}$

$P(A)P(B)=\frac{1}{3}\times\frac{1}{2}=\frac{1}{6}$

한편 $A\cap B=\{3\}$이므로 $P(A\cap B)=\frac{1}{6}$

따라서 $P(A\cap B)=P(A)P(B)$이므로 두 사건 A, B는 서로 독립이다.

4-2 $A=\{2, 3, 5\}$, $B=\{2, 4, 6\}$이므로

$P(A)=\frac{1}{2}$, $P(B)=\frac{1}{2}$

$P(A)P(B)=\frac{1}{2}\times\frac{1}{2}=\frac{1}{4}$

한편 $A\cap B=\{2\}$이므로 $P(A\cap B)=\frac{1}{6}$

따라서 $P(A\cap B)\neq P(A)P(B)$이므로 두 사건 A, B는 서로 종속이다.

5-1 두 사건 A, B가 서로 독립이므로

(1) $P(B)=P(B|A)=\frac{3}{4}$

(2) $P(A\cap B)=P(A)P(B)=\frac{1}{2}\times\frac{3}{4}=\frac{3}{8}$

5-2 (1) 두 사건 A, B가 서로 독립이므로

$P(A\cap B)=P(A)P(B)$에서

$$P(B)=\frac{P(A\cap B)}{P(A)}=\frac{\frac{1}{3}}{\frac{1}{2}}=\frac{2}{3}$$

(2) $P(A\cup B)=P(A)+P(B)-P(A\cap B)$

$=\frac{1}{2}+\frac{2}{3}-\frac{1}{3}=\frac{5}{6}$

6-1 10점 영역을 맞히지 못할 확률은 $1-\frac{2}{3}=\frac{1}{3}$

10점 영역을 4번 맞힐 확률은 ${}_5C_4\left(\frac{2}{3}\right)^4\left(\frac{1}{3}\right)^1=\frac{80}{243}$

10점 영역을 5번 맞힐 확률은 $\left(\frac{2}{3}\right)^5=\frac{32}{243}$

따라서 10점 영역을 4번 이상 맞힐 확률은

$\frac{80}{243}+\frac{32}{243}=\frac{112}{243}$

6-2 한 개의 주사위를 던져서 2의 눈이 나올 확률은 $\frac{1}{6}$,

2의 눈이 나오지 않을 확률은 $\frac{5}{6}$이다.

(1) 2의 눈이 3번 나올 확률은 ${}_4C_3\left(\frac{1}{6}\right)^3\left(\frac{5}{6}\right)^1=\frac{5}{324}$

(2) 2의 눈이 0번 나올 확률은 $\left(\frac{5}{6}\right)^4=\frac{625}{1296}$

2의 눈이 1번 나올 확률은 ${}_4C_1\left(\frac{1}{6}\right)^1\left(\frac{5}{6}\right)^3=\frac{125}{324}$

따라서 2의 눈이 2번 이상 나올 확률은

$1-\left(\frac{625}{1296}+\frac{125}{324}\right)=\frac{19}{144}$

STEP 2 기출 기초 테스트

본문 60~63쪽

1-1 $\frac{1}{3}$	1-2 $\frac{1}{2}$
2-1 0.2	2-2 0.5
3-1 $\frac{5}{7}$	3-2 $\frac{3}{4}$
4-1 $\frac{3}{4}$	4-2 $\frac{1}{3}$
5-1 $\frac{5}{14}$	5-2 $\frac{1}{7}$
6-1 $\frac{14}{55}$	6-2 $\frac{2}{35}$
7-1 $\frac{2}{9}$	7-2 $\frac{1}{2}$
8-1 $\frac{4}{9}$	8-2 $\frac{6}{25}$
9-1 0.075	9-2 (1) 0.42 (2) 0.46
10-1 $\frac{20}{243}$	10-2 $\frac{45}{512}$
11-1 $\frac{5}{324}$	11-2 ④
12-1 $\frac{16}{27}$	12-2 $\frac{21}{3125}$

1-1 짝수의 눈이 나오는 사건을 A, 소수의 눈이 나오는 사건을 B라 하면

$A=\{2, 4, 6\}$, $B=\{2, 3, 5\}$

이때 $A\cap B=\{2\}$이므로

$P(A)=\frac{1}{2}$, $P(A\cap B)=\frac{1}{6}$

따라서 구하는 확률은 사건 A가 일어났을 때의 사건 B의 조건부확률이므로

$$P(B|A)=\frac{P(A\cap B)}{P(A)}=\frac{\frac{1}{6}}{\frac{1}{2}}=\frac{1}{3}$$

1-2 6의 약수의 눈이 나오는 사건을 A, 홀수의 눈이 나오는 사건을 B라 하면

$A=\{1, 2, 3, 6\}$, $B=\{1, 3, 5\}$

이때 $A\cap B=\{1, 3\}$이므로

$P(A)=\frac{2}{3}$, $P(A\cap B)=\frac{1}{3}$

따라서 구하는 확률은 사건 A가 일어났을 때의 사건 B의 조건부확률이므로

$$P(B|A)=\frac{P(A\cap B)}{P(A)}=\frac{\frac{1}{3}}{\frac{2}{3}}=\frac{1}{2}$$

2-1 $P(A\cup B)=P(A)+P(B)-P(A\cap B)$이므로

$P(A\cap B)=P(A)+P(B)-P(A\cup B)$

$=0.5+0.3-0.7$

$=0.1$

$\therefore P(B|A)=\frac{P(A\cap B)}{P(A)}=\frac{0.1}{0.5}=0.2$

2-2 $P(B)=1-P(B^C)=1-0.7=0.3$이므로

$$P(A\cap B)=P(A)+P(B)-P(A\cup B)=0.4+0.3-0.5=0.2$$

$$\therefore P(B|A)=\frac{P(A\cap B)}{P(A)}=\frac{0.2}{0.4}=0.5$$

3-1 임의로 뽑은 한 사람이 남성인 사건을 A, 아침 식사를 한 사건을 B라 하면 구하는 확률은

$$P(B|A)=\frac{P(A\cap B)}{P(A)}=\frac{\frac{10}{25}}{\frac{14}{25}}=\frac{5}{7}$$

3-2 임의로 뽑은 한 학생이 여학생인 사건을 A, 1학년인 사건을 B라 하면 구하는 확률은

$$P(B|A)=\frac{P(A\cap B)}{P(A)}=\frac{\frac{9}{30}}{\frac{12}{30}}=\frac{3}{4}$$

4-1 5장의 카드에서 임의로 두 장의 카드를 동시에 뽑는 경우의 수는 ${}_5C_2=10$

두 장의 카드에 적힌 수의 합이 짝수인 사건을 A라 하면

$A=\{(1, 3), (1, 5), (2, 4), (3, 5)\}$

$\therefore P(A)=\frac{2}{5}$

또 뽑은 두 장의 카드에 적힌 수가 모두 홀수인 사건을 B라 하면

$A\cap B=\{(1, 3), (1, 5), (3, 5)\}$

$\therefore P(A\cap B)=\frac{3}{10}$

따라서 구하는 확률은

$$P(B|A)=\frac{P(A\cap B)}{P(A)}=\frac{\frac{3}{10}}{\frac{2}{5}}=\frac{3}{4}$$

4-2 두 눈의 수의 곱이 짝수인 사건을 A라 하면

$A^C=\{(1, 1), (1, 3), (1, 5), (3, 1), (3, 3), (3, 5), (5, 1), (5, 3), (5, 5)\}$

$\therefore P(A)=1-P(A^C)=1-\frac{1}{4}=\frac{3}{4}$

또 두 주사위의 눈이 모두 짝수인 사건을 B라 하면

$A\cap B=\{(2, 2), (2, 4), (2, 6), (4, 2), (4, 4), (4, 6), (6, 2), (6, 4), (6, 6)\}$

$\therefore P(A\cap B)=\frac{1}{4}$

따라서 구하는 확률은

$$P(B|A)=\frac{P(A\cap B)}{P(A)}=\frac{\frac{1}{4}}{\frac{3}{4}}=\frac{1}{3}$$

5-1 첫 번째에 꺼낸 구슬이 흰 구슬인 사건을 A라 하면

$P(A)=\frac{5}{8}$

두 번째에 꺼낸 구슬이 흰 구슬인 사건을 B라 하면 사건 A가 일어났을 때의 사건 B의 조건부확률은

$P(B|A)=\frac{4}{7}$

따라서 2개가 모두 흰 구슬인 사건은 $A\cap B$이므로 구하는 확률은

$$P(A\cap B)=P(A)P(B|A)=\frac{5}{8}\times\frac{4}{7}=\frac{5}{14}$$

5-2 진태가 소수가 적힌 카드를 뽑는 사건을 A라 하면

$P(A)=\frac{1}{2}$

수연이가 4의 배수가 적힌 카드를 뽑는 사건을 B라 하면 사건 A가 일어났을 때의 사건 B의 조건부확률은

$P(B|A)=\frac{2}{7}$

따라서 진태는 소수가 적힌 카드를 뽑고, 수연이는 4의 배수가 적힌 카드를 뽑는 사건은 $A\cap B$이므로 구하는 확률은

$$P(A\cap B)=P(A)P(B|A)=\frac{1}{2}\times\frac{2}{7}=\frac{1}{7}$$

6-1 첫 번째에 야채가 들어 있는 호빵을 먹는 사건을 A, 두 번째에 팥이 들어 있는 호빵을 먹는 사건을 B라 하면 구하는 확률은

$$P(A\cap B)=P(A)P(B|A)=\frac{4}{11}\times\frac{7}{10}=\frac{14}{55}$$

6-2 영준이가 첫 번째에 깨가 들어 있는 송편을 먹는 사건을 A, 윤서가 두 번째에 깨가 들어 있는 송편을 먹는 사건을 B라 하면 구하는 확률은

$$P(A\cap B)=P(A)P(B|A)=\frac{4}{15}\times\frac{3}{14}=\frac{2}{35}$$

7-1 $P(B)=1-P(B^C)=1-\frac{1}{3}=\frac{2}{3}$

두 사건 A, B가 서로 독립이므로

$$P(A\cap B)=P(A)P(B)=\frac{1}{3}\times\frac{2}{3}=\frac{2}{9}$$

7-2 두 사건 A, B가 서로 독립이므로 두 사건 A^C, B도 서로 독립이다.

$$\therefore P(A^C\cap B)=P(A^C)P(B)=\left(1-\frac{1}{4}\right)\times\frac{2}{3}=\frac{3}{4}\times\frac{2}{3}=\frac{1}{2}$$

참고 두 사건 A, B가 서로 독립이면 A와 B^C, A^C와 B, A^C와 B^C도 각각 서로 독립이다.

8-1 첫 번째에 꺼낸 공이 흰 공인 사건을 A라 하면

$\mathrm{P}(A)=\frac{2}{3}$

두 번째에 꺼낸 공이 흰 공인 사건을 B라 하면 사건 A가 일어났을 때의 사건 B의 조건부확률은

$\mathrm{P}(B|A)=\mathrm{P}(B)=\frac{2}{3}$

즉 두 사건 A, B는 서로 독립이다.

따라서 2개가 모두 흰 공인 사건은 $A\cap B$이므로 구하는 확률은

$\mathrm{P}(A\cap B)=\mathrm{P}(A)\mathrm{P}(B)=\frac{2}{3}\times\frac{2}{3}=\frac{4}{9}$

8-2 첫 번째에 꺼낸 구슬이 검은 구슬인 사건을 A라 하면

$\mathrm{P}(A)=\frac{3}{5}$

두 번째에 꺼낸 구슬이 흰 구슬인 사건을 B라 하면 사건 A가 일어났을 때의 사건 B의 조건부확률은

$\mathrm{P}(B|A)=\mathrm{P}(B)=\frac{2}{5}$

즉 두 사건 A, B는 서로 독립이다.

따라서 첫 번째에는 검은 구슬을, 두 번째에는 흰 구슬을 꺼내는 사건은 $A\cap B$이므로 구하는 확률은

$\mathrm{P}(A\cap B)=\mathrm{P}(A)\mathrm{P}(B)=\frac{3}{5}\times\frac{2}{5}=\frac{6}{25}$

9-1 두 야구 선수 A, B가 안타를 치는 사건을 각각 A, B라 하면 두 사건 A, B는 서로 독립이다.

따라서 두 선수가 연속으로 안타를 치는 사건은 $A\cap B$이므로 구하는 확률은

$\mathrm{P}(A\cap B)=\mathrm{P}(A)\mathrm{P}(B)=0.3\times0.25=0.075$

9-2 두 농구 선수 A, B가 자유투를 성공하는 사건을 각각 A, B라 하면 두 사건 A, B는 서로 독립이다.

(1) 두 선수 모두 자유투를 성공하는 사건은 $A\cap B$이므로 구하는 확률은

$\mathrm{P}(A\cap B)=\mathrm{P}(A)\mathrm{P}(B)=0.6\times0.7=0.42$

(2) (i) A선수만 자유투를 성공하는 사건은 $A\cap B^C$이므로 구하는 확률은

$$\begin{aligned}\mathrm{P}(A\cap B^C)&=\mathrm{P}(A)\mathrm{P}(B^C)\\&=0.6\times(1-0.7)\\&=0.6\times0.3\\&=0.18\end{aligned}$$

(ii) B선수만 자유투를 성공하는 사건은 $A^C\cap B$이므로 구하는 확률은

$$\begin{aligned}\mathrm{P}(A^C\cap B)&=\mathrm{P}(A^C)\mathrm{P}(B)\\&=(1-0.6)\times0.7\\&=0.4\times0.7\\&=0.28\end{aligned}$$

(i), (ii)에서 구하는 확률은

$0.18+0.28=0.46$

10-1 사건 A가 일어나지 않을 확률은 $1-\frac{1}{3}=\frac{2}{3}$이다.

따라서 구하는 확률은

${}_6\mathrm{C}_4\left(\frac{1}{3}\right)^4\left(\frac{2}{3}\right)^2=\frac{20}{243}$

10-2 사건 A가 일어나지 않을 확률은 $1-\frac{1}{4}=\frac{3}{4}$이다.

따라서 구하는 확률은

${}_5\mathrm{C}_3\left(\frac{1}{4}\right)^3\left(\frac{3}{4}\right)^2=\frac{45}{512}$

11-1 두 주사위의 눈의 수가 같을 확률은 $\frac{1}{6}$이고, 두 주사위의 눈의 수가 같지 않을 확률은 $1-\frac{1}{6}=\frac{5}{6}$이다.

따라서 구하는 확률은

${}_4\mathrm{C}_3\left(\frac{1}{6}\right)^3\left(\frac{5}{6}\right)^1=\frac{5}{324}$

11-2 두 주사위의 눈의 수의 합이 5인 경우는 (1, 4), (2, 3), (3, 2), (4, 1)이므로 두 주사위의 눈의 수의 합이 5일 확률은 $\frac{1}{9}$이고, 두 주사위의 눈의 수의 합이 5가 아닐 확률은 $1-\frac{1}{9}=\frac{8}{9}$이다.

따라서 구하는 확률은

${}_5\mathrm{C}_4\left(\frac{1}{9}\right)^4\left(\frac{8}{9}\right)^1=\frac{40}{9^5}$

12-1 주머니에서 흰 공을 꺼낼 확률은 $\frac{2}{3}$, 검은 공을 꺼낼 확률은 $\frac{1}{3}$이다.

(i) 흰 공이 3번 나올 확률은

${}_4\mathrm{C}_3\left(\frac{2}{3}\right)^3\left(\frac{1}{3}\right)^1=\frac{32}{81}$

(ii) 흰 공이 4번 나올 확률은

$\left(\frac{2}{3}\right)^4=\frac{16}{81}$

(i), (ii)에서 구하는 확률은

$\frac{32}{81}+\frac{16}{81}=\frac{16}{27}$

12-2 문제를 맞힐 확률은 $\frac{1}{5}$이므로 문제를 맞히지 못할 확률은 $1-\frac{1}{5}=\frac{4}{5}$이다.

(i) 문제를 4개 맞힐 확률은

${}_5\mathrm{C}_4\left(\frac{1}{5}\right)^4\left(\frac{4}{5}\right)^1=\frac{4}{625}$

(ii) 문제를 5개 맞힐 확률은

$\left(\frac{1}{5}\right)^5=\frac{1}{3125}$

(i), (ii)에서 구하는 확률은

$\frac{4}{625}+\frac{1}{3125}=\frac{21}{3125}$

STEP 3 교과서 기본 테스트

본문 64~67쪽

01 $\frac{1}{5}$	02 $\frac{2}{5}$	03 $\frac{3}{28}$	04 $\frac{2}{5}$	05 $\frac{15}{56}$
06 ④	07 $\frac{7}{13}$	08 ⑤	09 ①	10 ②
11 ③	12 ④	13 ⑤	14 $\frac{2}{3}$	15 $\frac{1}{4}$
16 ④	17 $\frac{11}{45}$	18 $\frac{7}{20}$	19 ⑤	20 $\frac{272}{3125}$
21 $\frac{3}{8}$	22 $\frac{1}{10}$	23 $\frac{9}{13}$	24 $\frac{3}{8}$	

01 홀수의 눈이 나오는 사건을 A, 5의 배수의 눈이 나오는 사건을 B라 하면

$A=\{1, 3, 5, 7, 9\}$, $B=\{5, 10\}$

이때 $A\cap B=\{5\}$이므로

$\mathrm{P}(A)=\frac{1}{2}$, $\mathrm{P}(A\cap B)=\frac{1}{10}$

따라서 구하는 확률은 사건 A가 일어났을 때의 사건 B의 조건부확률이므로

$$\mathrm{P}(B|A)=\frac{\mathrm{P}(A\cap B)}{\mathrm{P}(A)}=\frac{\frac{1}{10}}{\frac{1}{2}}=\frac{1}{5}$$

02 임의로 뽑은 한 학생이 여학생인 사건을 A, 축구를 좋아하지 않는 사건을 B라 하면 구하는 확률은

$$\mathrm{P}(B|A)=\frac{\mathrm{P}(A\cap B)}{\mathrm{P}(A)}=\frac{\frac{6}{35}}{\frac{15}{35}}=\frac{2}{5}$$

03 첫 번째에 꺼낸 구슬이 흰 구슬인 사건을 A라 하면

$\mathrm{P}(A)=\frac{3}{8}$

두 번째에 꺼낸 구슬이 흰 구슬인 사건을 B라 하면 사건 A가 일어났을 때의 사건 B의 조건부확률은

$\mathrm{P}(B|A)=\frac{2}{7}$

따라서 2개가 모두 흰 구슬인 사건은 $A\cap B$이므로 구하는 확률은

$$\mathrm{P}(A\cap B)=\mathrm{P}(A)\mathrm{P}(B|A)=\frac{3}{8}\times\frac{2}{7}=\frac{3}{28}$$

04 첫 번째에 꺼낸 공이 검은 공인 사건을 A라 하면

$\mathrm{P}(A)=\frac{2}{3}$

두 번째에 꺼낸 공이 검은 공인 사건을 B라 하면 사건 A가 일어났을 때의 사건 B의 조건부확률은

$\mathrm{P}(B|A)=\frac{3}{5}$

따라서 2개가 모두 검은 공인 사건은 $A\cap B$이므로 구하는 확률은

$$\mathrm{P}(A\cap B)=\mathrm{P}(A)\mathrm{P}(B|A)=\frac{2}{3}\times\frac{3}{5}=\frac{2}{5}$$

05 첫 번째에 꺼낸 공이 파란 공인 사건을 A라 하면

$\mathrm{P}(A)=\frac{3}{8}$

두 번째에 꺼낸 공이 노란 공인 사건을 B라 하면 사건 A가 일어났을 때의 사건 B의 조건부확률은

$\mathrm{P}(B|A)=\frac{5}{7}$

따라서 첫 번째에는 파란 공, 두 번째에는 노란 공이 나오는 사건은 $A\cap B$이므로 구하는 확률은

$$\mathrm{P}(A\cap B)=\mathrm{P}(A)\mathrm{P}(B|A)=\frac{3}{8}\times\frac{5}{7}=\frac{15}{56}$$

06 첫 번째에 A가 뽑은 제비가 당첨 제비인 사건을 A라 하면 $\mathrm{P}(A)=\frac{3}{10}$

두 번째에 B가 뽑은 제비가 당첨 제비인 사건을 B라 하면 사건 A가 일어났을 때의 사건 B의 조건부확률은

$\mathrm{P}(B|A)=\frac{2}{9}$

따라서 두 사람 모두 당첨 제비를 뽑는 사건은 $A\cap B$이므로 구하는 확률은

$$\mathrm{P}(A\cap B)=\mathrm{P}(A)\mathrm{P}(B|A)=\frac{3}{10}\times\frac{2}{9}=\frac{1}{15}$$

07

(단위: 명)

	A영화를 봄	A영화를 보지 않음	합계
남학생	30	30	60
여학생	35	5	40
합계	65	35	100

임의로 뽑은 한 학생이 여학생인 사건을 A, A영화를 본 사건을 B라 하면 구하는 확률은

$$\mathrm{P}(A|B)=\frac{\mathrm{P}(A\cap B)}{\mathrm{P}(B)}=\frac{\frac{35}{100}}{\frac{65}{100}}=\frac{7}{13}$$

08 $\mathrm{P}(A)=0.4$, $\mathrm{P}(A\cap B)=0.35$이므로 구하는 확률은

$$\mathrm{P}(B|A)=\frac{\mathrm{P}(A\cap B)}{\mathrm{P}(A)}=\frac{0.35}{0.4}=0.875$$

09 $\mathrm{P}(A\cup B)=\mathrm{P}(A)+\mathrm{P}(B)-\mathrm{P}(A\cap B)$이므로

$$\begin{aligned}\mathrm{P}(A\cap B)&=\mathrm{P}(A)+\mathrm{P}(B)-\mathrm{P}(A\cup B)\\&=0.4+0.6-0.8\\&=0.2\end{aligned}$$

$$\therefore \mathrm{P}(B|A)=\frac{\mathrm{P}(A\cap B)}{\mathrm{P}(A)}=\frac{0.2}{0.4}=0.5$$

10 $\mathrm{P}(A\cap B)=\mathrm{P}(A)\mathrm{P}(B|A)=0.2\times0.6=0.12$

$$\therefore \mathrm{P}(A|B)=\frac{\mathrm{P}(A\cap B)}{\mathrm{P}(B)}=\frac{0.12}{0.3}=0.4$$

11 두 사건 A, B가 서로 독립이므로

$P(A\cap B)=P(A)P(B)=\frac{1}{2}\times\frac{1}{3}=\frac{1}{6}$

$\therefore P(A\cup B)=P(A)+P(B)-P(A\cap B)$

$=\frac{1}{2}+\frac{1}{3}-\frac{1}{6}=\frac{2}{3}$

12 두 사건 A, B가 서로 독립이므로 두 사건 A^C, B^C도 서로 독립이다.

$P(A^C)=1-P(A)=1-\frac{1}{3}=\frac{2}{3}$이므로

$P(A^C\cap B^C)=P(A^C)P(B^C)$에서

$\frac{1}{6}=\frac{2}{3}\times P(B^C)$

$\therefore P(B^C)=\frac{1}{4}$

$\therefore P(B)=1-P(B^C)=1-\frac{1}{4}=\frac{3}{4}$

13 두 사건 A, B가 서로 독립이므로 A와 B^C, A^C와 B, A^C와 B^C도 각각 서로 독립이다.

ㄱ. $P(A|B^C)=P(A)$

$=1-P(A^C)$

$=1-P(A^C|B)$

ㄴ. $P(A^C|B^C)=P(A^C)$

$=1-P(A)$

$=1-P(A|B^C)$

ㄷ. $P(A^C|B^C)=P(A^C)$

$=1-P(A)$

$=1-P(A|B)$

따라서 옳은 것은 ㄱ, ㄴ, ㄷ이다.

14 두 사건 A, B는 서로 독립이므로

$P(A\cap B)=P(A)P(B)=\frac{1}{6}$에서

$P(B)=\frac{1}{6P(A)}$ …… ㉠

$P(A\cup B)=P(A)+P(B)-P(A\cap B)$에서

$\frac{3}{4}=P(A)+P(B)-\frac{1}{6}$

$P(A)+P(B)=\frac{11}{12}$ …… ㉡

㉠을 ㉡에 대입하면

$P(A)+\frac{1}{6P(A)}=\frac{11}{12}$

이때 $P(A)=p$라 하면

$12p^2-11p+2=0$

$(4p-1)(3p-2)=0$

$\therefore p=\frac{2}{3}$ ($\because P(A)>P(B)$)

따라서 진태가 안타를 칠 확률은 $\frac{2}{3}$이다.

15 한자 시험에 합격하는 사건을 A라 하면

$P(A)=\frac{1}{5}$

컴퓨터 시험에 합격하는 사건을 B라 하면 한자 시험과 컴퓨터 시험에 모두 합격하는 사건은 $A\cap B$이므로

$P(A\cap B)=\frac{1}{20}$

따라서 한자 시험에 합격했을 때, 컴퓨터 시험에 합격할 확률은 사건 A가 일어났을 때의 사건 B의 조건부 확률이므로

$$P(B|A)=\frac{P(A\cap B)}{P(A)}=\frac{\frac{1}{20}}{\frac{1}{5}}=\frac{1}{4}$$

16 임의로 뽑은 한 명이 여학생인 사건을 A, 혈액형이 B형인 사건을 B라 하면

$P(B)=0.6$, $P(A\cap B)=0.3$

따라서 구하는 확률은

$P(A|B)=\frac{P(A\cap B)}{P(B)}=\frac{0.3}{0.6}=0.5$

17 지안이가 화요일에 지각하는 사건을 A, 수요일에 지각하는 사건을 B라 하면 월요일에 지각하였으므로

(i) 화요일에 지각하고 수요일에 지각할 확률은

$P(A\cap B)=P(A)P(B|A)=\frac{1}{3}\times\frac{1}{3}=\frac{1}{9}$

(ii) 화요일에 지각하지 않고 수요일에 지각할 확률은

$P(A^C\cap B)=P(A^C)P(B|A^C)$

$=\left(1-\frac{1}{3}\right)\times\frac{1}{5}=\frac{2}{3}\times\frac{1}{5}=\frac{2}{15}$

(i), (ii)에서 구하는 확률은

$\frac{1}{9}+\frac{2}{15}=\frac{11}{45}$

18 두 축구 선수 A, B가 승부차기를 성공하는 사건을 각각 A, B라 하면 두 사건 A, B는 서로 독립이므로 A와 B^C, A^C와 B도 각각 서로 독립이다.

(i) A선수만 승부차기를 성공할 확률은

$P(A\cap B^C)=P(A)P(B^C)$

$=\frac{3}{4}\times\left(1-\frac{4}{5}\right)=\frac{3}{4}\times\frac{1}{5}=\frac{3}{20}$

(ii) B선수만 승부차기를 성공할 확률은

$P(A^C\cap B)=P(A^C)P(B)$

$=\left(1-\frac{3}{4}\right)\times\frac{4}{5}=\frac{1}{4}\times\frac{4}{5}=\frac{1}{5}$

(i), (ii)에서 구하는 확률은

$\frac{3}{20}+\frac{1}{5}=\frac{7}{20}$

19 한 개의 동전을 던져서 앞면이 나올 확률은 $\frac{1}{2}$, 뒷면이 나올 확률은 $\frac{1}{2}$이다.

따라서 한 개의 동전을 8번 던져서 앞면이 2번, 뒷면이 6번 나올 확률은

${}_8C_2\left(\frac{1}{2}\right)^2\left(\frac{1}{2}\right)^6=\frac{7}{64}$

20 문제를 맞힐 확률이 $\frac{2}{5}$이므로 문제를 맞히지 못할 확률은 $1-\frac{2}{5}=\frac{3}{5}$이다.

(i) 문제를 4개 맞힐 확률은

$${}_5C_4\left(\frac{2}{5}\right)^4\left(\frac{3}{5}\right)^1=\frac{48}{625}$$

(ii) 문제를 5개 맞힐 확률은

$$\left(\frac{2}{5}\right)^5=\frac{32}{3125}$$

(i), (ii)에서 구하는 확률은

$$\frac{48}{625}+\frac{32}{3125}=\frac{272}{3125}$$

21 한 개의 동전을 던져서 앞면이 나올 확률은 $\frac{1}{2}$, 뒷면이 나올 확률은 $\frac{1}{2}$이다.

동전을 3번 던질 때 앞면이 나오는 횟수를 x라 하면 뒷면이 나오는 횟수는 $3-x$이다.

꼭짓점 A를 출발한 점 P가 다시 꼭짓점 A로 돌아올 때까지 움직인 거리는 4이므로

$2x+(3-x)=4 \quad \therefore x=1$

따라서 동전을 3번 던질 때 앞면이 1번, 뒷면이 2번 나와야 하므로 구하는 확률은

$${}_3C_1\left(\frac{1}{2}\right)^1\left(\frac{1}{2}\right)^2=\frac{3}{8}$$

22 $P(A\cap B)=P(A)P(B|A)=\frac{2}{5}\times\frac{5}{6}=\frac{1}{3}$

$P(A)=P(A\cap B)+P(A\cap B^C)$이므로

$\frac{2}{5}=\frac{1}{3}+P(A\cap B^C)$

$\therefore P(A\cap B^C)=\frac{1}{15}$

이때 $P(B^C)=1-P(B)=1-\frac{1}{3}=\frac{2}{3}$이므로

$$P(A|B^C)=\frac{P(A\cap B^C)}{P(B^C)}=\frac{\frac{1}{15}}{\frac{2}{3}}=\frac{1}{10}$$

23 A기계에서 생산된 제품을 택하는 사건을 A, B기계에서 생산된 제품을 택하는 사건을 B, 불량품을 택하는 사건을 E라 하면

$P(A)=0.6$, $P(B)=0.4$, $P(E|A)=0.03$,
$P(E|B)=0.02$

이므로

$P(A\cap E)=P(A)P(E|A)$
$=0.6\times0.03=0.018$

$P(B\cap E)=P(B)P(E|B)$
$=0.4\times0.02=0.008$

$\therefore P(E)=P(A\cap E)+P(B\cap E)$
$=0.018+0.008=0.026$

따라서 구하는 확률은

$$P(A|E)=\frac{P(A\cap E)}{P(E)}=\frac{0.018}{0.026}=\frac{9}{13}$$

24 4세트에서 우승이 결정되려면 우승하는 선수는 3세트까지의 경기에서 2승 1패를 하고 마지막 4세트의 경기에서 이겨야 한다.

이때 두 선수의 실력이 같은 정도로 기대되므로 A, B 두 선수가 이길 확률은 각각 $\frac{1}{2}$, $\frac{1}{2}$이다.

(i) A선수가 우승할 확률

A선수가 3세트까지 2승을 할 확률은

$${}_3C_2\left(\frac{1}{2}\right)^2\left(\frac{1}{2}\right)^1=\frac{3}{8}$$

따라서 A선수가 3세트까지 2승 1패를 하고, 4세트에서 이길 확률은

$$\frac{3}{8}\times\frac{1}{2}=\frac{3}{16}$$

(ii) B선수가 우승할 확률

B선수가 3세트까지 2승을 할 확률은

$${}_3C_2\left(\frac{1}{2}\right)^2\left(\frac{1}{2}\right)^1=\frac{3}{8}$$

따라서 B선수가 3세트까지 2승 1패를 하고, 4세트에서 이길 확률은

$$\frac{3}{8}\times\frac{1}{2}=\frac{3}{16}$$

(i), (ii)에서 구하는 확률은

$$\frac{3}{16}+\frac{3}{16}=\frac{3}{8}$$

창의력 · 융합형 · 서술형 · 코딩

본문 68~69쪽

1 (1) 수혁: $\frac{1}{3}$, 재경: $\frac{1}{3}$, 대성: $\frac{1}{3}$
(2) 대성: $\frac{1}{3}$, 재경: $\frac{1}{3}$, 수혁: $\frac{1}{3}$ (3) 풀이 참조

2 (1) $\frac{33}{125}$ (2) $\frac{1}{19}$ (3) $\frac{31}{87}$ (4) 풀이 참조

3 (1) 0.8 (2) 0.05 (3) 0.64

4 (1) 0.517 (2) 0.491 (3) 풀이 참조

1 (1) 수혁, 재경, 대성의 순서로 제비를 뽑을 때

수혁이가 당첨 제비를 뽑을 확률은 3개의 제비 중에서 당첨 제비는 1개이므로 $\frac{1}{3}$

재경이가 당첨 제비를 뽑을 확률은 수혁이가 당첨 제비가 아닌 제비를 뽑고 재경이가 당첨 제비를 뽑아야 하므로 $\frac{2}{3}\times\frac{1}{2}=\frac{1}{3}$

대성이가 당첨 제비를 뽑을 확률은 수혁이와 재경이가 당첨 제비가 아닌 제비를 뽑고 대성이가 당첨 제비를 뽑아야 하므로 $\frac{2}{3}\times\frac{1}{2}\times\frac{1}{1}=\frac{1}{3}$

(2) 대성, 재경, 수혁의 순서로 제비를 뽑을 때
대성이가 당첨 제비를 뽑을 확률은 3개의 제비 중에서 당첨 제비는 1개이므로 $\frac{1}{3}$
재경이가 당첨 제비를 뽑을 확률은 대성이가 당첨 제비가 아닌 제비를 뽑고 재경이가 당첨 제비를 뽑아야 하므로 $\frac{2}{3}\times\frac{1}{2}=\frac{1}{3}$
수혁이가 당첨 제비를 뽑을 확률은 대성이와 재경이가 당첨 제비가 아닌 제비를 뽑고 수혁이가 당첨 제비를 뽑아야 하므로 $\frac{2}{3}\times\frac{1}{2}\times\frac{1}{1}=\frac{1}{3}$

(3) (1)에서 구한 확률과 (2)에서 구한 확률이 모두 $\frac{1}{3}$로 같으므로 제비를 뽑는 순서에 관계없이 발표자로 결정될 확률은 같다.

2 조사 대상 500명 중에서 임의로 택한 사람이 음식 A를 매주 한 번 이상 먹는 사람인 사건을 A, 질병 B에 걸린 사람인 사건을 B라 하자.

(1) $\mathrm{P}(B)=\frac{132}{500}=\frac{33}{125}$

(2) 구하는 확률은 사건 A가 일어났을 때의 사건 B의 조건부확률이므로

$$\mathrm{P}(B|A)=\frac{\mathrm{P}(A\cap B)}{\mathrm{P}(A)}=\frac{\frac{8}{500}}{\frac{152}{500}}=\frac{1}{19}$$

(3) 구하는 확률은 사건 A가 일어나지 않았을 때의 사건 B의 조건부확률이므로

$$\mathrm{P}(B|A^C)=\frac{\mathrm{P}(A^C\cap B)}{\mathrm{P}(A^C)}=\frac{\frac{124}{500}}{\frac{348}{500}}=\frac{31}{87}$$

(4) (1)에서 구한 확률이 (2)에서 구한 확률보다 크고 (3)에서 구한 확률보다 작으므로 음식 A를 매주 한 번 이상 먹는 것이 질병 B에 걸릴 확률을 줄여 주는 영향을 끼친다고 볼 수 있다.

3 암에 걸린 사건을 A, 암에 걸렸다고 진단 받는 사건을 B라 하면 $\mathrm{P}(A)=0.1$, $\mathrm{P}(A^C)=0.9$

(1) 암에 걸린 사람에게 CT 단층 촬영을 하면 80 %의 확률로 정확하게 암이라고 진단되므로
$\mathrm{P}(B|A)=0.8$

(2) 암에 걸리지 않은 사람에게 CT 단층 촬영을 하면 5 %의 확률로 암이라고 오진하므로
$\mathrm{P}(B|A^C)=0.05$

(3) $\mathrm{P}(B|A)=\frac{\mathrm{P}(A\cap B)}{\mathrm{P}(A)}$에서 $0.8=\frac{\mathrm{P}(A\cap B)}{0.1}$이므로 $\mathrm{P}(A\cap B)=0.08$
$\mathrm{P}(B|A^C)=\frac{\mathrm{P}(A^C\cap B)}{\mathrm{P}(A^C)}$에서
$0.05=\frac{\mathrm{P}(A^C\cap B)}{0.9}$이므로 $\mathrm{P}(A^C\cap B)=0.045$

$$\therefore \mathrm{P}(B)=\mathrm{P}(A\cap B)+\mathrm{P}(A^C\cap B)=0.08+0.045=0.125$$

따라서 구하는 확률은

$$\mathrm{P}(A|B)=\frac{\mathrm{P}(A\cap B)}{\mathrm{P}(B)}=\frac{0.08}{0.125}=0.64$$

4 (1) 한 개의 주사위를 4번 던졌을 때, 6의 눈이 한 번도 나오지 않을 확률은 $\left(\frac{5}{6}\right)^4$
따라서 한 개의 주사위를 4번 던졌을 때, 적어도 한 번 6의 눈이 나올 확률은
$1-\left(\frac{5}{6}\right)^4=1-0.483=0.517$

(2) 두 개의 주사위를 동시에 24번 던졌을 때, 두 개의 주사위 모두 6의 눈이 한 번도 나오지 않을 확률은
$\left(\frac{35}{36}\right)^{24}$
따라서 두 개의 주사위를 동시에 24번 던졌을 때, 적어도 한 번 두 개의 주사위 모두 6의 눈이 나올 확률은
$1-\left(\frac{35}{36}\right)^{24}=1-0.509=0.491$

(3) 한 개의 주사위를 4번 던졌을 때 적어도 한 번 6의 눈이 나올 확률은 0.517이고, 서로 다른 두 개의 주사위를 24번 던졌을 때 적어도 한 번 두 개의 주사위 모두 6의 눈이 나올 확률은 0.491이므로 확률은 같지 않다.

III 통계

06 이산확률분포

STEP 1 교과서 개념 확인 테스트 | 본문 74~75쪽

1-1 0, 1, 2, 3　　1-2 0, 1, 2, 3, 4
2-1 풀이 참조　　2-2 풀이 참조
3-1 $\frac{1}{4}$　　3-2 $\frac{1}{12}$
4-1 1　　4-2 $\frac{5}{2}$
5-1 분산: $\frac{1}{2}$, 표준편차: $\frac{\sqrt{2}}{2}$　　5-2 분산: 1, 표준편차: 1
6-1 (1) 15 (2) 4　　6-2 (1) -28 (2) 9

1-1 확률변수 X가 가질 수 있는 값은 0, 1, 2, 3이다.

1-2 확률변수 X가 가질 수 있는 값은 0, 1, 2, 3, 4이다.

2-1 두 개의 동전을 동시에 던질 때, X가 1, 2의 값을 각각 가질 확률은

$P(X=1)=\frac{1}{2}$, $P(X=2)=\frac{1}{4}$

따라서 표를 완성하면 다음과 같다.

X	0	1	2	합계
$P(X=x)$	$\frac{1}{4}$	$\frac{1}{2}$	$\frac{1}{4}$	1

2-2 3개의 공을 동시에 꺼낼 때, X가 1, 2의 값을 각각 가질 확률은

$P(X=1)=\frac{{}_3C_1\times{}_2C_2}{{}_5C_3}=\frac{3}{10}$,

$P(X=2)=\frac{{}_3C_2\times{}_2C_1}{{}_5C_3}=\frac{6}{10}$

따라서 표를 완성하면 다음과 같다.

X	1	2	3	합계
$P(X=x)$	$\frac{3}{10}$	$\frac{6}{10}$	$\frac{1}{10}$	1

3-1 확률의 총합은 1이므로

$\frac{1}{6}+\frac{1}{4}+a+\frac{1}{3}=1$　　$\therefore a=\frac{1}{4}$

3-2 확률의 총합은 1이므로

$\frac{1}{6}+\frac{1}{4}+3a+4a=1$　　$\therefore a=\frac{1}{12}$

4-1 $E(X)=0\times\frac{1}{3}+1\times\frac{1}{3}+2\times\frac{1}{3}=1$

4-2 $E(X)=1\times\frac{1}{8}+2\times\frac{3}{8}+3\times\frac{3}{8}+4\times\frac{1}{8}=\frac{5}{2}$

5-1 $E(X)=0\times\frac{1}{4}+1\times\frac{1}{2}+2\times\frac{1}{4}=1$이므로 X의 분산과 표준편차는 각각

$$V(X)=(0-1)^2\times\frac{1}{4}+(1-1)^2\times\frac{1}{2}+(2-1)^2\times\frac{1}{4}=\frac{1}{2}$$

$$\sigma(X)=\sqrt{V(X)}=\sqrt{\frac{1}{2}}=\frac{\sqrt{2}}{2}$$

다른 풀이

$E(X^2)=0^2\times\frac{1}{4}+1^2\times\frac{1}{2}+2^2\times\frac{1}{4}=\frac{3}{2}$이므로

$V(X)=E(X^2)-\{E(X)\}^2=\frac{3}{2}-1^2=\frac{1}{2}$

5-2 $E(X)=1\times\frac{2}{5}+2\times\frac{3}{10}+3\times\frac{1}{5}+4\times\frac{1}{10}=2$

이므로 X의 분산과 표준편차는 각각

$$V(X)=(1-2)^2\times\frac{2}{5}+(2-2)^2\times\frac{3}{10}+(3-2)^2\times\frac{1}{5}+(4-2)^2\times\frac{1}{10}=1$$

$$\sigma(X)=\sqrt{V(X)}=1$$

다른 풀이

$E(X^2)=1^2\times\frac{2}{5}+2^2\times\frac{3}{10}+3^2\times\frac{1}{5}+4^2\times\frac{1}{10}=5$

이므로

$V(X)=E(X^2)-\{E(X)\}^2=5-2^2=1$

6-1 (1) $E(2X-1)=2E(X)-1=2\times8-1=15$
(2) $\sigma(2X-1)=|2|\sigma(X)=2\times2=4$

6-2 (1) $E(-3X+2)=-3E(X)+2=-3\times10+2=-28$
(2) 분산이 9이므로 표준편차는 $\sqrt{9}=3$
$\sigma(-3X+2)=|-3|\sigma(X)=3\times3=9$

STEP 2 기출 기초 테스트 | 본문 76~77쪽

1-1 풀이 참조　　1-2 풀이 참조
2-1 $\frac{5}{14}$　　2-2 $\frac{1}{2}$
3-1 (1) $\frac{5}{12}$ (2) $\frac{2}{3}$　　3-2 (1) $\frac{1}{4}$ (2) $\frac{1}{2}$
4-1 $\frac{2}{3}$　　4-2 6
5-1 분산: $\frac{2}{5}$, 표준편차: $\frac{\sqrt{10}}{5}$
5-2 분산: 8, 표준편차: $2\sqrt{2}$
6-1 평균: -7, 분산: 4, 표준편차: 2
6-2 평균: 39, 분산: 100, 표준편차: 10

1-1 확률변수 X가 가질 수 있는 값은 1, 2, 3이고, 각 값을 가질 확률은

$P(X=1)=\frac{1}{6}$, $P(X=2)=\frac{1}{2}$, $P(X=3)=\frac{1}{3}$

따라서 X의 확률분포를 표로 나타내면 다음과 같다.

X	1	2	3	합계
$P(X=x)$	$\frac{1}{6}$	$\frac{1}{2}$	$\frac{1}{3}$	1

1-2 확률변수 X가 가질 수 있는 값은 0, 1, 2, 3이고, 각 값을 가질 확률은

$P(X=0)=\frac{{}_3C_0\times{}_3C_3}{{}_6C_3}=\frac{1}{20}$,

$P(X=1)=\frac{{}_3C_1\times{}_3C_2}{{}_6C_3}=\frac{9}{20}$,

$P(X=2)=\frac{{}_3C_2\times{}_3C_1}{{}_6C_3}=\frac{9}{20}$,

$P(X=3)=\frac{{}_3C_3\times{}_3C_0}{{}_6C_3}=\frac{1}{20}$

따라서 X의 확률분포를 표로 나타내면 다음과 같다.

X	0	1	2	3	합계
$P(X=x)$	$\frac{1}{20}$	$\frac{9}{20}$	$\frac{9}{20}$	$\frac{1}{20}$	1

2-1 $P(X=2$ 또는 $X=3)=P(X=2)+P(X=3)$

$=\frac{1}{7}+\frac{3}{14}=\frac{5}{14}$

2-2 $P(X\le1)=P(X=0)+P(X=1)$

$=\frac{1}{6}+\frac{1}{3}=\frac{1}{2}$

3-1 (1) 확률의 총합은 1이므로

$\frac{1}{3}+\frac{1}{4}+a=1 \qquad \therefore a=\frac{5}{12}$

(2) $P(0\le X\le1)=P(X=0)+P(X=1)$

$=\frac{1}{4}+\frac{5}{12}=\frac{2}{3}$

3-2 (1) 확률의 총합은 1이므로

$\frac{1}{4}+a+2a=1 \qquad \therefore a=\frac{1}{4}$

(2) $X^2-3X+2\le0$에서 $(X-1)(X-2)\le0$이므로

$1\le X\le2$

$\therefore P(X^2-3X+2\le0)$

$=P(1\le X\le2)$

$=P(X=1)+P(X=2)$

$=\frac{1}{4}+\frac{1}{4}=\frac{1}{2}$

4-1 확률변수 X가 가질 수 있는 값은 0, 1, 2이고, 각 값을 가질 확률은

$P(X=0)=\frac{{}_2C_0\times{}_4C_2}{{}_6C_2}=\frac{2}{5}$,

$P(X=1)=\frac{{}_2C_1\times{}_4C_1}{{}_6C_2}=\frac{8}{15}$,

$P(X=2)=\frac{{}_2C_2\times{}_4C_0}{{}_6C_2}=\frac{1}{15}$

따라서 X의 확률분포를 표로 나타내면 다음과 같다.

X	0	1	2	합계
$P(X=x)$	$\frac{2}{5}$	$\frac{8}{15}$	$\frac{1}{15}$	1

$\therefore E(X)=0\times\frac{2}{5}+1\times\frac{8}{15}+2\times\frac{1}{15}=\frac{2}{3}$

4-2 한 개의 동전을 세 번 던질 때 받을 수 있는 점수는

(i) 앞면이 0번, 뒷면이 3번 나올 때: $1+1+1=3$(점)

(ii) 앞면이 1번, 뒷면이 2번 나올 때: $3+1+1=5$(점)

(iii) 앞면이 2번, 뒷면이 1번 나올 때: $3+3+1=7$(점)

(iv) 앞면이 3번, 뒷면이 0번 나올 때: $3+3+3=9$(점)

따라서 확률변수 X가 가질 수 있는 값은 3, 5, 7, 9이고, 각 값을 가질 확률은

$P(X=3)=\frac{1}{8}$, $P(X=5)=\frac{3}{8}$, $P(X=7)=\frac{3}{8}$,

$P(X=9)=\frac{1}{8}$

따라서 X의 확률분포를 표로 나타내면 다음과 같다.

X	3	5	7	9	합계
$P(X=x)$	$\frac{1}{8}$	$\frac{3}{8}$	$\frac{3}{8}$	$\frac{1}{8}$	1

$\therefore E(X)=3\times\frac{1}{8}+5\times\frac{3}{8}+7\times\frac{3}{8}+9\times\frac{1}{8}=6$

5-1 $E(X)=1\times\frac{1}{5}+2\times\frac{3}{5}+3\times\frac{1}{5}=2$,

$E(X^2)=1^2\times\frac{1}{5}+2^2\times\frac{3}{5}+3^2\times\frac{1}{5}=\frac{22}{5}$

이므로 X의 분산과 표준편차는 각각

$V(X)=E(X^2)-\{E(X)\}^2=\frac{22}{5}-2^2=\frac{2}{5}$

$\sigma(X)=\sqrt{V(X)}=\sqrt{\frac{2}{5}}=\frac{\sqrt{10}}{5}$

5-2 $E(X)=0\times\frac{1}{4}+4\times\frac{1}{2}+8\times\frac{1}{4}=4$,

$E(X^2)=0^2\times\frac{1}{4}+4^2\times\frac{1}{2}+8^2\times\frac{1}{4}=24$

이므로 X의 분산과 표준편차는 각각

$V(X)=E(X^2)-\{E(X)\}^2=24-4^2=8$

$\sigma(X)=\sqrt{V(X)}=\sqrt{8}=2\sqrt{2}$

6-1 $E(X)=5$, $V(X)=1$, $\sigma(X)=1$이므로

$E(Y)=E(-2X+3)=-2E(X)+3$

$=-2\times5+3=-7$

$V(Y)=V(-2X+3)=(-2)^2V(X)$

$=4\times1=4$

$\sigma(Y)=\sigma(-2X+3)=|-2|\sigma(X)=2\times1=2$

6-2 $E(X)=8$, $V(X)=4$, $\sigma(X)=2$이므로

$E(Y)=E(5X-1)=5E(X)-1=5\times8-1=39$

$V(Y)=V(5X-1)=5^2V(X)=25\times4=100$

$\sigma(Y)=\sigma(5X-1)=|5|\sigma(X)=5\times2=10$

STEP 3 교과서 기본 테스트

본문 78~81쪽

01 풀이 참조　02 ③　03 ⑤　04 ④
05 $\frac{5}{6}$　06 (1) 풀이 참조 (2) $\frac{65}{84}$　07 ②
08 $\frac{1}{4}$　09 $\frac{20}{3}$　10 ⑤　11 $\frac{3}{2}$　12 $\frac{11}{3}$
13 ①　14 ③　15 13　16 ⑤　17 ④
18 $E(X)=\frac{7}{2}$, $E(Y)=350$　19 ③　20 $\frac{1}{5}$
21 평균: 0, 분산: 3　22 $\frac{7}{4}$
23 평균: 37, 분산: 225, 표준편차: 15
24 평균: 9, 분산: $\frac{28}{3}$

01 확률변수 X의 확률분포를 표로 나타내면 다음과 같다.

X	0	1	2	3	4	5	합계
$P(X=x)$	$\frac{1}{12}$	$\frac{1}{12}$	$\frac{1}{3}$	$\frac{1}{3}$	$\frac{1}{12}$	$\frac{1}{12}$	1

02 확률변수 X의 확률분포를 표로 나타내면 다음과 같다.

X	1	2	3	4	합계
$P(X=x)$	0	k	$2k$	$3k$	1

이때 확률의 총합은 1이므로

$k+2k+3k=1$　　$\therefore k=\frac{1}{6}$

03 $P(2\le X\le 3)=P(X=2)+P(X=3)$

$=\frac{3}{8}+\frac{1}{4}=\frac{5}{8}$

04 확률의 총합은 1이므로

$\frac{1}{10}+3a+a+\frac{1}{2}=1$　　$\therefore a=\frac{1}{10}$

$\therefore P(X\ge 3)=P(X=3)+P(X=4)$

$=\frac{1}{10}+\frac{1}{2}=\frac{3}{5}$

05 확률의 총합은 1이므로

$\frac{1}{6}+\frac{1}{3}+a=1$　　$\therefore a=\frac{1}{2}$

이때 $X^2-X-2<0$에서

$(X+1)(X-2)<0$이므로

$-1<X<2$

$\therefore P(X^2-X-2<0)=P(-1<X<2)$

$=P(X=0)+P(X=1)$

$=\frac{1}{3}+\frac{1}{2}=\frac{5}{6}$

06 (1) 확률변수 X가 가질 수 있는 값은 0, 1, 2, 3이고, 각 값을 가질 확률은

$P(X=0)=\frac{{}_6C_3\times{}_3C_0}{{}_9C_3}=\frac{5}{21}$,

$P(X=1)=\frac{{}_6C_2\times{}_3C_1}{{}_9C_3}=\frac{15}{28}$,

$P(X=2)=\frac{{}_6C_1\times{}_3C_2}{{}_9C_3}=\frac{3}{14}$,

$P(X=3)=\frac{{}_6C_0\times{}_3C_3}{{}_9C_3}=\frac{1}{84}$

따라서 X의 확률분포를 표로 나타내면 다음과 같다.

X	0	1	2	3	합계
$P(X=x)$	$\frac{5}{21}$	$\frac{15}{28}$	$\frac{3}{14}$	$\frac{1}{84}$	1

(2) 여학생이 1명 이하로 선발될 확률은

$P(X\le 1)=P(X=0)+P(X=1)$

$=\frac{5}{21}+\frac{15}{28}=\frac{65}{84}$

07 $E(X)=0\times\frac{5}{12}+1\times\frac{1}{3}+2\times\frac{1}{12}+3\times\frac{1}{6}=1$

08 확률의 총합은 1이므로 $\frac{1}{4}+a+b=1$

$\therefore a+b=\frac{3}{4}$　　…… ㉠

이때 $E(X)=2$이므로 $1\times\frac{1}{4}+2\times a+3\times b=2$

$\therefore 2a+3b=\frac{7}{4}$　　…… ㉡

㉠, ㉡을 연립하여 풀면 $a=\frac{1}{2}$, $b=\frac{1}{4}$

$\therefore P(X=3)=\frac{1}{4}$

09 확률변수 X가 가질 수 있는 값은 2, 4, 6이고, 각 값을 가질 확률은

$P(X=2)=\frac{1}{3}$, $P(X=4)=\frac{1}{3}$, $P(X=6)=\frac{1}{3}$

따라서 X의 확률분포를 표로 나타내면 다음과 같다.

X	2	4	6	합계
$P(X=x)$	$\frac{1}{3}$	$\frac{1}{3}$	$\frac{1}{3}$	1

$E(X)=2\times\frac{1}{3}+4\times\frac{1}{3}+6\times\frac{1}{3}=4$

이때 $E(X^2)=2^2\times\frac{1}{3}+4^2\times\frac{1}{3}+6^2\times\frac{1}{3}=\frac{56}{3}$

이므로

$V(X)=E(X^2)-\{E(X)\}^2=\frac{56}{3}-4^2=\frac{8}{3}$

$\therefore E(X)+V(X)=4+\frac{8}{3}=\frac{20}{3}$

10 확률변수 X가 가질 수 있는 값은 0, 1, 2, 3이고, 각 값을 가질 확률은

$P(X=0)=\frac{{}_3C_0\times{}_4C_4}{{}_7C_4}=\frac{1}{35}$,

$P(X=1)=\frac{{}_3C_1\times{}_4C_3}{{}_7C_4}=\frac{12}{35}$,

$P(X=2)=\frac{{}_3C_2\times{}_4C_2}{{}_7C_4}=\frac{18}{35}$,

$P(X=3)=\frac{{}_3C_3\times{}_4C_1}{{}_7C_4}=\frac{4}{35}$

따라서 X의 확률분포를 표로 나타내면 다음과 같다.

X	0	1	2	3	합계
$P(X=x)$	$\frac{1}{35}$	$\frac{12}{35}$	$\frac{18}{35}$	$\frac{4}{35}$	1

$\therefore E(X)=0\times\frac{1}{35}+1\times\frac{12}{35}+2\times\frac{18}{35}+3\times\frac{4}{35}$

$=\frac{12}{7}$

11 $P(X=0)=\frac{1}{12}$, $P(X=1)=\frac{1}{3}$, $P(X=2)=\frac{7}{12}$

따라서 X의 확률분포를 표로 나타내면 다음과 같다.

X	0	1	2	합계
$P(X=x)$	$\frac{1}{12}$	$\frac{1}{3}$	$\frac{7}{12}$	1

$\therefore E(X)=0\times\frac{1}{12}+1\times\frac{1}{3}+2\times\frac{7}{12}=\frac{3}{2}$

12 $P(X=1)=a$라 하면 $P(X=x)$는 x의 값에 비례하므로

$P(X=2)=2a$, $P(X=3)=3a$, $P(X=4)=4a$, $P(X=5)=5a$

이때 확률의 총합은 1이므로

$a+2a+3a+4a+5a=1$ $\quad\therefore a=\frac{1}{15}$

따라서 X의 확률분포를 표로 나타내면 다음과 같다.

X	1	2	3	4	5	합계
$P(X=x)$	$\frac{1}{15}$	$\frac{2}{15}$	$\frac{1}{5}$	$\frac{4}{15}$	$\frac{1}{3}$	1

$\therefore E(X)=1\times\frac{1}{15}+2\times\frac{2}{15}+3\times\frac{1}{5}+4\times\frac{4}{15}+5\times\frac{1}{3}$

$=\frac{11}{3}$

13 $E(X)=3$, $\sigma(X)=2$이므로

$E(-3X+1)=-3E(X)+1=-3\times3+1=-8$

$\sigma(-3X+1)=|-3|\sigma(X)=3\times2=6$

$\therefore E(-3X+1)+\sigma(-3X+1)=-8+6=-2$

14 $V(X)=E(X^2)-\{E(X)\}^2=100-8^2=36$ 이므로

$\sigma(X)=\sqrt{V(X)}=\sqrt{36}=6$

$\therefore \sigma(4X-1)=|4|\sigma(X)=4\times6=24$

15 $V(X)=2$, $V(aX+b)=18$이므로

$V(aX+b)=a^2V(X)=2a^2=18$

$a^2=9$이므로 $a=-3$ ($\because a<0$)

또 $E(X)=1$, $E(aX+b)=5$이므로

$E(aX+b)=aE(X)+b=-3\times1+b=5$

$-3+b=5$이므로 $b=8$

$\therefore a+2b=-3+2\times8=13$

16 확률변수 X가 가질 수 있는 값은 1, 3, 5이고, 각 값을 가질 확률은

$P(X=1)=\frac{1}{3}$, $P(X=3)=\frac{1}{6}$, $P(X=5)=\frac{1}{2}$

따라서 X의 확률분포를 표로 나타내면 다음과 같다.

X	1	3	5	합계
$P(X=x)$	$\frac{1}{3}$	$\frac{1}{6}$	$\frac{1}{2}$	1

$E(X)=1\times\frac{1}{3}+3\times\frac{1}{6}+5\times\frac{1}{2}=\frac{10}{3}$이므로

$E(3X-5)=3E(X)-5=3\times\frac{10}{3}-5=5$

17 확률변수 X가 가질 수 있는 값은 0, 1, 2이고, 각 값을 가질 확률은

$P(X=0)=\frac{{}_3C_2\times{}_4C_0}{{}_7C_2}=\frac{1}{7}$,

$P(X=1)=\frac{{}_3C_1\times{}_4C_1}{{}_7C_2}=\frac{4}{7}$,

$P(X=2)=\frac{{}_3C_0\times{}_4C_2}{{}_7C_2}=\frac{2}{7}$

따라서 X의 확률분포를 표로 나타내면 다음과 같다.

X	0	1	2	합계
$P(X=x)$	$\frac{1}{7}$	$\frac{4}{7}$	$\frac{2}{7}$	1

이때 $E(X)=0\times\frac{1}{7}+1\times\frac{4}{7}+2\times\frac{2}{7}=\frac{8}{7}$,

$E(X^2)=0^2\times\frac{1}{7}+1^2\times\frac{4}{7}+2^2\times\frac{2}{7}=\frac{12}{7}$이므로

$V(X)=E(X^2)-\{E(X)\}^2=\frac{12}{7}-\left(\frac{8}{7}\right)^2=\frac{20}{49}$

$\therefore V(7X)=7^2V(X)=49\times\frac{20}{49}=20$

18 확률변수 X가 가질 수 있는 값은 1, 2, 3, 4, 5, 6이고, 각 값을 가질 확률은 모두 $\frac{1}{6}$이므로 X의 확률분포를 표로 나타내면 다음과 같다.

X	1	2	3	4	5	6	합계
$P(X=x)$	$\frac{1}{6}$	$\frac{1}{6}$	$\frac{1}{6}$	$\frac{1}{6}$	$\frac{1}{6}$	$\frac{1}{6}$	1

$\therefore E(X)=1\times\frac{1}{6}+2\times\frac{1}{6}+3\times\frac{1}{6}+4\times\frac{1}{6}+5\times\frac{1}{6}+6\times\frac{1}{6}$

$=\frac{7}{2}$

이때 받는 상금은 한 개의 주사위를 한 번 던져서 나오는 눈의 수의 100배이므로 확률변수 $Y=100X$이다.

$\therefore E(Y)=E(100X)=100E(X)$

$=100\times\frac{7}{2}=350$

19 확률변수 X가 가질 수 있는 값은 1, 2, 3이다.

이때 4장의 카드 중에서 2장을 동시에 뽑는 경우의 수는 ${}_4C_2=6$

두 수의 차가 1인 경우는 (1, 2), (2, 3), (3, 4)의 3가지
두 수의 차가 2인 경우는 (1, 3), (2, 4)의 2가지
두 수의 차가 3인 경우는 (1, 4)의 1가지
이므로 X가 각 값을 가질 확률은

$P(X=1)=\frac{1}{2}$, $P(X=2)=\frac{1}{3}$, $P(X=3)=\frac{1}{6}$

따라서 X의 확률분포를 표로 나타내면 다음과 같다.

X	1	2	3	합계
$P(X=x)$	$\frac{1}{2}$	$\frac{1}{3}$	$\frac{1}{6}$	1

이때 $E(X)=1\times\frac{1}{2}+2\times\frac{1}{3}+3\times\frac{1}{6}=\frac{5}{3}$,

$E(X^2)=1^2\times\frac{1}{2}+2^2\times\frac{1}{3}+3^2\times\frac{1}{6}=\frac{10}{3}$이므로

$V(X)=E(X^2)-\{E(X)\}^2=\frac{10}{3}-\left(\frac{5}{3}\right)^2=\frac{5}{9}$

$\therefore V(Y)=V(2X+3)=2^2V(X)=4\times\frac{5}{9}=\frac{20}{9}$

20 $P(X=1)=a+b$, $P(X=2)=2a+b$,
$P(X=3)=3a+b$, $P(X=4)=4a+b$,
$P(X=5)=5a+b$
따라서 X의 확률분포를 표로 나타내면 다음과 같다.

X	1	2	3	4	5	합계
$P(X=x)$	$a+b$	$2a+b$	$3a+b$	$4a+b$	$5a+b$	1

이때 확률의 총합은 1이므로

$(a+b)+(2a+b)+(3a+b)+(4a+b)+(5a+b)=1$

$15a+5b=1$ ...... ㉠

또 $E(X)=\frac{10}{3}$이므로

$1\times(a+b)+2\times(2a+b)+3\times(3a+b)+4\times(4a+b)+5\times(5a+b)=\frac{10}{3}$

$55a+15b=\frac{10}{3}$ ...... ㉡

㉠, ㉡을 연립하여 풀면 $a=\frac{1}{30}$, $b=\frac{1}{10}$

$\therefore 3a+b=3\times\frac{1}{30}+\frac{1}{10}=\frac{1}{5}$

21 한 개의 동전을 세 번 던질 때 나올 수 있는 점 P의 좌표는
(i) 앞면이 0번, 뒷면이 3번 나올 때: $-1-1-1=-3$
(ii) 앞면이 1번, 뒷면이 2번 나올 때: $1-1-1=-1$
(iii) 앞면이 2번, 뒷면이 1번 나올 때: $1+1-1=1$
(iv) 앞면이 3번, 뒷면이 0번 나올 때: $1+1+1=3$
따라서 확률변수 X가 가질 수 있는 값은 -3, -1, 1, 3이고, 각 값을 가질 확률은

$P(X=-3)=\frac{1}{8}$, $P(X=-1)=\frac{3}{8}$,

$P(X=1)=\frac{3}{8}$, $P(X=3)=\frac{1}{8}$

따라서 X의 확률분포를 표로 나타내면 다음과 같다.

X	-3	-1	1	3	합계
$P(X=x)$	$\frac{1}{8}$	$\frac{3}{8}$	$\frac{3}{8}$	$\frac{1}{8}$	1

$E(X)=-3\times\frac{1}{8}+(-1)\times\frac{3}{8}+1\times\frac{3}{8}+3\times\frac{1}{8}=0$

이때

$E(X^2)=(-3)^2\times\frac{1}{8}+(-1)^2\times\frac{3}{8}+1^2\times\frac{3}{8}+3^2\times\frac{1}{8}=3$

이므로

$V(X)=E(X^2)-\{E(X)\}^2=3-0^2=3$

22 $P(X=0)=\frac{1}{10}$, $P(X=1)=\frac{3}{20}$, $P(X=2)=\frac{1}{5}$,
$P(X=3)=\frac{1}{4}$, $P(X=4)=\frac{3}{10}$
따라서 X의 확률분포를 표로 나타내면 다음과 같다.

X	0	1	2	3	4	합계
$P(X=x)$	$\frac{1}{10}$	$\frac{3}{20}$	$\frac{1}{5}$	$\frac{1}{4}$	$\frac{3}{10}$	1

이때

$E(X)=0\times\frac{1}{10}+1\times\frac{3}{20}+2\times\frac{1}{5}+3\times\frac{1}{4}+4\times\frac{3}{10}=\frac{5}{2}$

$E(X^2)=0^2\times\frac{1}{10}+1^2\times\frac{3}{20}+2^2\times\frac{1}{5}+3^2\times\frac{1}{4}+4^2\times\frac{3}{10}=8$

이므로

$V(X)=E(X^2)-\{E(X)\}^2=8-\left(\frac{5}{2}\right)^2=\frac{7}{4}$

23 $E(X)=10$, $V(X)=25$, $\sigma(X)=5$이므로
$E(Y)=E(3X+7)=3E(X)+7=3\times10+7=37$
$V(Y)=V(3X+7)=3^2V(X)=9\times25=225$
$\sigma(Y)=\sigma(3X+7)=|3|\sigma(X)=3\times5=15$

24 확률변수 X가 가질 수 있는 값은 0, 1, 2이고, 각 값을 가질 확률은

$P(X=0)=\frac{{}_7C_0\times{}_3C_2}{{}_{10}C_2}=\frac{1}{15}$,

$P(X=1)=\frac{{}_7C_1\times{}_3C_1}{{}_{10}C_2}=\frac{7}{15}$,

$P(X=2)=\frac{{}_7C_2\times{}_3C_0}{{}_{10}C_2}=\frac{7}{15}$

따라서 X의 확률분포를 표로 나타내면 다음과 같다.

X	0	1	2	합계
$P(X=x)$	$\frac{1}{15}$	$\frac{7}{15}$	$\frac{7}{15}$	1

$\mathrm{E}(X)=0\times\frac{1}{15}+1\times\frac{7}{15}+2\times\frac{7}{15}=\frac{7}{5}$

이때 $\mathrm{E}(X^2)=0^2\times\frac{1}{15}+1^2\times\frac{7}{15}+2^2\times\frac{7}{15}=\frac{7}{3}$

이므로

$\mathrm{V}(X)=\mathrm{E}(X^2)-\{\mathrm{E}(X)\}^2=\frac{7}{3}-\left(\frac{7}{5}\right)^2=\frac{28}{75}$

$\therefore \mathrm{E}(Y)=\mathrm{E}(5X+2)=5\mathrm{E}(X)+2$

$=5\times\frac{7}{5}+2=9$

$\mathrm{V}(Y)=\mathrm{V}(5X+2)=5^2\mathrm{V}(X)$

$=25\times\frac{28}{75}=\frac{28}{3}$

창의력 · 융합형 · 서술형 · 코딩

본문 82~83쪽

1 (1) 3, 4, 5, 6 (2) 풀이 참조 (3) 풀이 참조

2 (1) $2, 2\sqrt{2}, 2\sqrt{3}$ (2) 풀이 참조 (3) $\frac{6}{7}$

3 (1) 10, 20, 30 (2) 풀이 참조 (3) 평균: 17, 분산: 61

4 (1) 중간고사 수학 시험의 표준 점수: 132

기말고사 수학 시험의 표준 점수: 140

(2) 중간고사 수학 시험의 표준 점수: 128

기말고사 수학 시험의 표준 점수: 145

(3) B

1 (1) 동전의 앞면을 H, 뒷면을 T로 나타내면

(H, H, H, H), (T, T, T, T) → 3점

(H, H, H, T), (H, H, T, T), (H, T, T, T), (T, T, T, H), (T, T, H, H), (T, H, H, H) → 4점

(H, H, T, H), (H, T, H, H), (H, T, T, H), (T, T, H, T), (T, H, T, T), (T, H, H, T) → 5점

(H, T, H, T), (T, H, T, H) → 6점

따라서 확률변수 X가 가질 수 있는 값은 3, 4, 5, 6이다.

(2) 한 개의 동전을 네 번 던질 때 나올 수 있는 모든 경우의 수는 16

(1)에서 3점을 얻는 경우는 2가지, 4점을 얻는 경우는 6가지, 5점을 얻는 경우는 6가지, 6점을 얻는 경우는 2가지이므로 각 값을 가질 확률은

$\mathrm{P}(X=3)=\frac{1}{8}$, $\mathrm{P}(X=4)=\frac{3}{8}$, $\mathrm{P}(X=5)=\frac{3}{8}$,

$\mathrm{P}(X=6)=\frac{1}{8}$

(3) X의 확률분포를 표로 나타내면 다음과 같다.

X	3	4	5	6	합계
$\mathrm{P}(X=x)$	$\frac{1}{8}$	$\frac{3}{8}$	$\frac{3}{8}$	$\frac{1}{8}$	1

2 (1) 한 모서리의 길이가 2인 정육면체에서 서로 다른 세 꼭짓점을 택하여 만들 수 있는 삼각형은

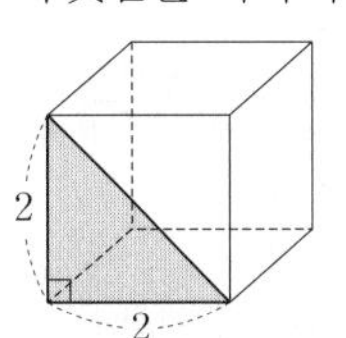

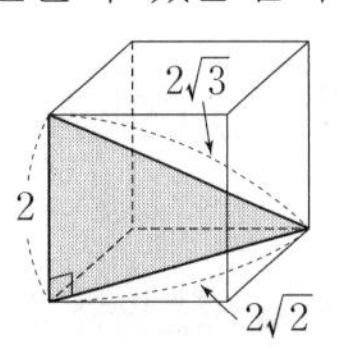

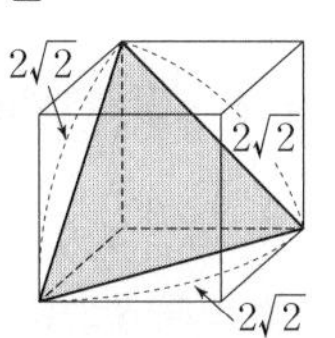

따라서 확률변수 X가 가질 수 있는 값은 $2, 2\sqrt{2}, 2\sqrt{3}$이다.

(2) $\mathrm{P}(X=2)=\frac{6\times{}_4\mathrm{C}_3}{{}_8\mathrm{C}_3}=\frac{3}{7}$,

$\mathrm{P}(X=2\sqrt{2})=\frac{12\times2}{{}_8\mathrm{C}_3}=\frac{3}{7}$,

$\mathrm{P}(X=2\sqrt{3})=\frac{8}{{}_8\mathrm{C}_3}=\frac{1}{7}$

따라서 X의 확률분포를 표로 나타내면 다음과 같다.

X	2	$2\sqrt{2}$	$2\sqrt{3}$	합계
$\mathrm{P}(X=x)$	$\frac{3}{7}$	$\frac{3}{7}$	$\frac{1}{7}$	1

(3) $\mathrm{P}(X\le3)=\mathrm{P}(X=2)+\mathrm{P}(X=2\sqrt{2})$

$=\frac{3}{7}+\frac{3}{7}=\frac{6}{7}$

3 (1) 확률변수 X가 가질 수 있는 값은 10, 20, 30이다.

(2) $\mathrm{P}(X=10)=\frac{1}{2}$, $\mathrm{P}(X=20)=\frac{3}{10}$,

$\mathrm{P}(X=30)=\frac{1}{5}$

따라서 X의 확률분포를 표로 나타내면 다음과 같다.

X	10	20	30	합계
$\mathrm{P}(X=x)$	$\frac{1}{2}$	$\frac{3}{10}$	$\frac{1}{5}$	1

(3) $\mathrm{E}(X)=10\times\frac{1}{2}+20\times\frac{3}{10}+30\times\frac{1}{5}=17$

이때 $\mathrm{E}(X^2)=10^2\times\frac{1}{2}+20^2\times\frac{3}{10}+30^2\times\frac{1}{5}=350$

$\therefore \mathrm{V}(X)=\mathrm{E}(X^2)-\{\mathrm{E}(X)\}^2=350-17^2=61$

4 (1) A학생의 중간고사와 기말고사 수학 시험의 표준 점수를 각각 T_1, T_2라 하면

$T_1=20\times\frac{84-52}{20}+100=132$

$T_2=20\times\frac{88-56}{16}+100=140$

(2) B학생의 중간고사와 기말고사 수학 시험의 표준 점수를 각각 T_3, T_4라 하면

$T_3=20\times\frac{80-52}{20}+100=128$

$T_4=20\times\frac{92-56}{16}+100=145$

(3) A학생의 표준 점수의 합은 $132+140=272$

B학생의 표준 점수의 합은 $128+145=273$

따라서 중간고사와 기말고사의 표준 점수의 합이 높은 학생은 B이다.

07 이항분포

STEP 1 교과서 개념 확인 테스트 | 본문 85쪽

1-1 $100, \frac{3}{100}$ 1-2 $20, \frac{4}{5}$

2-1 평균: 10, 분산: 9, 표준편차: 3

2-2 평균: 40, 분산: $\frac{100}{3}$, 표준편차: $\frac{10\sqrt{3}}{3}$

3-1 평균: 270, 분산: 27

3-2 평균: 140, 표준편차: $\sqrt{42}$

1-1 불량률이 3 %인 제품 100개 중에 들어 있는 불량품의 개수를 확률변수 X라 할 때, X는 이항분포 $B\left(\boxed{100}, \boxed{\frac{3}{100}}\right)$을 따른다.

1-2 자유투 성공률이 80 %인 어느 농구 선수가 자유투를 20번 던져서 성공하는 횟수를 확률변수 X라 할 때, X는 이항분포 $B\left(\boxed{20}, \boxed{\frac{4}{5}}\right)$를 따른다.

2-1 확률변수 X가 이항분포 $B\left(100, \frac{1}{10}\right)$을 따르므로

$E(X)=100\times\frac{1}{10}=10$

$V(X)=100\times\frac{1}{10}\times\left(1-\frac{1}{10}\right)=9$

$\sigma(X)=\sqrt{9}=3$

2-2 확률변수 X가 이항분포 $B\left(240, \frac{1}{6}\right)$을 따르므로

$E(X)=240\times\frac{1}{6}=40$

$V(X)=240\times\frac{1}{6}\times\left(1-\frac{1}{6}\right)=\frac{100}{3}$

$\sigma(X)=\sqrt{\frac{100}{3}}=\frac{10\sqrt{3}}{3}$

3-1 봉숭아 씨앗 300개를 심으므로 300회의 독립시행이고, 씨앗 한 개가 발아할 확률이 $\frac{9}{10}$이므로 확률변수 X는 이항분포 $B\left(300, \frac{9}{10}\right)$를 따른다.
따라서 확률변수 X의 평균과 분산은 각각

$E(X)=300\times\frac{9}{10}=270$

$V(X)=300\times\frac{9}{10}\times\left(1-\frac{9}{10}\right)=27$

3-2 교차로에 200대의 차량이 진입하므로 200회의 독립시행이고, 좌회전할 확률이 $\frac{7}{10}$이므로 확률변수 X는 이항분포 $B\left(200, \frac{7}{10}\right)$을 따른다.
따라서 확률변수 X의 평균과 표준편차는 각각

$E(X)=200\times\frac{7}{10}=140$

$\sigma(X)=\sqrt{200\times\frac{7}{10}\times\left(1-\frac{7}{10}\right)}=\sqrt{42}$

STEP 2 기출 기초 테스트 | 본문 86~87쪽

1-1 (1) $P(X=x)={}_5C_x\left(\frac{1}{4}\right)^x\left(\frac{3}{4}\right)^{5-x}$ $(x=0, 1, 2, 3, 4, 5)$
(2) $\frac{405}{1024}$

1-2 (1) $P(X=x)={}_6C_x\left(\frac{1}{9}\right)^x\left(\frac{8}{9}\right)^{6-x}$ $(x=0, 1, 2, \cdots, 6)$
(2) $\frac{16}{3^{11}}$

2-1 $B\left(8, \frac{2}{3}\right)$ 2-2 $B\left(250, \frac{3}{10}\right)$

3-1 $\frac{272}{3125}$ 3-2 $\frac{243}{256}$

4-1 평균: 20, 표준편차: 2 4-2 평균: 15, 표준편차: $\sqrt{10}$

5-1 (1) 0.767 (2) 0.913 (3) 풀이 참조

5-2 (1) 0.614 (2) 0.784 (3) 0.946 (4) 풀이 참조

1-1 (1) 서로 다른 두 개의 동전을 동시에 던지는 시행을 5번 반복하므로 5회의 독립시행이고, 1회의 시행에서 두 개 모두 앞면이 나올 확률은 $\frac{1}{4}$이므로 확률변수 X는 이항분포 $B\left(5, \frac{1}{4}\right)$을 따른다.
따라서 확률변수 X의 확률질량함수는

$P(X=x)={}_5C_x\left(\frac{1}{4}\right)^x\left(\frac{3}{4}\right)^{5-x}$

$(x=0, 1, 2, 3, 4, 5)$

(2) $P(X=1)={}_5C_1\left(\frac{1}{4}\right)^1\left(\frac{3}{4}\right)^4$

$=\frac{405}{1024}$

1-2 (1) 서로 다른 두 개의 주사위를 동시에 던지는 시행을 6번 반복하므로 6회의 독립시행이고, 1회의 시행에서 두 개 모두 3의 배수의 눈이 나올 확률은 $\frac{1}{9}$이므로 확률변수 X는 이항분포 $B\left(6, \frac{1}{9}\right)$을 따른다.
따라서 확률변수 X의 확률질량함수는

$P(X=x)={}_6C_x\left(\frac{1}{9}\right)^x\left(\frac{8}{9}\right)^{6-x}$

$(x=0, 1, 2, \cdots, 6)$

(2) $P(X=5)={}_6C_5\left(\frac{1}{9}\right)^5\left(\frac{8}{9}\right)^1$

$=\frac{16}{3^{11}}$

2-1 한 개의 주사위를 8번 던지므로 8회의 독립시행이고, 1회의 시행에서 3 이상의 눈이 나올 확률은 $\frac{2}{3}$이므로 확률변수 X는 이항분포 $B\left(8, \frac{2}{3}\right)$를 따른다.

2-2 250명의 손님이 주문을 하므로 250회의 독립시행이고, 1회의 시행에서 국수를 주문할 확률은 $\frac{3}{10}$이므로 확률변수 X는 이항분포 $B\left(250, \frac{3}{10}\right)$을 따른다.

3-1 공격 횟수가 5번이므로 5회의 독립시행이고, 1회의 시행에서 공격에 성공할 확률은 $\frac{2}{5}$이므로 확률변수 X는 이항분포 $B\left(5, \frac{2}{5}\right)$를 따른다.
따라서 확률변수 X의 확률질량함수는

$$P(X=x)={}_5C_x\left(\frac{2}{5}\right)^x\left(\frac{3}{5}\right)^{5-x}\ (x=0, 1, 2, 3, 4, 5)$$

이므로 4번 이상 공격이 성공할 확률은

$$\begin{aligned}P(X\geq 4)&=P(X=4)+P(X=5)\\&={}_5C_4\left(\frac{2}{5}\right)^4\left(\frac{3}{5}\right)^1+{}_5C_5\left(\frac{2}{5}\right)^5\\&=\frac{240}{3125}+\frac{32}{3125}\\&=\frac{272}{3125}\end{aligned}$$

3-2 사격 횟수가 4번이므로 4회의 독립시행이고, 1회의 시행에서 명중시킬 확률은 $\frac{3}{4}$이므로 확률변수 X는 이항분포 $B\left(4, \frac{3}{4}\right)$을 따른다.
따라서 확률변수 X의 확률질량함수는

$$P(X=x)={}_4C_x\left(\frac{3}{4}\right)^x\left(\frac{1}{4}\right)^{4-x}\ (x=0, 1, 2, 3, 4)$$

이므로 표적을 2번 이상 명중시킬 확률은

$$\begin{aligned}P(X\geq 2)&=P(X=2)+P(X=3)+P(X=4)\\&={}_4C_2\left(\frac{3}{4}\right)^2\left(\frac{1}{4}\right)^2+{}_4C_3\left(\frac{3}{4}\right)^3\left(\frac{1}{4}\right)^1\\&\quad+{}_4C_4\left(\frac{3}{4}\right)^4\\&=\frac{54}{256}+\frac{108}{256}+\frac{81}{256}\\&=\frac{243}{256}\end{aligned}$$

4-1 3점 슛을 25회 던지므로 25회의 독립시행이고, 1회의 시행에서 3점 슛을 성공시킬 확률은 $\frac{4}{5}$이므로 확률변수 X는 이항분포 $B\left(25, \frac{4}{5}\right)$를 따른다.
따라서

$$E(X)=25\times\frac{4}{5}=20$$

$$\sigma(X)=\sqrt{25\times\frac{4}{5}\times\left(1-\frac{4}{5}\right)}=\sqrt{4}=2$$

4-2 상자에서 임의로 한 개의 공을 꺼내어 색을 확인한 후 다시 넣기를 45번 반복하므로 45회의 독립시행이고, 1회의 시행에서 흰 공이 나올 확률은 $\frac{1}{3}$이므로 확률변수 X는 이항분포 $B\left(45, \frac{1}{3}\right)$을 따른다.
따라서

$$E(X)=45\times\frac{1}{3}=15$$

$$\sigma(X)=\sqrt{45\times\frac{1}{3}\times\left(1-\frac{1}{3}\right)}=\sqrt{10}$$

5-1 (1) $n=20$일 때

$$\begin{aligned}&P\left(\left|\frac{X}{20}-\frac{1}{6}\right|<0.1\right)\\&=P(1.333\cdots<X<5.333\cdots)\\&=P(X=2)+P(X=3)+P(X=4)\\&\quad+P(X=5)\\&=0.198+0.238+0.202+0.129\\&=0.767\end{aligned}$$

(2) $n=40$일 때

$$\begin{aligned}&P\left(\left|\frac{X}{40}-\frac{1}{6}\right|<0.1\right)\\&=P(2.666\cdots<X<10.666\cdots)\\&=P(X=3)+P(X=4)+P(X=5)\\&\quad+P(X=6)+P(X=7)+P(X=8)\\&\quad+P(X=9)+P(X=10)\\&=0.054+0.099+0.143+0.167+0.162\\&\quad+0.134+0.095+0.059\\&=0.913\end{aligned}$$

(3) n의 값이 커짐에 따라 $P\left(\left|\frac{X}{n}-\frac{1}{6}\right|<0.1\right)$은 점점 1에 가까워짐을 알 수 있다.

참고 $P\left(\left|\frac{X}{n}-\frac{1}{6}\right|<0.1\right)$은 상대도수 $\frac{X}{n}$와 수학적 확률 $\frac{1}{6}$의 차가 0.1 미만일 확률을 뜻한다. 이때 시행 횟수 n이 한없이 커짐에 따라 상대도수 $\frac{X}{n}$와 수학적 확률 $\frac{1}{6}$의 차가 0.1 미만일 확률은 1에 한없이 가까워짐을 알 수 있다.

5-2 (1) $n=10$일 때

$$\begin{aligned}&P\left(\left|\frac{X}{10}-\frac{1}{6}\right|<0.1\right)\\&=P(0.666\cdots<X<2.666\cdots)\\&=P(X=1)+P(X=2)\\&=0.323+0.291\\&=0.614\end{aligned}$$

(2) $n=30$일 때

$$\begin{aligned}&P\left(\left|\frac{X}{30}-\frac{1}{6}\right|<0.1\right)\\&=P(2<X<8)\\&=P(X=3)+P(X=4)+P(X=5)\\&\quad+P(X=6)+P(X=7)\\&=0.137+0.185+0.192+0.160+0.110\\&=0.784\end{aligned}$$

(3) $n=50$일 때

$$\begin{aligned}&P\left(\left|\frac{X}{50}-\frac{1}{6}\right|<0.1\right)\\&=P(3.333\cdots<X<13.333\cdots)\\&=P(X=4)+P(X=5)+P(X=6)\\&\quad+\cdots+P(X=13)\\&=0.040+0.075+0.112+\cdots+0.032\\&=0.946\end{aligned}$$

(4) n의 값이 커짐에 따라 $P\left(\left|\frac{X}{n}-\frac{1}{6}\right|<0.1\right)$은 점점 1에 가까워짐을 알 수 있다.

STEP 3 교과서 기본 테스트

본문 88~91쪽

01 $\frac{45}{7}$ **02** (가): $\frac{1}{3}$, (나): $B\left(8, \frac{1}{3}\right)$, (다): ${}_8C_x$

03 $\frac{1}{2}$ **04** ⑤ **05** ② **06** ③ **07** ⑤

08 ② **09** ④ **10** ② **11** ① **12** ④

13 ② **14** ⑤ **15** ③ **16** ④

17 $n=19$, $p=0.05$ **18** ⑤ **19** $\frac{1}{4}$ **20** $\frac{81}{128}$

21 9 **22** 평균: 20, 표준편차: 4 **23** $\frac{15}{8192}$

24 평균: 1000, 표준편차: 30

01 확률변수 X의 확률질량함수가

$P(X=x)={}_6C_x\left(\frac{3}{7}\right)^x\left(\frac{4}{7}\right)^{6-x}$ $(x=0, 1, 2, \cdots, 6)$

이므로 X는 이항분포 $B\left(6, \frac{3}{7}\right)$을 따른다.

$\therefore n+p=6+\frac{3}{7}=\frac{45}{7}$

02 한 개의 주사위를 8번 던지므로 8회의 독립시행이고, 1회의 시행에서 3의 배수의 눈이 나올 확률은 $\boxed{\frac{1}{3}}$이므로 확률변수 X는 이항분포 $\boxed{B\left(8, \frac{1}{3}\right)}$을 따른다.

따라서 확률변수 X의 확률질량함수는

$P(X=x)=\boxed{{}_8C_x}\left(\frac{1}{3}\right)^x\left(\frac{2}{3}\right)^{8-x}$ $(x=0, 1, 2, \cdots, 8)$

$\therefore$ (가): $\frac{1}{3}$, (나): $B\left(8, \frac{1}{3}\right)$, (다): ${}_8C_x$

03 확률변수 X가 이항분포 $B(6, p)$를 따르므로 확률변수 X의 확률질량함수는

$P(X=x)={}_6C_xp^x(1-p)^{6-x}$ $(x=0, 1, 2, \cdots, 6)$

이므로

$P(X=2)={}_6C_2p^2(1-p)^4$

$P(X=3)={}_6C_3p^3(1-p)^3$

이때 $4P(X=2)=3P(X=3)$에서

$4\times{}_6C_2p^2(1-p)^4=3\times{}_6C_3p^3(1-p)^3$

$4\times15(1-p)=3\times20p$

$1-p=p$, $2p=1$

$\therefore p=\frac{1}{2}$

04 서로 다른 두 개의 동전을 동시에 던지는 시행을 5번 반복하므로 5회의 독립시행이고, 1회의 시행에서 앞면과 뒷면이 한 개씩 나올 확률은 $\frac{1}{2}$이므로 확률변수 X는 이항분포 $B\left(5, \frac{1}{2}\right)$을 따른다.

따라서 확률변수 X의 확률질량함수는

$P(X=x)={}_5C_x\left(\frac{1}{2}\right)^x\left(\frac{1}{2}\right)^{5-x}$ $(x=0, 1, 2, 3, 4, 5)$

$\therefore P(X\geq1)$

$=P(X=1)+P(X=2)+P(X=3)+P(X=4)+P(X=5)$

$=1-P(X=0)$

$=1-{}_5C_0\left(\frac{1}{2}\right)^5$

$=1-\frac{1}{32}$

$=\frac{31}{32}$

05 $\sigma(X)=\sqrt{36\times\frac{1}{10}\times\left(1-\frac{1}{10}\right)}=\sqrt{\frac{81}{25}}=\frac{9}{5}$

06 $E(X)=n\times\frac{2}{5}=12$이므로 $n=30$

07 $E(X)=225\times\frac{1}{5}=45$

$\sigma(X)=\sqrt{225\times\frac{1}{5}\times\left(1-\frac{1}{5}\right)}=\sqrt{36}=6$

이므로

$E(2X-1)=2E(X)-1=2\times45-1=89$

$\sigma(2X-1)=|2|\sigma(X)=2\times6=12$

08 가위바위보를 30번 하므로 30회의 독립시행이고, 1회의 시행에서 민지가 재석이를 이길 확률은 $\frac{1}{3}$이므로 확률변수 X는 이항분포 $B\left(30, \frac{1}{3}\right)$을 따른다.

따라서

$E(X)=30\times\frac{1}{3}=10$

이때 $E(2X+k)=25$이므로

$E(2X+k)=2E(X)+k$

$=2\times10+k=25$

$\therefore k=5$

09 $E(X)=48\times\frac{1}{4}=12$

$V(X)=48\times\frac{1}{4}\times\left(1-\frac{1}{4}\right)=9$

이때 $V(X)=E(X^2)-\{E(X)\}^2$이므로

$E(X^2)=V(X)+\{E(X)\}^2$

$=9+12^2=153$

10 5번의 승부차기를 하므로 5회의 독립시행이고, 1회의 시행에서 슛을 성공할 확률은 0.6이므로 확률변수 X는 이항분포 $B(5, 0.6)$을 따른다.
따라서
$E(X)=5\times0.6=3$

11 100개의 제품을 생산하므로 100회의 독립시행이고, 1회의 시행에서 불량품이 나올 확률은 $\frac{1}{5}$이므로 확률변수 X는 이항분포 $B\left(100, \frac{1}{5}\right)$을 따른다.
따라서
$\sigma(X)=\sqrt{100\times\frac{1}{5}\times\left(1-\frac{1}{5}\right)}=\sqrt{16}=4$

12 동전 세 개를 동시에 160번 던지므로 160회의 독립시행이고, 1회의 시행에서 2개가 앞면, 1개가 뒷면이 나올 확률은 ${}_3C_2\left(\frac{1}{2}\right)^2\left(\frac{1}{2}\right)^1=\frac{3}{8}$이므로 확률변수 X는 이항분포 $B\left(160, \frac{3}{8}\right)$을 따른다.
따라서
$E(X)=160\times\frac{3}{8}=60$

13 720개의 주사위를 동시에 한 번 던지므로 720회의 독립시행이고, 1회의 시행에서 1의 눈이 나올 확률은 $\frac{1}{6}$이므로 확률변수 X는 이항분포 $B\left(720, \frac{1}{6}\right)$을 따른다.
따라서
$E(X)=720\times\frac{1}{6}=120 \qquad \therefore m=120$
$V(X)=720\times\frac{1}{6}\times\left(1-\frac{1}{6}\right)=100 \qquad \therefore s=100$
$\therefore m-s=120-100=20$

14 주머니에서 임의로 한 개의 공을 꺼내어 색을 확인한 후 다시 넣는 시행을 320번 반복하므로 320회의 독립시행이고, 1회의 시행에서 흰 공이 나올 확률은 $\frac{1}{8}$이므로 확률변수 X는 이항분포 $B\left(320, \frac{1}{8}\right)$을 따른다.
따라서
$E(X)=320\times\frac{1}{8}=40$
$V(X)=320\times\frac{1}{8}\times\left(1-\frac{1}{8}\right)=35$
$\therefore E(X)+V(X)=40+35=75$

15 윷을 150번 던지므로 150회의 독립시행이고, 1회의 시행에서 개가 나올 확률은 $\frac{2}{5}$이므로 확률변수 X는 이항분포 $B\left(150, \frac{2}{5}\right)$를 따른다.
따라서
$E(X)=150\times\frac{2}{5}=60$
$\sigma(X)=\sqrt{150\times\frac{2}{5}\times\left(1-\frac{2}{5}\right)}=\sqrt{36}=6$

16 슛을 16번 던지므로 16회의 독립시행이고, 1회의 시행에서 슛이 성공할 확률은 $\frac{4}{5}$이므로 확률변수 X는 이항분포 $B\left(16, \frac{4}{5}\right)$를 따른다.
따라서
$\sigma(X)=\sqrt{16\times\frac{4}{5}\times\left(1-\frac{4}{5}\right)}=\sqrt{\frac{64}{25}}=\frac{8}{5}$

17 $E(X)=np=0.95$, $\sigma(X)=\sqrt{np(1-p)}=0.95$
이므로
$\sqrt{0.95(1-p)}=0.95$
$0.95(1-p)=0.95^2$
$1-p=0.95$
$\therefore p=0.05$
이때 $np=0.95$에서 $n=19$

18 한 개의 주사위를 n번 던지므로 n회의 독립시행이고, 1회의 시행에서 3의 눈이 나올 확률은 $\frac{1}{6}$이므로 확률변수 X는 이항분포 $B\left(n, \frac{1}{6}\right)$을 따른다.
따라서
$\sigma(X)=\sqrt{n\times\frac{1}{6}\times\left(1-\frac{1}{6}\right)}=\sqrt{\frac{5}{36}n}$
이때 $\sqrt{\frac{5}{36}n}=5$이므로 $\frac{5}{36}n=25$
$\therefore n=180$

19 공을 100번 던지므로 100회의 독립시행이고, 1회의 시행에서 스트라이크를 칠 확률은 p이므로 확률변수 X는 이항분포 $B(100, p)$를 따른다.
즉 확률변수 X의 확률질량함수는
$P(X=x)={}_{100}C_x p^x(1-p)^{100-x}$
$(x=0, 1, 2, \cdots, 100)$
이므로
$P(X=2)={}_{100}C_2 p^2(1-p)^{98}$
$P(X=3)={}_{100}C_3 p^3(1-p)^{97}$
이때 $\frac{P(X=3)}{P(X=2)}=\frac{98}{9}$에서
$\frac{{}_{100}C_3 p^3(1-p)^{97}}{{}_{100}C_2 p^2(1-p)^{98}}=\frac{98}{9}$
$\frac{p}{1-p}=\frac{1}{3}$, $4p=1$
$\therefore p=\frac{1}{4}$

20 이 약을 먹였을 때, 치유되는 환자의 수를 확률변수 X라 하자. 5명의 환자에게 이 약을 먹였으므로 5회의 독립시행이고, 1회의 시행에서 치유될 확률은 $\frac{3}{4}$이므로 확률변수 X는 이항분포 $\mathrm{B}\left(5, \frac{3}{4}\right)$을 따른다.

즉 확률변수 X의 확률질량함수는

$\mathrm{P}(X=x)={}_5\mathrm{C}_x\left(\frac{3}{4}\right)^x\left(\frac{1}{4}\right)^{5-x}$ $(x=0, 1, 2, 3, 4, 5)$

따라서 4명 이상이 치유될 확률은

$\mathrm{P}(X\geq 4)=\mathrm{P}(X=4)+\mathrm{P}(X=5)$

$={}_5\mathrm{C}_4\left(\frac{3}{4}\right)^4\left(\frac{1}{4}\right)^1+{}_5\mathrm{C}_5\left(\frac{3}{4}\right)^5$

$=\frac{405}{1024}+\frac{243}{1024}=\frac{81}{128}$

21 $\mathrm{E}(X)=n\times\frac{1}{10}=\frac{n}{10}$

$\mathrm{V}(X)=n\times\frac{1}{10}\times\left(1-\frac{1}{10}\right)=\frac{9}{100}n$

$\mathrm{V}(X)=\mathrm{E}(X^2)-\{\mathrm{E}(X)\}^2$이므로

$\mathrm{E}(X^2)=\mathrm{V}(X)+\{\mathrm{E}(X)\}^2=\frac{9}{100}n+\left(\frac{n}{10}\right)^2$

이때 $\mathrm{E}(X^2)=2\{\mathrm{E}(X)\}^2$이므로

$\frac{9}{100}n+\left(\frac{n}{10}\right)^2=2\left(\frac{n}{10}\right)^2$

$n^2-9n=0, n(n-9)=0$

$\therefore n=9$ $(\because n>0)$

22 확률변수 X의 확률질량함수가

$\mathrm{P}(X=x)={}_{100}\mathrm{C}_x\left(\frac{1}{5}\right)^x\left(\frac{4}{5}\right)^{100-x}$

$(x=0, 1, 2, \cdots, 100)$

이므로 확률변수 X는 이항분포 $\mathrm{B}\left(100, \frac{1}{5}\right)$을 따른다.

따라서

$\mathrm{E}(X)=100\times\frac{1}{5}=20$

$\sigma(X)=\sqrt{100\times\frac{1}{5}\times\left(1-\frac{1}{5}\right)}=\sqrt{16}=4$

23 $\mathrm{E}(X)=np=8$, $\mathrm{V}(X)=np(1-p)=4$이므로

$8(1-p)=4, 1-p=\frac{1}{2}$

$\therefore p=\frac{1}{2}$

이때 $np=8$에서 $n=16$

따라서 확률변수 X는 이항분포 $\mathrm{B}\left(16, \frac{1}{2}\right)$을 따른다.

즉 확률변수 X의 확률질량함수는

$\mathrm{P}(X=x)={}_{16}\mathrm{C}_x\left(\frac{1}{2}\right)^x\left(\frac{1}{2}\right)^{16-x}$

$(x=0, 1, 2, \cdots, 16)$

이므로

$\mathrm{P}(X=2)={}_{16}\mathrm{C}_2\left(\frac{1}{2}\right)^2\left(\frac{1}{2}\right)^{14}=\frac{15}{8192}$

24 10000개의 제품을 생산하므로 10000회의 독립시행이고, 1회의 시행에서 불량품이 나올 확률은 $\frac{1}{10}$이므로 확률변수 X는 이항분포 $\mathrm{B}\left(10000, \frac{1}{10}\right)$을 따른다.

따라서

$\mathrm{E}(X)=10000\times\frac{1}{10}=1000$

$\sigma(X)=\sqrt{10000\times\frac{1}{10}\times\left(1-\frac{1}{10}\right)}=\sqrt{900}=30$

창의력 · 융합형 · 서술형 · 코딩 본문 92~93쪽

1 (1) $p=\frac{1}{6}, q=\frac{5}{6}$ (2) 풀이 참조 (3) $\mathrm{B}\left(3, \frac{1}{6}\right)$

2 (1) 0.92073 (2) 0.92073 (3) 풀이 참조

3 (1) $\mathrm{B}\left(400, \frac{1}{20}\right)$ (2) 20 (3) 4000원

4 (1) $X=3Y-20$ (2) $\frac{40}{3}$ (3) 20

1 (1) 한 개의 주사위를 던져서 6의 눈이 나올 확률은 $\frac{1}{6}$이므로 확률변수 X의 확률질량함수는

$\mathrm{P}(X=x)={}_3\mathrm{C}_x\left(\frac{1}{6}\right)^x\left(\frac{5}{6}\right)^{3-x}$ $(x=0, 1, 2, 3)$

$\therefore p=\frac{1}{6}, q=\frac{5}{6}$

(2) 표를 완성하면 다음과 같다.

X	0	1	2	3	합계
$\mathrm{P}(X=x)$	${}_3\mathrm{C}_0\left(\frac{5}{6}\right)^3$ $=\frac{125}{216}$	${}_3\mathrm{C}_1\left(\frac{1}{6}\right)^1\left(\frac{5}{6}\right)^2$ $=\frac{25}{72}$	${}_3\mathrm{C}_2\left(\frac{1}{6}\right)^2\left(\frac{5}{6}\right)^1$ $=\frac{5}{72}$	${}_3\mathrm{C}_3\left(\frac{1}{6}\right)^3$ $=\frac{1}{216}$	1

(3) 한 개의 주사위를 3번 던지므로 3회의 독립시행이고, 1회의 시행에서 6의 눈이 나올 확률은 $\frac{1}{6}$이므로 확률변수 X는 이항분포 $\mathrm{B}\left(3, \frac{1}{6}\right)$을 따른다.

2 (1) 탑승하는 사람의 수를 확률변수 X라 할 때, 확률변수 X의 확률질량함수는

$\mathrm{P}(X=x)={}_{82}\mathrm{C}_x 0.95^x 0.05^{82-x}$

$(x=0, 1, 2, \cdots, 82)$

이므로 구하는 확률은

$\mathrm{P}(X\leq 80)$

$=\mathrm{P}(X=0)+\mathrm{P}(X=1)+\mathrm{P}(X=2)$

$+\cdots+\mathrm{P}(X=80)$

$=1-\{\mathrm{P}(X=81)+\mathrm{P}(X=82)\}$

$=1-({}_{82}\mathrm{C}_{81}0.95^{81}0.05^1+{}_{82}\mathrm{C}_{82}0.95^{82})$

$=1-(82\times0.0157\times0.05+0.0149)$

$=1-0.07927$

$=0.92073$

(2) 탑승하지 않는 사람의 수를 확률변수 Y라 할 때, 확률변수 Y의 확률질량함수는

$\mathrm{P}(Y=y)={}_{82}\mathrm{C}_y 0.05^y 0.95^{82-y}$ $(y=0, 1, 2, \cdots, 82)$

이므로 구하는 확률은

$1-\mathrm{P}(Y\le 1)$

$=1-\{\mathrm{P}(Y=0)+\mathrm{P}(Y=1)\}$

$=1-({}_{82}\mathrm{C}_0 0.95^{82}+{}_{82}\mathrm{C}_1 0.05^1 0.95^{81})$

$=1-(0.0149+82\times 0.05\times 0.0157)$

$=1-0.07927$

$=0.92073$

(3) 서준이와 나연이가 각자의 방법으로 구한 좌석이 부족하지 않을 확률은 0.92073으로 서로 같다. 이때 서준이의 방법은 탑승하는 사람의 수를 확률변수로 놓고 그 확률을 구한 것이고, 나연이의 방법은 탑승하지 않는 사람의 수를 확률변수로 놓고 여사건의 확률을 이용하여 그 확률을 구한 것이다.

3 (1) 400개의 제품을 생산하므로 400회의 독립시행이고, 1회의 시행에서 불량품이 나올 확률은 $\frac{1}{20}$이므로 확률변수 X는 이항분포 $\mathrm{B}\left(400, \frac{1}{20}\right)$을 따른다.

(2) $\mathrm{E}(X)=400\times\frac{1}{20}=20$

(3) 불량품 1개당 200원의 손해가 생긴다고 할 때, 손해 금액의 평균은

$20\times 200=4000$(원)

4 (1) 20번의 독립시행에서 점 P를 양의 방향으로 2만큼 움직이는 횟수가 Y이므로 점 P를 음의 방향으로 1만큼 움직이는 횟수는 $20-Y$이다.

이때 점 P의 좌표는 $2Y-(20-Y)$, 즉 $3Y-20$이므로

$X=3Y-20$

(2) 한 개의 주사위를 20번 던지므로 20회의 독립시행이고, 1회의 시행에서 6의 약수의 눈이 나올 확률은 $\frac{2}{3}$이므로 확률변수 Y는 이항분포 $\mathrm{B}\left(20, \frac{2}{3}\right)$를 따른다.

$\therefore \mathrm{E}(Y)=20\times\frac{2}{3}=\frac{40}{3}$

(3) $\mathrm{E}(X)=\mathrm{E}(3Y-20)$

$=3\mathrm{E}(Y)-20$

$=3\times\frac{40}{3}-20$

$=20$

08 정규분포

STEP 1 교과서 개념 확인 테스트 본문 96~97쪽

1-1 (1) 1 (2) $\frac{1}{8}$	**1-2** (1) 1 (2) $\frac{5}{16}$
2-1 평균: 10, 분산: 4, 표준편차: 2	
2-2 평균: 20, 분산: 9, 표준편차: 3	
3-1 5	**3-2** $m_1=0, m_2=3$
4-1 (1) 0.8413 (2) 0.8185	**4-2** (1) 0.6826 (2) 0.1359
5-1 0.7745	**5-2** 0.5328
6-1 0.4772	**6-2** 0.6826

1-1 (1) 함수 $y=f(x)$의 그래프는 오른쪽 그림과 같고, 그래프와 x축 및 두 직선 $x=0$, $x=2$로 둘러싸인 부분의 넓이는 1이므로

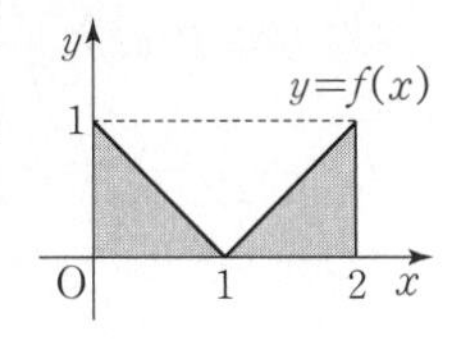

$\mathrm{P}(0\le X\le 2)=1$

(2) $\mathrm{P}\left(1\le X\le\frac{3}{2}\right)$은 오른쪽 그림에서 색칠한 부분의 넓이와 같으므로

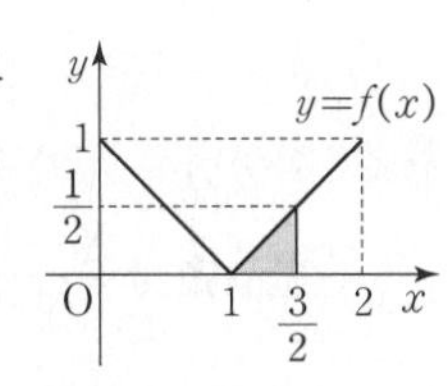

$\mathrm{P}\left(1\le X\le\frac{3}{2}\right)$

$=\frac{1}{2}\times\frac{1}{2}\times\frac{1}{2}=\frac{1}{8}$

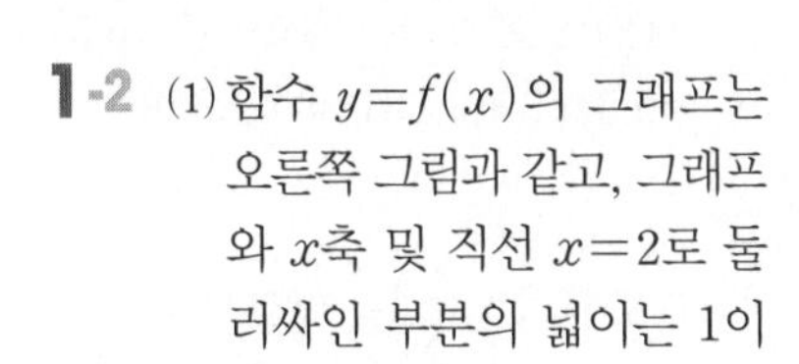

1-2 (1) 함수 $y=f(x)$의 그래프는 오른쪽 그림과 같고, 그래프와 x축 및 직선 $x=2$로 둘러싸인 부분의 넓이는 1이므로

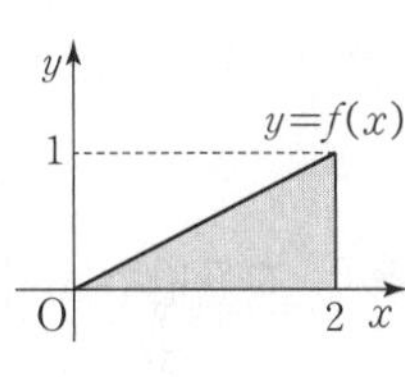

$\mathrm{P}(0\le X\le 2)=1$

(2) $\mathrm{P}\left(1\le X\le\frac{3}{2}\right)$은 오른쪽 그림에서 색칠한 부분의 넓이와 같으므로

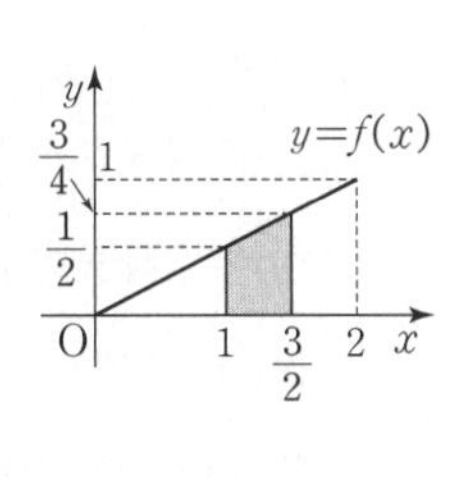

$\mathrm{P}\left(1\le X\le\frac{3}{2}\right)$

$=\frac{1}{2}\times\left(\frac{1}{2}+\frac{3}{4}\right)\times\frac{1}{2}=\frac{5}{16}$

2-1 $\mathrm{N}(10, 2^2)$에서 평균: 10, 분산: 4, 표준편차: 2

2-2 $\mathrm{N}(20, 3^2)$에서 평균: 20, 분산: 9, 표준편차: 3

3-1 정규분포의 확률밀도함수의 그래프는 직선 $x=m$에 대하여 대칭이므로 $m=5$

3-2 정규분포의 확률밀도함수의 그래프는 직선 $x=m$에 대하여 대칭이므로 $m_1=0$, $m_2=3$

4-1 (1) $\mathrm{P}(Z\le 1)=\mathrm{P}(Z\le 0)+\mathrm{P}(0\le Z\le 1)$
$=0.5+0.3413=0.8413$

(2) $\mathrm{P}(-1\le Z\le 2)=\mathrm{P}(0\le Z\le 1)+\mathrm{P}(0\le Z\le 2)$
$=0.3413+0.4772=0.8185$

4-2 (1) $\mathrm{P}(-1\le Z\le 1)=2\mathrm{P}(0\le Z\le 1)$
$=2\times 0.3413=0.6826$

(2) $\mathrm{P}(1\le Z\le 2)=\mathrm{P}(0\le Z\le 2)-\mathrm{P}(0\le Z\le 1)$
$=0.4772-0.3413=0.1359$

5-1 확률변수 X가 정규분포 $\mathrm{N}(10, 2^2)$을 따르므로 확률변수 $Z=\frac{X-10}{2}$은 표준정규분포 $\mathrm{N}(0, 1)$을 따른다.

$\therefore \mathrm{P}(7\le X\le 12)=\mathrm{P}\left(\frac{7-10}{2}\le Z\le \frac{12-10}{2}\right)$
$=\mathrm{P}(-1.5\le Z\le 1)$
$=\mathrm{P}(0\le Z\le 1.5)+\mathrm{P}(0\le Z\le 1)$
$=0.4332+0.3413=0.7745$

5-2 확률변수 X가 정규분포 $\mathrm{N}(12, 4^2)$을 따르므로 확률변수 $Z=\frac{X-12}{4}$는 표준정규분포 $\mathrm{N}(0, 1)$을 따른다.

$\therefore \mathrm{P}(8\le X\le 14)=\mathrm{P}\left(\frac{8-12}{4}\le Z\le \frac{14-12}{4}\right)$
$=\mathrm{P}(-1\le Z\le 0.5)$
$=\mathrm{P}(0\le Z\le 1)+\mathrm{P}(0\le Z\le 0.5)$
$=0.3413+0.1915=0.5328$

6-1 확률변수 X가 이항분포 $\mathrm{B}\left(72, \frac{1}{3}\right)$을 따르므로

$\mathrm{E}(X)=72\times\frac{1}{3}=24,\ \sigma(X)=\sqrt{72\times\frac{1}{3}\times\frac{2}{3}}=4$

이때 72는 충분히 큰 수이므로 확률변수 X는 근사적으로 정규분포 $\mathrm{N}(24, 4^2)$을 따른다.

따라서 확률변수 $Z=\frac{X-24}{4}$는 표준정규분포 $\mathrm{N}(0, 1)$을 따르므로 구하는 확률은

$\mathrm{P}(24\le X\le 32)=\mathrm{P}\left(\frac{24-24}{4}\le Z\le \frac{32-24}{4}\right)$
$=\mathrm{P}(0\le Z\le 2)$
$=0.4772$

6-2 확률변수 X가 이항분포 $\mathrm{B}\left(36, \frac{1}{2}\right)$을 따르므로

$\mathrm{E}(X)=36\times\frac{1}{2}=18,\ \sigma(X)=\sqrt{36\times\frac{1}{2}\times\frac{1}{2}}=3$

이때 36은 충분히 큰 수이므로 확률변수 X는 근사적으로 정규분포 $\mathrm{N}(18, 3^2)$을 따른다.

따라서 확률변수 $Z=\frac{X-18}{3}$은 표준정규분포 $\mathrm{N}(0, 1)$을 따르므로 구하는 확률은

$\mathrm{P}(15\le X\le 21)=\mathrm{P}\left(\frac{15-18}{3}\le Z\le \frac{21-18}{3}\right)$
$=\mathrm{P}(-1\le Z\le 1)$
$=2\mathrm{P}(0\le Z\le 1)$
$=2\times 0.3413=0.6826$

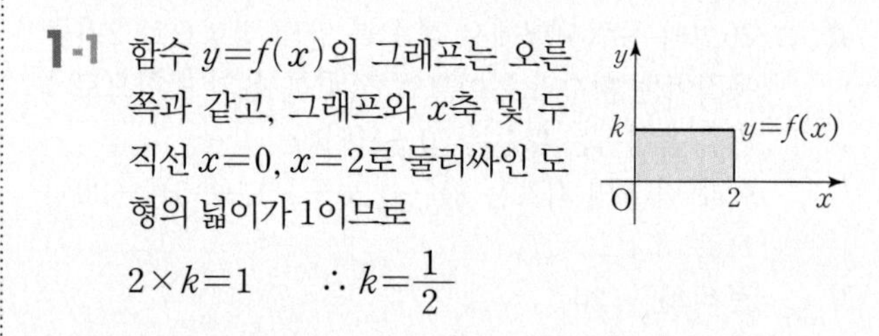

STEP 2 기출 기초 테스트

본문 98~101쪽

1-1 $\frac{1}{2}$	**1-2** $\frac{2}{9}$
2-1 $\frac{3}{4}$	**2-2** $\frac{5}{32}$
3-1 0.4772	**3-2** 0.8185
4-1 8	**4-2** 50
5-1 15	**5-2** 12
6-1 (1) $m_1=m_2$ (2) $\sigma_1>\sigma_2$	
6-2 평균이 가장 큰 것: C, 표준편차가 가장 큰 것: A	
7-1 (1) 0.0277 (2) 0.9032	**7-2** (1) 0.6449 (2) 0.9722
8-1 1.85	**8-2** 1.42
9-1 0.5328	**9-2** (1) 0.8664 (2) 0.1587
10-1 0.1915	**10-2** 0.9332
11-1 0.4772	**11-2** 0.84
12-1 0.8185	**12-2** 0.927

1-1 함수 $y=f(x)$의 그래프는 오른쪽과 같고, 그래프와 x축 및 두 직선 $x=0$, $x=2$로 둘러싸인 도형의 넓이가 1이므로

$2\times k=1 \qquad \therefore k=\frac{1}{2}$

1-2 함수 $y=f(x)$의 그래프는 오른쪽과 같고, 그래프와 x축 및 직선 $x=3$으로 둘러싸인 도형의 넓이가 1이므로

$\frac{1}{2}\times 3\times 3k=1 \qquad \therefore k=\frac{2}{9}$

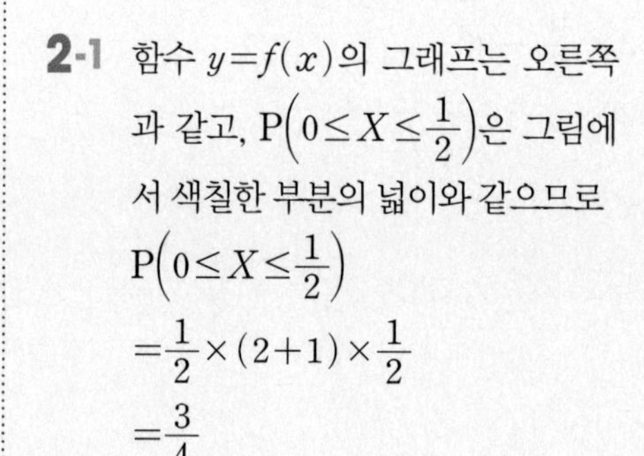

2-1 함수 $y=f(x)$의 그래프는 오른쪽과 같고, $\mathrm{P}\left(0\le X\le\frac{1}{2}\right)$은 그림에서 색칠한 부분의 넓이와 같으므로

$\mathrm{P}\left(0\le X\le\frac{1}{2}\right)$
$=\frac{1}{2}\times(2+1)\times\frac{1}{2}$
$=\frac{3}{4}$

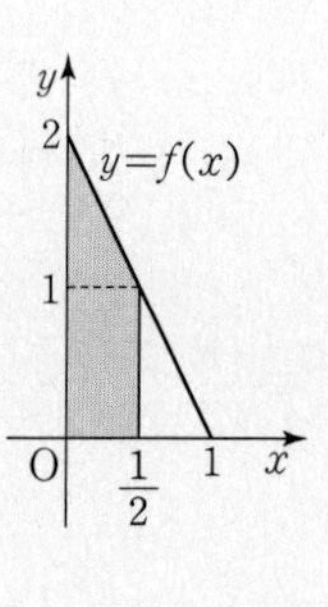

2-2 함수 $y=f(x)$의 그래프는 오른쪽과 같고, 그래프와 x축 및 두 직선 $x=0$, $x=2$로 둘러싸인 도형의 넓이가 1이므로

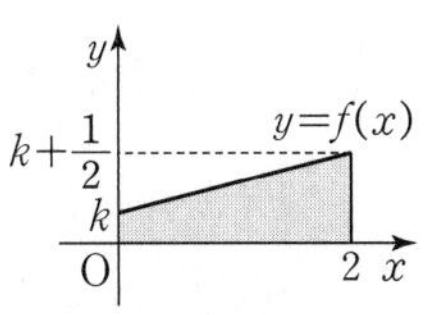

$\frac{1}{2}\times\left(k+k+\frac{1}{2}\right)\times2=2k+\frac{1}{2}=1$

$\therefore k=\frac{1}{4}$

이때 $P\left(0\le X\le\frac{1}{2}\right)$은 오른쪽 그림에서 색칠한 부분의 넓이와 같으므로

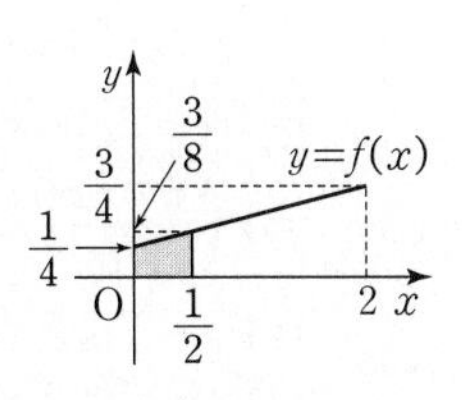

$P\left(0\le X\le\frac{1}{2}\right)$

$=\frac{1}{2}\times\left(\frac{1}{4}+\frac{3}{8}\right)\times\frac{1}{2}=\frac{5}{32}$

3-1 $m=10$, $\sigma=2$이므로

$P(10\le X\le14)=P(10\le X\le10+4)$
$=P(m\le X\le m+2\sigma)$
$=0.4772$

3-2 $m=100$, $\sigma=4$이므로

$P(96\le X\le108)$
$=P(100-4\le X\le100+8)$
$=P(m-\sigma\le X\le m+2\sigma)$
$=P(m\le X\le m+\sigma)+P(m\le X\le m+2\sigma)$
$=0.3413+0.4772=0.8185$

4-1 $m=10$, $\sigma=2$이므로

$P(a\le X\le14)$
$=P(a\le X\le10+4)$
$=P(a\le X\le m+2\sigma)$
$=P(a\le X\le m)+P(m\le X\le m+2\sigma)$
$=P(a\le X\le m)+0.4772$
$=0.8185$
$\therefore P(a\le X\le m)=0.3413$

이때 $P(m\le X\le m+\sigma)=0.3413$이고 정규분포곡선은 직선 $x=m$에 대하여 대칭이므로

$a=m-\sigma=10-2=8$

4-2 $\sigma=3$이고, $P(m\le X\le m+\sigma)=0.3413$에서

$2P(m\le X\le m+\sigma)=0.6826$이므로

$2P(m\le X\le m+\sigma)=P(m-\sigma\le X\le m+\sigma)$
$=P(m-3\le X\le m+3)$

따라서 $P(m-3\le X\le m+3)=P(47\le X\le53)$

이므로 $m-3=47$, $m+3=53$

$\therefore m=50$

5-1 정규분포곡선은 직선 $x=m$에 대하여 대칭이고,

$P(X\le10)=P(X\ge20)$이므로

$m=\frac{20+10}{2}=15$

5-2 정규분포곡선은 직선 $x=m$에 대하여 대칭이고,

$P(X\le14)=P(X\ge10)$이므로

$m=\frac{14+10}{2}=12$

6-1 (1) 정규분포곡선은 직선 $x=m$에 대하여 대칭이므로

$m_1=m_2$

(2) 정규분포곡선은 m의 값이 일정할 때, σ의 값이 커지면 곡선은 낮아지면서 양쪽으로 퍼지고, σ의 값이 작아지면 곡선은 높아지면서 뾰족해지므로

$\sigma_1>\sigma_2$

6-2 정규분포곡선은 직선 $x=m$에 대하여 대칭이므로 평균이 가장 큰 것은 C

또 m의 값이 일정할 때, σ의 값이 커지면 곡선은 낮아지면서 양쪽으로 퍼지고, σ의 값이 작아지면 곡선은 높아지면서 뾰족해지므로 표준편차가 가장 큰 것은 A

7-1 (1) $P(1.8\le Z\le2.4)$
$=P(0\le Z\le2.4)-P(0\le Z\le1.8)$
$=0.4918-0.4641=0.0277$

(2) $P(Z\le1.3)=P(Z\le0)+P(0\le Z\le1.3)$
$=0.5+0.4032=0.9032$

7-2 (1) $P(-0.6\le Z\le1.4)$
$=P(0\le Z\le0.6)+P(0\le Z\le1.4)$
$=0.2257+0.4192=0.6449$

(2) $P(|Z|\le2.2)=P(-2.2\le Z\le2.2)$
$=2P(0\le Z\le2.2)$
$=2\times0.4861=0.9722$

8-1 $P(Z\ge a)=0.5-P(0\le Z\le a)=0.0322$

$\therefore P(0\le Z\le a)=0.4678$

이때 $P(0\le Z\le1.85)=0.4678$이므로

$a=1.85$

8-2 $P(Z\le a)=0.5+P(0\le Z\le a)=0.9222$

$\therefore P(0\le Z\le a)=0.4222$

이때 $P(0\le Z\le1.42)=0.4222$이므로

$a=1.42$

9-1 확률변수 $Z=\frac{X-5}{4}$는 표준정규분포 $N(0, 1)$을 따르므로 구하는 확률은

$P(1\le X\le7)=P\left(\frac{1-5}{4}\le Z\le\frac{7-5}{4}\right)$
$=P(-1\le Z\le0.5)$
$=P(0\le Z\le1)+P(0\le Z\le0.5)$
$=0.3413+0.1915=0.5328$

9-2 확률변수 $Z=\frac{X-30}{5}$은 표준정규분포 $N(0, 1)$을 따르므로 구하는 확률은

(1) $P(22.5\le X\le 37.5)$
$=P\left(\frac{22.5-30}{5}\le Z\le \frac{37.5-30}{5}\right)$
$=P(-1.5\le Z\le 1.5)$
$=2P(0\le Z\le 1.5)$
$=2\times 0.4332=0.8664$

(2) $P(X\le 25)=P\left(Z\le \frac{25-30}{5}\right)$
$=P(Z\le -1)$
$=P(Z\ge 0)-P(0\le Z\le 1)$
$=0.5-0.3413=0.1587$

10-1 학생의 시험 점수를 확률변수 X라 하면 X는 정규분포 $N(60, 24^2)$을 따른다.
따라서 확률변수 $Z=\frac{X-60}{24}$은 표준정규분포 $N(0, 1)$을 따르므로 구하는 확률은
$P(60\le X\le 72)$
$=P\left(\frac{60-60}{24}\le Z\le \frac{72-60}{24}\right)$
$=P(0\le Z\le 0.5)$
$=0.1915$

10-2 과자 한 개의 무게를 확률변수 X라 하면 X는 정규분포 $N(30, 2^2)$을 따른다.
따라서 확률변수 $Z=\frac{X-30}{2}$은 표준정규분포 $N(0, 1)$을 따르므로 구하는 확률은
$P(X\ge 27)$
$=P\left(Z\ge \frac{27-30}{2}\right)$
$=P(Z\ge -1.5)$
$=P(Z\ge 0)+P(0\le Z\le 1.5)$
$=0.5+0.4332=0.9332$

11-1 확률변수 X가 이항분포 $B\left(288, \frac{1}{3}\right)$을 따르므로
$E(X)=288\times\frac{1}{3}=96$, $\sigma(X)=\sqrt{288\times\frac{1}{3}\times\frac{2}{3}}=8$
이때 288은 충분히 큰 수이므로 확률변수 X는 근사적으로 정규분포 $N(96, 8^2)$을 따른다.
따라서 확률변수 $Z=\frac{X-96}{8}$은 표준정규분포 $N(0, 1)$을 따르므로 구하는 확률은
$P(80\le X\le 96)$
$=P\left(\frac{80-96}{8}\le Z\le \frac{96-96}{8}\right)$
$=P(-2\le Z\le 0)$
$=P(0\le Z\le 2)$
$=0.4772$

11-2 확률변수 X가 이항분포 $B\left(150, \frac{2}{5}\right)$를 따르므로
$E(X)=150\times\frac{2}{5}=60$, $\sigma(X)=\sqrt{150\times\frac{2}{5}\times\frac{3}{5}}=6$
이때 150은 충분히 큰 수이므로 확률변수 X는 근사적으로 정규분포 $N(60, 6^2)$을 따른다.
따라서 확률변수 $Z=\frac{X-60}{6}$은 표준정규분포 $N(0, 1)$을 따르므로 구하는 확률은
$P(54\le X\le 78)$
$=P\left(\frac{54-60}{6}\le Z\le \frac{78-60}{6}\right)$
$=P(-1\le Z\le 3)$
$=P(0\le Z\le 1)+P(0\le Z\le 3)$
$=0.3413+0.4987=0.84$

12-1 한 개의 주사위를 던져서 5 이상의 눈이 나오는 횟수를 확률변수 X라 하면 X는 이항분포 $B\left(450, \frac{1}{3}\right)$을 따르므로
$E(X)=450\times\frac{1}{3}=150$,
$\sigma(X)=\sqrt{450\times\frac{1}{3}\times\frac{2}{3}}=10$
이때 450은 충분히 큰 수이므로 확률변수 X는 근사적으로 정규분포 $N(150, 10^2)$을 따른다.
따라서 확률변수 $Z=\frac{X-150}{10}$은 표준정규분포 $N(0, 1)$을 따르므로 구하는 확률은
$P(140\le X\le 170)$
$=P\left(\frac{140-150}{10}\le Z\le \frac{170-150}{10}\right)$
$=P(-1\le Z\le 2)$
$=P(0\le Z\le 1)+P(0\le Z\le 2)$
$=0.3413+0.4772=0.8185$

12-2 한 개의 주사위를 던져서 소수의 눈이 나오는 횟수를 확률변수 X라 하면 X는 이항분포 $B\left(400, \frac{1}{2}\right)$을 따르므로
$E(X)=400\times\frac{1}{2}=200$,
$\sigma(X)=\sqrt{400\times\frac{1}{2}\times\frac{1}{2}}=10$
이때 400은 충분히 큰 수이므로 확률변수 X는 근사적으로 정규분포 $N(200, 10^2)$을 따른다.
따라서 확률변수 $Z=\frac{X-200}{10}$은 표준정규분포 $N(0, 1)$을 따르므로 구하는 확률은
$P(175\le X\le 215)$
$=P\left(\frac{175-200}{10}\le Z\le \frac{215-200}{10}\right)$
$=P(-2.5\le Z\le 1.5)$
$=P(0\le Z\le 2.5)+P(0\le Z\le 1.5)$
$=0.4938+0.4332=0.927$

STEP 3 교과서 기본 테스트

본문 102～105쪽

01 ⑤	**02** $\frac{19}{30}$	**03** 1	**04** 4	**05** $\frac{5}{12}$
06 $\frac{1}{5}$	**07** ④	**08** 0.8185	**09** 0.9544	**10** 0.0139
11 ③	**12** ④	**13** 85	**14** ②	**15** 21
16 15	**17** ②	**18** 129	**19** 0.8041	**20** 0.6247
21 0.8413	**22** $\frac{15}{32}$	**23** 21 %	**24** 0.9938	

01 $P(0\le X\le 2)$는 오른쪽 그림에서 색칠한 부분의 넓이와 같으므로

$\frac{1}{2}\times\left(\frac{1}{2}+\frac{1}{4}\right)\times 2=\frac{3}{4}$

02 함수 $y=f(x)$의 그래프는 오른쪽 그림과 같고, $P(1\le X\le 3)$은 오른쪽 그림에서 색칠한 부분의 넓이와 같으므로

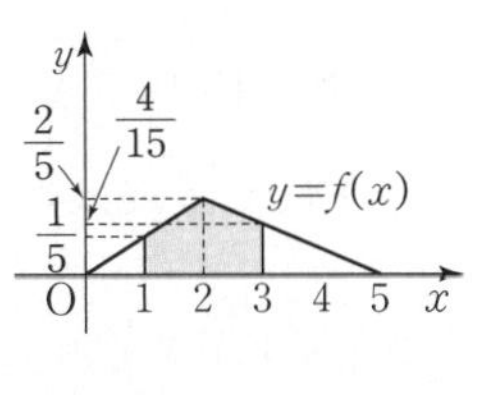

$\frac{1}{2}\times\left(\frac{1}{5}+\frac{2}{5}\right)\times 1+\frac{1}{2}\times\left(\frac{2}{5}+\frac{4}{15}\right)\times 1$

$=\frac{3}{10}+\frac{1}{3}=\frac{19}{30}$

03 함수 $y=f(x)$의 그래프는 오른쪽 그림과 같고, 그래프와 x축 및 두 직선 $x=-1$, $x=1$로 둘러싸인 부분의 넓이가 1이므로

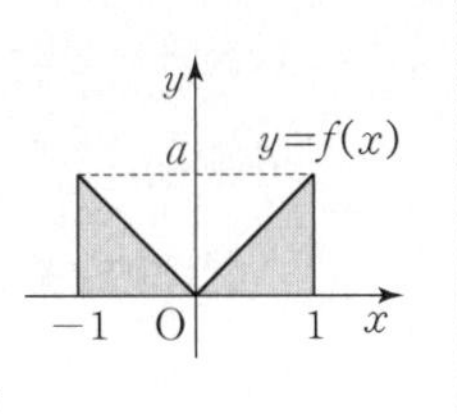

$2\times\left(\frac{1}{2}\times 1\times a\right)=1 \qquad \therefore a=1$

04 함수 $y=f(x)$의 그래프는 오른쪽 그림과 같고, 그래프와 x축으로 둘러싸인 부분의 넓이가 1이므로

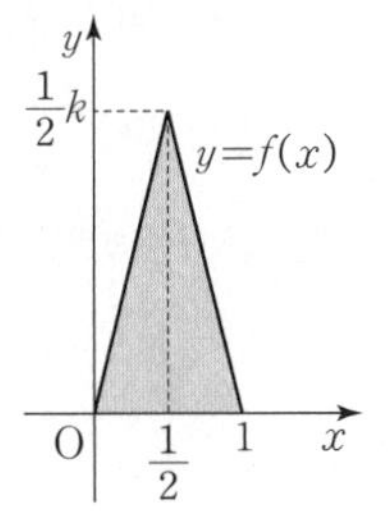

$\frac{1}{2}\times 1\times\frac{1}{2}k=1$

$\therefore k=4$

05 함수 $y=f(x)$의 그래프는 오른쪽 그림과 같고, 그래프와 x축 및 두 직선 $x=0$, $x=1$로 둘러싸인 부분의 넓이가 1이므로

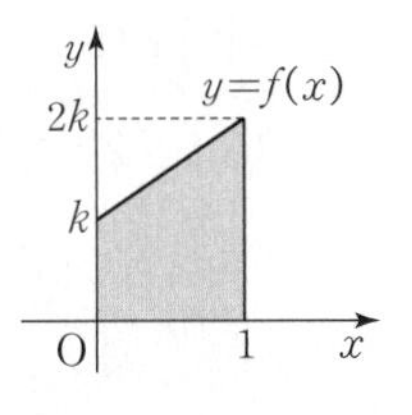

$\frac{1}{2}\times(k+2k)\times 1=1$

$\therefore k=\frac{2}{3}$

이때 $P\left(0\le X\le\frac{1}{2}\right)$은 오른쪽 그림에서 색칠한 부분의 넓이와 같으므로

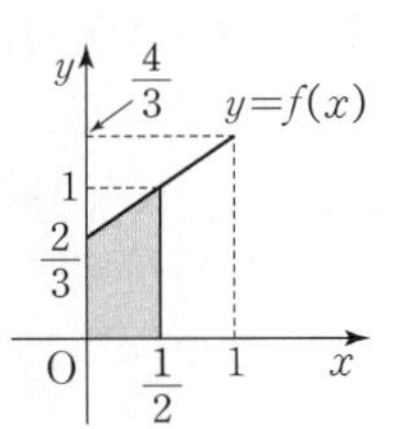

$\frac{1}{2}\times\left(\frac{2}{3}+1\right)\times\frac{1}{2}=\frac{5}{12}$

06 함수 $y=f(x)$의 그래프와 x축 및 직선 $x=0$으로 둘러싸인 부분의 넓이가 1이므로

$P(0\le X\le a)+P\left(a\le X\le\frac{3}{2}\right)=1$

이때 $4P(0\le X\le a)=P\left(a\le X\le\frac{3}{2}\right)$이므로

$P(0\le X\le a)+4P(0\le X\le a)=1$

$\therefore P(0\le X\le a)=\frac{1}{5}$

따라서 $P(0\le X\le a)=\frac{1}{5}$이 되도록 하는 a의 값은 $\frac{1}{5}$

07 X_1의 평균: $100\times\frac{1}{2}=50$, 분산: $100\times\frac{1}{2}\times\frac{1}{2}=25$

X_2의 평균: $200\times\frac{1}{4}=50$, 분산: $200\times\frac{1}{4}\times\frac{3}{4}=37.5$

X_3의 평균: $400\times\frac{1}{8}=50$, 분산: $400\times\frac{1}{8}\times\frac{7}{8}=43.75$

따라서 확률변수 X_1, X_2, X_3은 각각 정규분포 $N(50, 25)$, $N(50, 37.5)$, $N(50, 43.75)$를 따른다.

세 확률변수의 평균은 같고, 평균이 일정할 때 표준편차의 값이 작을수록 정규분포곡선은 높아지면서 뾰족해지므로 세 확률변수의 정규분포곡선의 개형으로 알맞은 것은 ④이다.

08 확률변수 X가 정규분포 $N(4, 3^2)$을 따르므로 확률변수 $Z=\frac{X-4}{3}$는 표준정규분포 $N(0, 1)$을 따른다.

$\therefore P(1\le X\le 10)=P\left(\frac{1-4}{3}\le Z\le\frac{10-4}{3}\right)$

$=P(-1\le Z\le 2)$

$=P(0\le Z\le 1)+P(0\le Z\le 2)$

$=0.3413+0.4772$

$=0.8185$

09 확률변수 X가 정규분포 $N(50, 4^2)$을 따르므로 확률변수 $Z=\frac{X-50}{4}$은 표준정규분포 $N(0, 1)$을 따른다.

$\therefore P(42\le X\le 58)=P\left(\frac{42-50}{4}\le Z\le\frac{58-50}{4}\right)$

$=P(-2\le Z\le 2)$

$=2P(0\le Z\le 2)$

$=2\times 0.4772$

$=0.9544$

10 확률변수 X가 정규분포 $N(75, 5^2)$을 따르므로 확률변수 $Z=\frac{X-75}{5}$는 표준정규분포 $N(0, 1)$을 따른다.

$\therefore P(X\ge 86)=P\left(Z\ge\frac{86-75}{5}\right)$

$=P(Z\ge 2.2)$

$=P(Z\ge 0)-P(0\le Z\le 2.2)$

$=0.5-0.4861$

$=0.0139$

11 학생의 몸무게를 확률변수 X라 하면 X는 정규분포 $N(70, 2^2)$을 따르므로 확률변수 $Z=\frac{X-70}{2}$은 표준정규분포 $N(0, 1)$을 따른다.

$\therefore P(X\geq 74)=P\left(Z\geq \frac{74-70}{2}\right)$
$=P(Z\geq 2)$
$=P(Z\geq 0)-P(0\leq Z\leq 2)$
$=0.5-0.48=0.02$

따라서 몸무게가 74 kg 이상인 학생의 수는
$500\times 0.02=10$(명)

12 학생의 수학 성적을 확률변수 X라 하면 X는 정규분포 $N(60, 10^2)$을 따르므로 확률변수 $Z=\frac{X-60}{10}$은 표준정규분포 $N(0, 1)$을 따른다.

$\therefore P(X\geq 75)=P\left(Z\geq \frac{75-60}{10}\right)$
$=P(Z\geq 1.5)$
$=P(Z\geq 0)-P(0\leq Z\leq 1.5)$
$=0.5-0.43=0.07$

따라서 수학 성적이 75점 이상인 학생의 수는
$1000\times 0.07=70$(명)

13 확률변수 X가 정규분포 $N(100, 10^2)$을 따르므로 확률변수 $Z=\frac{X-100}{10}$은 표준정규분포 $N(0, 1)$을 따른다. 즉

$P(k\leq X\leq 95)$
$=P\left(\frac{k-100}{10}\leq Z\leq \frac{95-100}{10}\right)$
$=P\left(\frac{k-100}{10}\leq Z\leq -0.5\right)$
$=P\left(0\leq Z\leq \frac{100-k}{10}\right)-P(0\leq Z\leq 0.5)$
$=P\left(0\leq Z\leq \frac{100-k}{10}\right)-0.1915=0.2417$

$\therefore P\left(0\leq Z\leq \frac{100-k}{10}\right)=0.4332$

이때 $P(0\leq Z\leq 1.5)=0.4332$이므로

$\frac{100-k}{10}=1.5 \qquad \therefore k=85$

14 정규분포곡선은 직선 $x=m$에 대하여 대칭이고, $P(X\leq 7)=P(X\geq 11)$이므로

$m=\frac{7+11}{2}=9$

또 $V(3X)=3^2 V(X)=9V(X)=2$이므로

$\sigma^2=V(X)=\frac{2}{9}$

$\therefore m\times\sigma^2=9\times\frac{2}{9}=2$

15 확률변수 X가 정규분포 $N(12, 2^2)$을 따르므로 확률변수 $Z_X=\frac{X-12}{2}$는 표준정규분포 $N(0, 1)$을 따른다.

$\therefore P(10\leq X\leq 12)=P\left(\frac{10-12}{2}\leq Z_X\leq \frac{12-12}{2}\right)$
$=P(-1\leq Z_X\leq 0)$
$=P(0\leq Z_X\leq 1)$

또 확률변수 Y가 정규분포 $N(18, 3^2)$을 따르므로 확률변수 $Z_Y=\frac{Y-18}{3}$은 표준정규분포 $N(0, 1)$을 따른다.

$\therefore P(18\leq Y\leq a)=P\left(\frac{18-18}{3}\leq Z_Y\leq \frac{a-18}{3}\right)$
$=P\left(0\leq Z_Y\leq \frac{a-18}{3}\right)$

이때 $P(10\leq X\leq 12)=P(18\leq Y\leq a)$이므로

$P(0\leq Z_X\leq 1)=P\left(0\leq Z_Y\leq \frac{a-18}{3}\right)$에서

$\frac{a-18}{3}=1 \qquad \therefore a=21$

16 확률변수 X가 정규분포 $N(70, 10^2)$을 따르므로 확률변수 $Z_X=\frac{X-70}{10}$은 표준정규분포 $N(0, 1)$을 따른다.

$\therefore P(80\leq X\leq 90)=P\left(\frac{80-70}{10}\leq Z_X\leq \frac{90-70}{10}\right)$
$=P(1\leq Z_X\leq 2)$

또 확률변수 Y가 정규분포 $N(45, 15^2)$을 따르므로 확률변수 $Z_Y=\frac{Y-45}{15}$는 표준정규분포 $N(0, 1)$을 따른다.

$\therefore P(k\leq Y\leq 30)=P\left(\frac{k-45}{15}\leq Z_Y\leq \frac{30-45}{15}\right)$
$=P\left(\frac{k-45}{15}\leq Z_Y\leq -1\right)$
$=P\left(1\leq Z_Y\leq \frac{45-k}{15}\right)$

이때 $P(80\leq X\leq 90)=P(k\leq Y\leq 30)$이므로

$P(1\leq Z_X\leq 2)=P\left(1\leq Z_Y\leq \frac{45-k}{15}\right)$에서

$\frac{45-k}{15}=2 \qquad \therefore k=15$

17 정규분포 $N(10, 2^2)$을 따르는 확률변수 X의 확률밀도함수의 그래프는 $x=10$에서 최댓값을 가지고, 직선 $x=10$에 대하여 대칭이다.

따라서 확률 $P(a\leq X\leq a+2)$가 최대가 되려면

$\frac{a+(a+2)}{2}=10 \qquad \therefore a=9$

18 학생들의 IQ를 확률변수 X라 하면 X는 정규분포 $N(115, 10^2)$을 따르므로 확률변수 $Z=\frac{X-115}{10}$는 표준정규분포 $N(0, 1)$을 따른다.
상위 8 % 이내에 속하는 학생의 최저 IQ를 k라 하면 $P(X \ge k)=0.08$에서

$$P(X \ge k)=P\left(Z \ge \frac{k-115}{10}\right)$$
$$=0.5-P\left(0 \le Z \le \frac{k-115}{10}\right)$$
$$=0.08$$

$\therefore P\left(0 \le Z \le \frac{k-115}{10}\right)=0.42$

이때 $P(0 \le Z \le 1.4)=0.42$이므로

$\frac{k-115}{10}=1.4 \qquad \therefore k=129$

따라서 상위 8 % 이내에 속하는 학생의 최저 IQ는 129이다.

19 확률변수 X가 이항분포 $B\left(1800, \frac{1}{3}\right)$을 따르므로

$E(X)=1800\times\frac{1}{3}=600, \sigma(X)=\sqrt{1800\times\frac{1}{3}\times\frac{2}{3}}=20$

이때 1800은 충분히 큰 수이므로 확률변수 X는 근사적으로 정규분포 $N(600, 20^2)$을 따른다.
따라서 확률변수 $Z=\frac{X-600}{20}$은 표준정규분포 $N(0, 1)$을 따르므로 구하는 확률은

$$P(576 \le X \le 628)$$
$$=P\left(\frac{576-600}{20} \le Z \le \frac{628-600}{20}\right)$$
$$=P(-1.2 \le Z \le 1.4)$$
$$=P(0 \le Z \le 1.2)+P(0 \le Z \le 1.4)$$
$$=0.3849+0.4192=0.8041$$

20 10년 이상 근무한 사람의 수를 확률변수 X라 하면 X는 이항분포 $B\left(400, \frac{1}{5}\right)$을 따르므로

$E(X)=400\times\frac{1}{5}=80, \sigma(X)=\sqrt{400\times\frac{1}{5}\times\frac{4}{5}}=8$

이때 400은 충분히 큰 수이므로 확률변수 X는 근사적으로 정규분포 $N(80, 8^2)$을 따른다.
따라서 확률변수 $Z=\frac{X-80}{8}$은 표준정규분포 $N(0, 1)$을 따르므로 구하는 확률은

$$P(76 \le X \le 92)=P\left(\frac{76-80}{8} \le Z \le \frac{92-80}{8}\right)$$
$$=P(-0.5 \le Z \le 1.5)$$
$$=P(0 \le Z \le 0.5)+P(0 \le Z \le 1.5)$$
$$=0.1915+0.4332=0.6247$$

21 퍼즐 맞추기가 취미인 학생의 수를 확률변수 X라 하면 X는 이항분포 $B\left(100, \frac{1}{10}\right)$을 따르므로

$E(X)=100\times\frac{1}{10}=10, \sigma(X)=\sqrt{100\times\frac{1}{10}\times\frac{9}{10}}=3$

이때 100은 충분히 큰 수이므로 확률변수 X는 근사적으로 정규분포 $N(10, 3^2)$을 따른다.
따라서 확률변수 $Z=\frac{X-10}{3}$은 표준정규분포 $N(0, 1)$을 따르므로 구하는 확률은

$$P(X \le 13)=P\left(Z \le \frac{13-10}{3}\right)$$
$$=P(Z \le 1)$$
$$=P(Z \le 0)+P(0 \le Z \le 1)$$
$$=0.5+0.3413=0.8413$$

22 함수 $y=f(x)$의 그래프는 오른쪽 그림과 같고, 그래프와 x축으로 둘러싸인 부분의 넓이는 1이므로

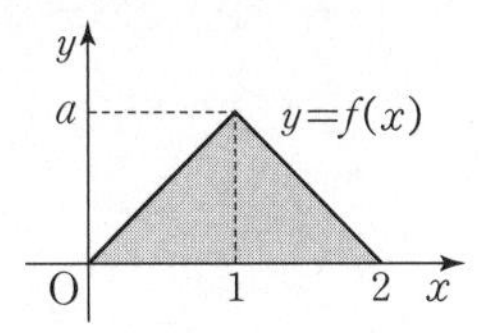

$\frac{1}{2}\times 2\times a=1 \qquad \therefore a=1$

이때 $P\left(\frac{1}{4} \le X \le 1\right)$은 오른쪽 그림에서 색칠한 부분의 넓이와 같으므로

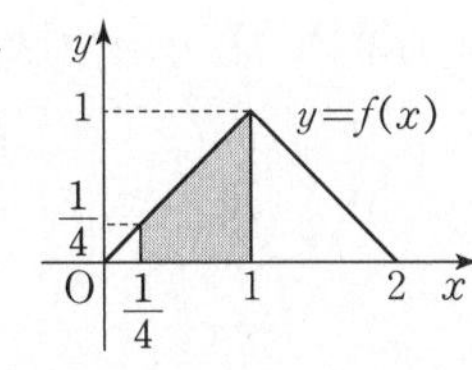

$\frac{1}{2}\times\left(\frac{1}{4}+1\right)\times\frac{3}{4}=\frac{15}{32}$

23 계란 1개의 무게를 확률변수 X라 하면 X는 정규분포 $N(52, 10^2)$을 따르므로 확률변수 $Z=\frac{X-52}{10}$는 표준정규분포 $N(0, 1)$을 따른다.

$$\therefore P(X \ge 60)=P\left(Z \ge \frac{60-52}{10}\right)$$
$$=P(Z \ge 0.8)$$
$$=P(Z \ge 0)-P(0 \le Z \le 0.8)$$
$$=0.5-0.29=0.21$$

따라서 무게가 60 g 이상인 계란은 전체의 21 %이다.

24 방과 후 학교 프로그램에 참여한 학생의 수를 확률변수 X라 하면 X는 이항분포 $B\left(600, \frac{3}{5}\right)$을 따르므로

$E(X)=600\times\frac{3}{5}=360, \sigma(X)=\sqrt{600\times\frac{3}{5}\times\frac{2}{5}}=12$

이때 600은 충분히 큰 수이므로 확률변수 X는 근사적으로 정규분포 $N(360, 12^2)$을 따른다.
따라서 확률변수 $Z=\frac{X-360}{12}$은 표준정규분포 $N(0, 1)$을 따르므로 구하는 확률은

$$P(X \ge 330)=P\left(Z \ge \frac{330-360}{12}\right)$$
$$=P(Z \ge -2.5)$$
$$=P(Z \ge 0)+P(0 \le Z \le 2.5)$$
$$=0.5+0.4938=0.9938$$

창의력 · 융합형 · 서술형 · 코딩

본문 106～107쪽

1 (1) 0.9974 (2) 1.96
2 (1) $m_1<m_2=m_3$ (2) $\sigma_1=\sigma_2<\sigma_3$ (3) 동우, 형윤
3 (1) $\mathrm{P}\left(Z_X\ge\frac{d-10}{0.4}\right)$ (2) $\mathrm{P}\left(Z_Y\le\frac{d-12}{0.6}\right)$ (3) 10.8
4 (1) 274등 (2) 16.6 % (3) 868.5점

1 (1) 확률변수 X가 정규분포 $\mathrm{N}(m, \sigma^2)$을 따르므로 확률변수 $Z=\frac{X-m}{\sigma}$은 표준정규분포 $\mathrm{N}(0, 1)$을 따른다. 따라서 확률변수 X의 값과 평균 m의 차가 3σ 이내에 있을 확률은

$$\begin{aligned}\mathrm{P}(|X-m|\le3\sigma)&=\mathrm{P}(-3\sigma\le X-m\le3\sigma)\\&=\mathrm{P}\left(-3\le\frac{X-m}{\sigma}\le3\right)\\&=\mathrm{P}(-3\le Z\le3)\\&=2\mathrm{P}(0\le Z\le3)\\&=2\times0.4987\\&=0.9974\end{aligned}$$

(2)
$$\begin{aligned}\mathrm{P}(|X-m|\le k\sigma)&=\mathrm{P}(-k\sigma\le X-m\le k\sigma)\\&=\mathrm{P}\left(-k\le\frac{X-m}{\sigma}\le k\right)\\&=\mathrm{P}(-k\le Z\le k)\\&=2\mathrm{P}(0\le Z\le k)\\&=0.95\end{aligned}$$

$\therefore \mathrm{P}(0\le Z\le k)=0.4750$
이때 $\mathrm{P}(0\le Z\le1.96)=0.4750$이므로
$k=1.96$

2 (1) 정규분포곡선은 직선 $x=m$에 대하여 대칭이고, 평균이 클수록 x축의 오른쪽에 위치하므로
$m_1<m_2=m_3$
(2) 정규분포곡선은 σ의 값이 커지면 곡선은 낮아지면서 양쪽으로 퍼지고, σ의 값이 작아지면 곡선은 높아지면서 뾰족해지므로
$\sigma_1=\sigma_2<\sigma_3$
(3) 현경: B학교 성적의 정규분포곡선은 A학교 성적의 정규분포곡선보다 오른쪽에 위치하므로 B학교의 평균 성적이 A학교의 평균 성적보다 높다.
동우: A학교 성적의 정규분포곡선이 C학교 성적의 정규분포곡선보다 높으면서 뾰족하므로 A학교 성적의 표준편차보다 C학교 성적의 표준편차가 더 크다.
유나: B학교 성적의 정규분포곡선이 C학교 성적의 정규분포곡선보다 높으면서 뾰족하므로 B학교 성적의 표준편차보다 C학교 성적의 표준편차가 더 크다.
형윤: C학교 성적의 정규분포곡선은 A학교 성적의 정규분포곡선보다 오른쪽에 위치하므로 C학교의 평균 성적이 A학교의 평균 성적보다 높다.
따라서 네 학생 중 옳게 말한 학생은 동우, 형윤이다.

3 (1) 과자 A의 길이를 확률변수 X라 하면 X는 정규분포 $\mathrm{N}(10, 0.4^2)$을 따르므로 확률변수 $Z_X=\frac{X-10}{0.4}$은 표준정규분포 $\mathrm{N}(0, 1)$을 따른다. 따라서 과자 A의 길이가 d 이상일 확률은
$\mathrm{P}(X\ge d)=\mathrm{P}\left(Z_X\ge\frac{d-10}{0.4}\right)$
(2) 과자 B의 길이를 확률변수 Y라 하면 Y는 정규분포 $\mathrm{N}(12, 0.6^2)$을 따르므로 확률변수 $Z_Y=\frac{Y-12}{0.6}$는 표준정규분포 $\mathrm{N}(0, 1)$을 따른다. 따라서 과자 B의 길이가 d 이하일 확률은
$\mathrm{P}(Y\le d)=\mathrm{P}\left(Z_Y\le\frac{d-12}{0.6}\right)$
(3) 과자 A의 길이가 d 이상일 확률과 과자 B의 길이가 d 이하일 확률이 같으려면
$\mathrm{P}\left(Z_X\ge\frac{d-10}{0.4}\right)=\mathrm{P}\left(Z_Y\le\frac{d-12}{0.6}\right)$에서
$\frac{d-10}{0.4}=-\frac{d-12}{0.6}$이어야 하므로
$3(d-10)+2(d-12)=0$
$\therefore d=10.8$

4 시험 성적을 확률변수 X라 하면 X는 정규분포 $\mathrm{N}(820, 50^2)$을 따르므로 확률변수 $Z=\frac{X-820}{50}$은 표준정규분포 $\mathrm{N}(0, 1)$을 따른다.
(1)
$$\begin{aligned}\mathrm{P}(X\ge850)&=\mathrm{P}\left(Z\ge\frac{850-820}{50}\right)\\&=\mathrm{P}(Z\ge0.6)\\&=\mathrm{P}(Z\ge0)-\mathrm{P}(0\le Z\le0.6)\\&=0.5-0.226\\&=0.274\end{aligned}$$
따라서 시험 성적이 850점인 지원자는 274등이다.
(2) 1000명 중에서 166등 이내에 들어야 합격이므로 합격자의 최저 점수는 상위 $\frac{166}{1000}\times100=16.6\ (\%)$이다.
(3) 합격자의 최저 점수를 a점이라 하면
$$\begin{aligned}\mathrm{P}(X\ge a)&=\mathrm{P}\left(Z\ge\frac{a-820}{50}\right)\\&=\mathrm{P}(Z\ge0)-\mathrm{P}\left(0\le Z\le\frac{a-820}{50}\right)\\&=0.5-\mathrm{P}\left(0\le Z\le\frac{a-820}{50}\right)\\&=0.166\end{aligned}$$
$\therefore \mathrm{P}\left(0\le Z\le\frac{a-820}{50}\right)=0.334$
이때 $\mathrm{P}(0\le Z\le0.97)=0.334$이므로
$\frac{a-820}{50}=0.97$, $a-820=48.5$
$\therefore a=868.5$
따라서 합격자의 최저 점수는 868.5점이다.

09 통계적 추정

STEP 1 교과서 개념 확인 테스트 | 본문 109쪽

1-1 (1) 표본조사 (2) 전수조사

1-2 (1) 전수조사 (2) 표본조사

2-1 평균: 2, 분산: $\frac{16}{9}$, 표준편차: $\frac{4}{3}$

2-2 평균: 50, 분산: $\frac{25}{36}$, 표준편차: $\frac{5}{6}$

3-1 $96.08 \le m \le 103.92$ 3-2 $19.84 \le m \le 30.16$

1-1 (1) 투표한 모든 유권자에 대해 출구 조사를 하는 것은 매우 오랜 시간이 걸리기 때문에 표본조사가 적합하다.

(2) 학생들의 체험 학습 참여 희망에 대해 조사하는 것은 각 개인의 의사가 중요하므로 전수조사가 적합하다.

1-2 (1) 학급의 시험 성적은 시간이 지나도 변하지 않는 값이고, 조사 대상도 많지 않아 충분히 전체를 조사할 수 있으므로 전수조사가 적합하다.

(2) 대한민국의 모든 고등학생들의 키를 조사하는 것은 매우 오랜 시간이 걸리기 때문에 표본조사가 적합하다.

2-1 모평균 $m=2$, 모분산 $\sigma^2=16$, 표본의 크기 $n=9$이므로

$\mathrm{E}(\overline{X})=m=2$

$\mathrm{V}(\overline{X})=\frac{\sigma^2}{n}=\frac{16}{9}$

$\sigma(\overline{X})=\frac{\sigma}{\sqrt{n}}=\frac{4}{\sqrt{9}}=\frac{4}{3}$

2-2 모평균 $m=50$, 모분산 $\sigma^2=25$, 표본의 크기 $n=36$이므로

$\mathrm{E}(\overline{X})=m=50$

$\mathrm{V}(\overline{X})=\frac{\sigma^2}{n}=\frac{25}{36}$

$\sigma(\overline{X})=\frac{\sigma}{\sqrt{n}}=\frac{5}{\sqrt{36}}=\frac{5}{6}$

3-1 표본의 크기 $n=25$, 표본평균 $\overline{x}=100$, 모표준편차 $\sigma=10$이므로 모평균 m의 신뢰도 95 %인 신뢰구간은

$100-1.96\times\frac{10}{\sqrt{25}} \le m \le 100+1.96\times\frac{10}{\sqrt{25}}$

$100-3.92 \le m \le 100+3.92$

$\therefore 96.08 \le m \le 103.92$

3-2 표본의 크기 $n=4$, 표본평균 $\overline{x}=25$, 모표준편차 $\sigma=4$이므로 모평균 m의 신뢰도 99 %인 신뢰구간은

$25-2.58\times\frac{4}{\sqrt{4}} \le m \le 25+2.58\times\frac{4}{\sqrt{4}}$

$25-5.16 \le m \le 25+5.16$

$\therefore 19.84 \le m \le 30.16$

STEP 2 기출 기초 테스트 | 본문 110~111쪽

1-1 모집단: 우리나라 농어촌 지역의 고등학교 전체
표본: 농어촌 지역에서 임의로 뽑은 100개의 고등학교
표본의 크기: 100

1-2 모집단: A과수원에서 수확한 사과 전체
표본: 수확한 사과 중에서 임의로 뽑은 25개의 사과
표본의 크기: 25

2-1 평균: 25, 표준편차: 1 2-2 평균: 100, 표준편차: 2

3-1 $m=40$, $n=81$ 3-2 $m=20$, $n=64$

4-1 0.6915 4-2 0.1587

5-1 $79.02 \le m \le 80.98$ 5-2 $17.936 \le m \le 22.064$

6-1 256 6-2 100

2-1 모평균 $m=25$, 모표준편차 $\sigma=4$, 표본의 크기 $n=16$이므로

$\mathrm{E}(\overline{X})=m=25$

$\sigma(\overline{X})=\frac{\sigma}{\sqrt{n}}=\frac{4}{\sqrt{16}}=1$

2-2 모평균 $m=100$, 모표준편차 $\sigma=10$, 표본의 크기 $n=25$이므로

$\mathrm{E}(\overline{X})=m=100$

$\sigma(\overline{X})=\frac{\sigma}{\sqrt{n}}=\frac{10}{\sqrt{25}}=2$

3-1 모평균이 40이므로 $\mathrm{E}(\overline{X})=m=40$

모표준편차가 3이고, 표본분산이 $\frac{1}{9}$이므로

$\mathrm{V}(\overline{X})=\frac{3^2}{n}=\frac{1}{9}$ $\therefore n=81$

3-2 모평균이 20이므로 $\mathrm{E}(\overline{X})=m=20$

모표준편차가 16이고, 표본분산이 2^2이므로

$\mathrm{V}(\overline{X})=\frac{16^2}{n}=2^2$ $\therefore n=64$

4-1 모평균이 30, 모표준편차가 6, 표본의 크기가 9이므로

$\mathrm{E}(\overline{X})=30$, $\sigma(\overline{X})=\frac{6}{\sqrt{9}}=2$

$Z=\frac{\overline{X}-30}{2}$으로 놓으면 확률변수 Z는 표준정규분포 $\mathrm{N}(0, 1)$을 따른다.

따라서 구하는 확률은

$$\begin{aligned}P(\overline{X}\le 31)&=P\left(Z\le\frac{31-30}{2}\right)\\&=P(Z\le 0.5)\\&=P(Z\ge 0)+P(0\le Z\le 0.5)\\&=0.5+0.1915\\&=0.6915\end{aligned}$$

4-2 모평균이 50, 모표준편차가 10, 표본의 크기가 25이므로

$E(\overline{X})=50$, $\sigma(\overline{X})=\dfrac{10}{\sqrt{25}}=2$

$Z=\dfrac{\overline{X}-50}{2}$으로 놓으면 확률변수 Z는 표준정규분포 $N(0, 1)$을 따른다.

따라서 구하는 확률은

$$\begin{aligned}P(\overline{X}\ge 52)&=P\left(Z\ge\frac{52-50}{2}\right)\\&=P(Z\ge 1)\\&=P(Z\ge 0)-P(0\le Z\le 1)\\&=0.5-0.3413\\&=0.1587\end{aligned}$$

5-1 표본의 크기 $n=100$, 표본평균 $\overline{x}=80$, 모표준편차 $\sigma=5$이므로 모평균 m의 신뢰도 95 %인 신뢰구간은

$80-1.96\times\dfrac{5}{\sqrt{100}}\le m\le 80+1.96\times\dfrac{5}{\sqrt{100}}$

$80-0.98\le m\le 80+0.98$

$\therefore 79.02\le m\le 80.98$

5-2 표본의 크기 $n=25$, 표본평균 $\overline{x}=20$, 모표준편차 $\sigma=4$이므로 모평균 m의 신뢰도 99 %인 신뢰구간은

$20-2.58\times\dfrac{4}{\sqrt{25}}\le m\le 20+2.58\times\dfrac{4}{\sqrt{25}}$

$20-2.064\le m\le 20+2.064$

$\therefore 17.936\le m\le 22.064$

6-1 표본의 크기가 n, 모표준편차가 8이므로 모평균의 신뢰도 95 %인 신뢰구간의 길이는 $2\times 1.96\times\dfrac{8}{\sqrt{n}}$이다.

이때 모평균의 신뢰도 95 %인 신뢰구간의 길이가 1.96 이하이므로

$2\times 1.96\times\dfrac{8}{\sqrt{n}}\le 1.96$

$\sqrt{n}\ge 16$ $\therefore n\ge 256$

따라서 구하는 n의 최솟값은 256이다.

6-2 표본의 크기가 n, 모표준편차가 10이므로 모평균의 신뢰도 99 %인 신뢰구간의 길이는 $2\times 2.58\times\dfrac{10}{\sqrt{n}}$이다.

이때 모평균의 신뢰도 99 %인 신뢰구간의 길이가 5.16 이하이므로

$2\times 2.58\times\dfrac{10}{\sqrt{n}}\le 5.16$

$\sqrt{n}\ge 10$ $\therefore n\ge 100$

따라서 구하는 n의 최솟값은 100이다.

STEP 3 교과서 기본 테스트

본문 112~115쪽

01 평균: 3, 분산: $\frac{2}{5}$ **02** $\frac{10}{9}$ **03** $\frac{2}{3}$ **04** ③
05 ⑤ **06** ③ **07** 0.95 **08** 100 **09** 0.1587
10 0.0062 **11** ② **12** 0.8413 **13** 0.0668 **14** 0.6826
15 ⑤ **16** $155.24\le m\le 159.16$ **17** ④
18 36 **19** 2 **20** 97 **21** ④ **22** 16
23 0.16 **24** $54.84\le m\le 65.16$

01 $E(X)=1\times\dfrac{1}{5}+3\times\dfrac{3}{5}+5\times\dfrac{1}{5}=3$

$$\begin{aligned}V(X)&=E(X^2)-\{E(X)\}^2\\&=\left(1^2\times\frac{1}{5}+3^2\times\frac{3}{5}+5^2\times\frac{1}{5}\right)-3^2\\&=\frac{53}{5}-9=\frac{8}{5}\end{aligned}$$

이때 표본의 크기가 4이므로

$E(\overline{X})=3$, $V(\overline{X})=\dfrac{\frac{8}{5}}{4}=\dfrac{2}{5}$

02 $E(X)=a\times\dfrac{1}{2}+2a\times\dfrac{1}{3}+3a\times\dfrac{1}{6}=\dfrac{5}{3}a$

$$\begin{aligned}V(X)&=E(X^2)-\{E(X)\}^2\\&=\left\{a^2\times\frac{1}{2}+(2a)^2\times\frac{1}{3}+(3a)^2\times\frac{1}{6}\right\}-\left(\frac{5}{3}a\right)^2\\&=\frac{10}{3}a^2-\frac{25}{9}a^2=\frac{5}{9}a^2\end{aligned}$$

이때 표본의 크기가 2이므로

$E(\overline{X})=\dfrac{5}{3}a$, $V(\overline{X})=\dfrac{\frac{5}{9}a^2}{2}=\dfrac{5}{18}a^2$

$E(\overline{X})=\dfrac{10}{3}$이므로 $\dfrac{5}{3}a=\dfrac{10}{3}$에서 $a=2$

따라서 $V(\overline{X})=\dfrac{5}{18}\times 2^2=\dfrac{10}{9}$

03 주머니에서 임의로 한 개의 공을 꺼낼 때, 공에 적힌 숫자를 확률변수 X라 하고 X의 확률분포를 표로 나타내면 다음과 같다.

X	1	2	3	4	5	합계
$P(X=x)$	$\frac{1}{5}$	$\frac{1}{5}$	$\frac{1}{5}$	$\frac{1}{5}$	$\frac{1}{5}$	1

확률변수 X에 대하여

$$\mathrm{E}(X)=1\times\frac{1}{5}+2\times\frac{1}{5}+3\times\frac{1}{5}+4\times\frac{1}{5}+5\times\frac{1}{5}=3$$

$$\mathrm{V}(X)=\mathrm{E}(X^2)-\{\mathrm{E}(X)\}^2=\left(1^2\times\frac{1}{5}+2^2\times\frac{1}{5}+3^2\times\frac{1}{5}+4^2\times\frac{1}{5}+5^2\times\frac{1}{5}\right)-3^2=11-9=2$$

이때 표본의 크기가 3이므로 $\mathrm{V}(\overline{X})=\frac{2}{3}$

04 모평균 $m=10$, 모표준편차 $\sigma=8$, 표본의 크기 $n=16$이므로

$\mathrm{E}(\overline{X})=m=10$

$\sigma(\overline{X})=\frac{\sigma}{\sqrt{n}}=\frac{8}{\sqrt{16}}=2$

$\therefore \mathrm{E}(\overline{X})+\sigma(\overline{X})=10+2=12$

05 모표준편차 $\sigma=12$, 표본의 크기가 n이므로

$\sigma(\overline{X})=\frac{\sigma}{\sqrt{n}}=\frac{12}{\sqrt{n}}$

이때 $\sigma(\overline{X})=2$이므로

$\frac{12}{\sqrt{n}}=2$에서 $\sqrt{n}=6$

$\therefore n=36$

06 모표준편차 $\sigma=1$, 표본의 크기가 n이므로

$\sigma(\overline{X})=\frac{\sigma}{\sqrt{n}}=\frac{1}{\sqrt{n}}$

이때 $\sigma(\overline{X})\le\frac{1}{20}$이므로

$\frac{1}{\sqrt{n}}\le\frac{1}{20}$에서 $\sqrt{n}\ge20$

$\therefore n\ge400$

따라서 구하는 n의 최솟값은 400이다.

07 모평균이 40, 모표준편차가 5, 표본의 크기가 100이므로

$\mathrm{E}(\overline{X})=40$, $\sigma(\overline{X})=\frac{5}{\sqrt{100}}=0.5$

$Z=\frac{\overline{X}-40}{0.5}$으로 놓으면 확률변수 Z는 표준정규분포 $\mathrm{N}(0, 1)$을 따른다.

따라서 구하는 확률은

$$\begin{aligned}\mathrm{P}(39.1\le\overline{X}\le41.2)&=\mathrm{P}\left(\frac{39.1-40}{0.5}\le Z\le\frac{41.2-40}{0.5}\right)\\&=\mathrm{P}(-1.8\le Z\le2.4)\\&=\mathrm{P}(0\le Z\le1.8)+\mathrm{P}(0\le Z\le2.4)\\&=0.46+0.49\\&=0.95\end{aligned}$$

08 모평균이 60, 모표준편차가 5, 표본의 크기가 n이므로

$\mathrm{E}(\overline{X})=60$, $\sigma(\overline{X})=\frac{5}{\sqrt{n}}$

$Z=\frac{\overline{X}-60}{\frac{5}{\sqrt{n}}}$으로 놓으면 확률변수 Z는 표준정규분포 $\mathrm{N}(0, 1)$을 따른다.

$$\begin{aligned}\mathrm{P}(\overline{X}\ge61)&=\mathrm{P}\left(Z\ge\frac{61-60}{\frac{5}{\sqrt{n}}}\right)\\&=\mathrm{P}\left(Z\ge\frac{\sqrt{n}}{5}\right)\\&=\mathrm{P}(Z\ge0)-\mathrm{P}\left(0\le Z\le\frac{\sqrt{n}}{5}\right)\end{aligned}$$

이므로 $\mathrm{P}(Z\ge0)-\mathrm{P}\left(0\le Z\le\frac{\sqrt{n}}{5}\right)\le0.0228$에서

$\mathrm{P}\left(0\le Z\le\frac{\sqrt{n}}{5}\right)\ge0.5-0.0228=0.4772$

이때 $\mathrm{P}(0\le Z\le2)=0.4772$이므로

$\frac{\sqrt{n}}{5}\ge2$, $\sqrt{n}\ge10$ $\quad\therefore n\ge100$

따라서 구하는 n의 최솟값은 100이다.

09 모평균이 200, 모표준편차가 20, 표본의 크기가 16이므로

$\mathrm{E}(\overline{X})=200$, $\sigma(\overline{X})=\frac{20}{\sqrt{16}}=5$

$Z=\frac{\overline{X}-200}{5}$으로 놓으면 확률변수 Z는 표준정규분포 $\mathrm{N}(0, 1)$을 따른다.

따라서 구하는 확률은

$$\begin{aligned}\mathrm{P}(\overline{X}\ge205)&=\mathrm{P}\left(Z\ge\frac{205-200}{5}\right)\\&=\mathrm{P}(Z\ge1)\\&=\mathrm{P}(Z\ge0)-\mathrm{P}(0\le Z\le1)\\&=0.5-0.3413\\&=0.1587\end{aligned}$$

10 모평균이 500, 모표준편차가 12, 표본의 크기가 36이므로

$\mathrm{E}(\overline{X})=500$, $\sigma(\overline{X})=\frac{12}{\sqrt{36}}=2$

$Z=\frac{\overline{X}-500}{2}$으로 놓으면 확률변수 Z는 표준정규분포 $\mathrm{N}(0, 1)$을 따른다.

따라서 구하는 확률은

$$\begin{aligned}\mathrm{P}(\overline{X}\le495)&=\mathrm{P}\left(Z\le\frac{495-500}{2}\right)\\&=\mathrm{P}(Z\le-2.5)\\&=\mathrm{P}(Z\ge2.5)\\&=\mathrm{P}(Z\ge0)-\mathrm{P}(0\le Z\le2.5)\\&=0.5-0.4938\\&=0.0062\end{aligned}$$

11 임의추출한 100개의 음료수 부피의 평균을 $\overline{X}$라 하면 모평균이 200, 모표준편차가 10, 표본의 크기가 100이므로

$E(\overline{X})=200$, $\sigma(\overline{X})=\frac{10}{\sqrt{100}}=1$

$Z=\frac{\overline{X}-200}{1}$으로 놓으면 확률변수 Z는 표준정규분포 $N(0, 1)$을 따른다.

따라서 구하는 확률은

$$\begin{aligned}P(\overline{X}\geq 202)&=P\left(Z\geq\frac{202-200}{1}\right)\\&=P(Z\geq 2)\\&=P(Z\geq 0)-P(0\leq Z\leq 2)\\&=0.5-0.4772\\&=0.0228\end{aligned}$$

12 임의추출한 36개의 건전지 수명의 평균을 $\overline{X}$라 하면 모평균이 45, 모표준편차가 12, 표본의 크기가 36이므로

$E(\overline{X})=45$, $\sigma(\overline{X})=\frac{12}{\sqrt{36}}=2$

$Z=\frac{\overline{X}-45}{2}$로 놓으면 확률변수 Z는 표준정규분포 $N(0, 1)$을 따른다.

따라서 구하는 확률은

$$\begin{aligned}P(\overline{X}\geq 43)&=P\left(Z\geq\frac{43-45}{2}\right)\\&=P(Z\geq -1)\\&=P(Z\geq 0)+P(0\leq Z\leq 1)\\&=0.5+0.3413\\&=0.8413\end{aligned}$$

13 임의추출한 49명이 일주일 동안 운동하는 시간의 평균을 $\overline{X}$라 하면 모평균이 65, 모표준편차가 14, 표본의 크기가 49이므로

$E(\overline{X})=65$, $\sigma(\overline{X})=\frac{14}{\sqrt{49}}=2$

$Z=\frac{\overline{X}-65}{2}$로 놓으면 확률변수 Z는 표준정규분포 $N(0, 1)$을 따른다.

따라서 구하는 확률은

$$\begin{aligned}P(\overline{X}\geq 68)&=P\left(Z\geq\frac{68-65}{2}\right)\\&=P(Z\geq 1.5)\\&=P(Z\geq 0)-P(0\leq Z\leq 1.5)\\&=0.5-0.4332\\&=0.0668\end{aligned}$$

14 임의추출한 25개의 컴퓨터 모니터 수명의 평균을 $\overline{X}$라 하면 모평균이 15000, 모표준편차가 500, 표본의 크기가 25이므로

$E(\overline{X})=15000$, $\sigma(\overline{X})=\frac{500}{\sqrt{25}}=100$

$Z=\frac{\overline{X}-15000}{100}$으로 놓으면 확률변수 Z는 표준정규분포 $N(0, 1)$을 따른다.

따라서 구하는 확률은

$$\begin{aligned}&P(14900\leq\overline{X}\leq 15100)\\&=P\left(\frac{14900-15000}{100}\leq Z\leq\frac{15100-15000}{100}\right)\\&=P(-1\leq Z\leq 1)\\&=2P(0\leq Z\leq 1)\\&=2\times 0.3413\\&=0.6826\end{aligned}$$

15 표본의 크기 $n=81$, 표본평균 $\overline{x}=45$, 모표준편차 $\sigma=3$이므로 모평균 m의 신뢰도 99 %인 신뢰구간은

$45-2.58\times\frac{3}{\sqrt{81}}\leq m\leq 45+2.58\times\frac{3}{\sqrt{81}}$

$45-0.86\leq m\leq 45+0.86$

$\therefore 44.14\leq m\leq 45.86$

16 표본의 크기 $n=64$, 표본평균 $\overline{x}=157.2$, 모표준편차 $\sigma=8$이므로 모평균 m의 신뢰도 95 %인 신뢰구간은

$157.2-1.96\times\frac{8}{\sqrt{64}}\leq m\leq 157.2+1.96\times\frac{8}{\sqrt{64}}$

$157.2-1.96\leq m\leq 157.2+1.96$

$\therefore 155.24\leq m\leq 159.16$

17 표본의 크기가 충분히 크므로 모표준편차 대신 표본표준편차를 사용할 수 있다.

표본의 크기 $n=900$, 표본평균 $\overline{x}=12$, 표본표준편차 $s=3$이므로 모평균 m의 신뢰도 95 %인 신뢰구간은

$12-1.96\times\frac{3}{\sqrt{900}}\leq m\leq 12+1.96\times\frac{3}{\sqrt{900}}$

$12-0.196\leq m\leq 12+0.196$

$\therefore 11.804\leq m\leq 12.196$

18 표본의 크기가 n, 모표준편차가 3이므로 모평균의 신뢰도 99 %인 신뢰구간의 길이는

$2\times 2.58\times\frac{3}{\sqrt{n}}$이다.

이때 모평균 m의 신뢰도 99 %인 신뢰구간이 $30.71\leq m\leq 33.29$이므로 신뢰구간의 길이는

$33.29-30.71=2.58$

즉 $2\times 2.58\times\frac{3}{\sqrt{n}}=2.58$에서 $\sqrt{n}=6$

$\therefore n=36$

19 표본의 크기가 49, 모표준편차가 σ이므로 모평균의 신뢰도 95 %인 신뢰구간의 길이는

$2\times 1.96\times\frac{\sigma}{\sqrt{49}}$이다.

이때 모평균의 신뢰도 95 %인 신뢰구간의 길이가 1.12이므로

$2\times1.96\times\frac{\sigma}{\sqrt{49}}=1.12$

$0.56\sigma=1.12 \quad \therefore \sigma=2$

20 표본의 크기를 n이라 하면 모표준편차가 0.5이므로 모평균의 신뢰도 95 %인 신뢰구간의 길이는

$2\times1.96\times\frac{0.5}{\sqrt{n}}$이다.

이때 모평균의 신뢰도 95 %인 신뢰구간의 길이가 0.2 이하가 되려면

$2\times1.96\times\frac{0.5}{\sqrt{n}}\le0.2$

$\sqrt{n}\ge9.8 \quad \therefore n\ge96.04$

따라서 구하는 n의 최솟값은 97이다.

21 표본의 크기가 64이고, 모표준편차를 σ라 하면 모평균의 신뢰도 99 %인 신뢰구간의 길이는

$h=2\times2.58\times\frac{\sigma}{\sqrt{64}}$ …… ㉠

신뢰구간의 길이가 $\frac{1}{4}h$일 때의 표본의 크기를 n이라 하면

$\frac{1}{4}h=2\times2.58\times\frac{\sigma}{\sqrt{n}}$ …… ㉡

㉠을 ㉡에 대입하면

$\frac{1}{4}\times\left(2\times2.58\times\frac{\sigma}{\sqrt{64}}\right)=2\times2.58\times\frac{\sigma}{\sqrt{n}}$

$\sqrt{n}=32 \quad \therefore n=1024$

22 모평균 $m=20$, 모표준편차 $\sigma=8$, 표본의 크기가 n이므로

$E(\overline{X})=m=20$

$V(\overline{X})=\frac{\sigma^2}{n}=\frac{64}{n}$

이때 $E(\overline{X})+V(\overline{X})=24$이므로

$20+\frac{64}{n}=24$에서 $n=16$

23 호박 한 개의 무게를 확률변수 X라 하면 X는 정규분포 $N(460, 25^2)$을 따르므로 확률변수 $Z_X=\frac{X-460}{25}$은 표준정규분포 $N(0, 1)$을 따른다.

이때 호박 한 개의 무게가 492 g 이상일 확률은

$P(X\ge492)=P\left(Z_X\ge\frac{492-460}{25}\right)$
$=P(Z_X\ge1.28)$
$=P(Z_X\ge0)-P(0\le Z_X\le1.28)$
$=0.5-0.4$
$=0.1$

임의추출한 100개의 호박 중 무게가 492 g 이상인 것의 개수를 확률변수 Y라 하면 Y는 이항분포 $B(100, 0.1)$을 따르므로 평균과 분산은 각각

$E(Y)=100\times0.1=10$

$V(Y)=100\times0.1\times0.9=9$

여기서 시행 횟수 100은 충분히 크므로 Y는 근사적으로 정규분포 $N(10, 3^2)$을 따른다.

따라서 확률변수 $Z_Y=\frac{Y-10}{3}$은 표준정규분포 $N(0, 1)$을 따르므로 구하는 확률은

$P(Y\ge13)=P\left(Z_Y\ge\frac{13-10}{3}\right)$
$=P(Z_Y\ge1)$
$=P(Z_Y\ge0)-P(0\le Z_Y\le1)$
$=0.5-0.34$
$=0.16$

24 표본평균 $\overline{X}$의 값을 $\overline{x}$라 하면 표본의 크기가 n, 모표준편차가 σ이므로 모평균 m의 신뢰도 95 %인 신뢰구간은

$\overline{x}-1.96\frac{\sigma}{\sqrt{n}}\le m\le\overline{x}+1.96\frac{\sigma}{\sqrt{n}}$

이때 $56.08\le m\le63.92$이므로

$\overline{x}-1.96\frac{\sigma}{\sqrt{n}}=56.08$ …… ㉠

$\overline{x}+1.96\frac{\sigma}{\sqrt{n}}=63.92$ …… ㉡

㉠, ㉡을 연립하여 풀면

$\overline{x}=60, \frac{\sigma}{\sqrt{n}}=2$

따라서 모평균 m의 신뢰도 99 %인 신뢰구간은

$\overline{x}-2.58\frac{\sigma}{\sqrt{n}}\le m\le\overline{x}+2.58\frac{\sigma}{\sqrt{n}}$

$60-2.58\times2\le m\le60+2.58\times2$

$\therefore 54.84\le m\le65.16$

창의력 · 융합형 · 서술형 · 코딩 본문 116~117쪽

1 (1) 풀이 참조
(2) $P(9\le\overline{X}\le11)=0.1974$, $P(13\le\overline{X}\le15)=0.121$
(3) $P(9\le\overline{X}\le11)=0.383$, $P(13\le\overline{X}\le15)=0.0606$
(4) 풀이 참조

2 (1) $N(8, 0.5^2)$ (2) $7.02\le m\le8.98$ (3) $6.71\le m\le9.29$

3 (1) 길어진다. (2) 표본의 크기를 크게 해야 한다.

4 (1) 193.01 (2) 199.068 (3) 풀이 참조

1 (1) $n=9$일 때

$E(\overline{X})=m=10$

$\sigma(\overline{X})=\frac{\sigma}{\sqrt{n}}=\frac{12}{\sqrt{9}}=4$

$n=36$일 때

$E(\overline{X})=m=10$

$\sigma(\overline{X})=\frac{\sigma}{\sqrt{n}}=\frac{12}{\sqrt{36}}=2$

(2) $n=9$일 때, $E(\overline{X})=10$, $\sigma(\overline{X})=4$이므로

$$\begin{aligned}P(9\le\overline{X}\le11)&=P\left(\frac{9-10}{4}\le Z\le\frac{11-10}{4}\right)\\&=P(-0.25\le Z\le0.25)\\&=2P(0\le Z\le0.25)\\&=2\times0.0987\\&=0.1974\end{aligned}$$

$$\begin{aligned}P(13\le\overline{X}\le15)&=P\left(\frac{13-10}{4}\le Z\le\frac{15-10}{4}\right)\\&=P(0.75\le Z\le1.25)\\&=P(0\le Z\le1.25)-P(0\le Z\le0.75)\\&=0.3944-0.2734\\&=0.121\end{aligned}$$

(3) $n=36$일 때, $E(\overline{X})=10$, $\sigma(\overline{X})=2$이므로

$$\begin{aligned}P(9\le\overline{X}\le11)&=P\left(\frac{9-10}{2}\le Z\le\frac{11-10}{2}\right)\\&=P(-0.5\le Z\le0.5)\\&=2P(0\le Z\le0.5)\\&=2\times0.1915\\&=0.383\end{aligned}$$

$$\begin{aligned}P(13\le\overline{X}\le15)&=P\left(\frac{13-10}{2}\le Z\le\frac{15-10}{2}\right)\\&=P(1.5\le Z\le2.5)\\&=P(0\le Z\le2.5)-P(0\le Z\le1.5)\\&=0.4938-0.4332\\&=0.0606\end{aligned}$$

(4) 표를 완성하면 다음과 같다.

	$P(9\le\overline{X}\le11)$	$P(13\le\overline{X}\le15)$
$n=9$	0.1974	0.121
$n=36$	0.383	0.0606

표본의 크기 n이 커질수록 평균을 포함하는 구간은 확률이 커지고, 평균을 포함하지 않는 구간은 확률이 작아진다.

2 (1) $E(\overline{X})=m=8$, $\sigma(\overline{X})=\frac{\sigma}{\sqrt{n}}=\frac{3}{\sqrt{36}}=0.5$이므로 표본평균 $\overline{X}$는 정규분포 $N(8, 0.5^2)$을 따른다.

(2) 표본의 크기 $n=36$, 표본평균 $\bar{x}=8$, 모표준편차 $\sigma=3$이므로 모평균 m의 신뢰도 95 %인 신뢰구간은

$8-1.96\times\frac{3}{\sqrt{36}}\le m\le8+1.96\times\frac{3}{\sqrt{36}}$

$8-0.98\le m\le8+0.98$

$\therefore 7.02\le m\le8.98$

(3) 표본의 크기 $n=36$, 표본평균 $\bar{x}=8$, 모표준편차 $\sigma=3$이므로 모평균 m의 신뢰도 99 %인 신뢰구간은

$8-2.58\times\frac{3}{\sqrt{36}}\le m\le8+2.58\times\frac{3}{\sqrt{36}}$

$8-1.29\le m\le8+1.29$

$\therefore 6.71\le m\le9.29$

3 (1) 표본의 크기를 n이라 하고, 두 신뢰도 α_1, α_2에 대하여 $P(|Z|\le k_1)=\frac{\alpha_1}{100}$, $P(|Z|\le k_2)=\frac{\alpha_2}{100}$일 때, $0<\alpha_1<\alpha_2$이면 $0<k_1<k_2$이므로

$2\times k_1\times\frac{\sigma}{\sqrt{n}}<2\times k_2\times\frac{\sigma}{\sqrt{n}}$이다.

따라서 표본의 크기가 일정할 때, 신뢰도가 높아질수록 신뢰구간의 길이는 길어진다.

(2) $P(|Z|\le k)=\frac{\alpha}{100}$일 때, 두 표본의 크기 n_1, n_2에 대하여 $0<n_1<n_2$이면 $\frac{\sigma}{\sqrt{n_1}}>\frac{\sigma}{\sqrt{n_2}}$이므로

$2\times k\times\frac{\sigma}{\sqrt{n_1}}>2\times k\times\frac{\sigma}{\sqrt{n_2}}$이다.

따라서 신뢰도가 일정할 때, 신뢰구간의 길이를 짧게 하려면 표본의 크기를 크게 해야 한다.

4 (1) $E(\overline{X})=m=200$, $\sigma(\overline{X})=\frac{\sigma}{\sqrt{n}}=\frac{12}{\sqrt{16}}=3$이므로 $\overline{X}$는 정규분포 $N(200, 3^2)$을 따른다.

생산 시스템에 이상이 있다고 판단될 확률이 0.01이므로

$P(\overline{X}\le a)=0.01$에서

$P(\overline{X}\le a)=P\left(Z\le\frac{a-200}{3}\right)=0.01$

이때 주어진 표준정규분포표에서

$P(0\le Z\le2.33)=0.49$이므로

$$\begin{aligned}P(Z\le-2.33)&=P(Z\ge2.33)\\&=P(Z\ge0)-P(0\le Z\le2.33)\\&=0.5-0.49\\&=0.01\end{aligned}$$

즉 $\frac{a-200}{3}=-2.33$에서 $a=193.01$

(2) $E(\overline{X})=m=200$, $\sigma(\overline{X})=\frac{\sigma}{\sqrt{n}}=\frac{12}{\sqrt{900}}=0.4$이므로 $\overline{X}$는 정규분포 $N(200, 0.4^2)$을 따른다.

생산 시스템에 이상이 있다고 판단될 확률이 0.01이므로

$P(\overline{X}\le a)=0.01$에서

$P(\overline{X}\le a)=P\left(Z\le\frac{a-200}{0.4}\right)=0.01$

이때 주어진 표준정규분포표에서

$P(0\le Z\le2.33)=0.49$이므로

$$\begin{aligned}P(Z\le-2.33)&=P(Z\ge2.33)\\&=P(Z\ge0)-P(0\le Z\le2.33)\\&=0.5-0.49\\&=0.01\end{aligned}$$

즉 $\frac{a-200}{0.4}=-2.33$에서 $a=199.068$

(3) 표본의 크기 n이 커질수록 생산 시스템에 이상이 있는 것으로 판단하는 경곗값인 a의 값이 표본평균 200에 가까워진다.

배움으로 행복한 내일을 꿈꾸는

천재교육 커뮤니티 안내

교재 안내부터 구매까지 한 번에!

천재교육 홈페이지

천재교육 홈페이지에서는 자사가 발행하는 참고서,
교과서에 대한 소개는 물론 도서 구매도 할 수 있습니다.
회원에게 지급되는 별을 모아 다양한 상품 응모에도
도전해 보세요.

구독, 좋아요는 필수! 핵유용 정보 가득한

천재교육 유튜브 <천재TV>

신간에 대한 자세한 정보가 궁금하세요?
참고서를 어떻게 활용해야 할지 고민인가요?
공부 외 다양한 고민을 해결해 줄 채널이 필요한가요?
학생들에게 꼭 필요한 콘텐츠로 가득한 천재TV로 놀러 오세요!

다양한 교육 꿀팁에 깜짝 이벤트는 덤!

천재교육 인스타그램

천재교육의 새롭고 중요한 소식을 가장 먼저 접하고 싶다면?
천재교육 인스타그램 팔로우가 필수!
누구보다 빠르고 재미있게 천재교육의 소식을 전달합니다.
깜짝 이벤트도 수시로 진행되니 놓치지 마세요!

교과서 다품

정답과 해설

확률과 통계

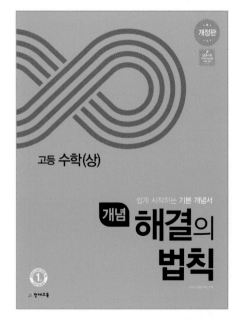